917-1944年の独裁

1938年時点の国境

1　フランス：1942年11月までは部分的にドイツによって占領された。「
ンス国」は1940年7月から1944年8月まで存続した。
2　ユーゴスラヴィア：クロアチアは枢軸側の同盟国となり、セルビアとモ
ネグロは占領された。
3　中国：日本によって部分的に占領された。

独裁者が変えた世界史 下

LE SIÈCLE DES DICTATEURS

オリヴィエ・ゲズ 編
Olivier Guez

神田順子／田辺希久子／
Junko Kanda Kikuko Tanabe

村上尚子／松尾真奈美／
Naoko Murakami Manami Matsuo

濱田英作 訳
Eisaku Hamada

原書房

独裁者が変えた世界史◆下

独裁者が変えた世界史◆上・目次

13 デュヴァリエ

ハイチは最悪の一族の誘惑に勝てるのか

カトリーヌ・エーヴ・ルペール

一四九二年一二月五日、クリストファー・コロンブスはハイチ島に船を横づけにした。アメリカインディアンが住むこの楽園をスペイン人たちはイスパニョーラと名づけた。一五年後、コンキスタドールたちは住民を抹殺し、金採掘によって土地を荒廃させた。イスパニョーラ島の北西沖にあるトルトゥーガ島はいっとき、カリブ海の海賊たちの拠点となった。やがてイスパニョーラ島の西部はフランスの支配下に入り、奴隷貿易によってアフリカからつれてこられた奴隷の労働力のおかげで、フランスの植民地のなかで最大の繁栄を誇るようになった。一七九一年、トゥーサン＝ルーヴェルチュールが率いる奴隷の反乱が勃発した。彼らは英雄的な闘いをへて、ボナパルトに自分たちの自由を認めさせた。島はかつての名前であるハイチと改名され、一八〇四年に世界初の黒人共和国となった。こうして白人に恐怖をあたえたものの、ハイチは一九世紀の奴隷使役国家（アメリカ、フランス、イギリス）から疎外されて貧困と暴力の淵に沈んだ。二世紀のあいだに、秩序の回復をはかって二五もの憲法が制定された。だが、いずれの試みも三二回ものクーデターで潰え、独裁ばかりが花開いた。そうした独裁の一つであるデュヴァリエ王朝による支配は、その長さ、残忍、貪欲によってハイチに赤い烙印を押した。

パパ・ドク――野獣がたどった権力への道

デュヴァリエ王朝の始祖はフランソワである。彼は未成年強姦の結果として、一九〇七年四月一四日に誕生した。母親のウリシア・アブラアムは少女で、強姦犯であるフロレスタル・デュヴァリエは老人であった。フロレスタルは、二〇年前に婚外児としてもうけた息子のデュヴァルに、おまえを認知してデュヴァル・デュヴァリエにしてやるから、ともちかけ、その見返りとして赤子を養子にとらせた。赤ん坊は一人っ子として育つことになる。異母兄が戸籍上の父親で、実父のフロレスタルは戸籍上の祖父であった。赤ん坊を奪われた母親のウリシアは死ぬ。フロレスタルとデュヴァルは、彼らのルーツであるフランスへのオマージュとして赤子をフランソワと名づけた。フロレスタルは紳士服仕立て職人、デュヴァルは小学校教師であり、どちらもマルティニーク［カリブ海の島、フランスの海外県］の出身だった。彼らは一九世紀末からハイチで暮らしていたが、彼らがハイチ国籍を取得した証拠は一つもない。すべてを考えあわせると、フランソワの父親はフランス国籍であり、彼自身もフランス人だと思われる。のちにこのことを証明しようと試みた者は全員、姿を消した。大統領に選ばれるいなや、フランソワは邪魔な証人を消したからである。

フランソワ少年は首都ポルトープランスのバ＝プード＝ショーズ地区で育った。そこは大統領府の近所であり、当時のハイチの年代記をにぎわした残忍行為を観る特等席であった。たびたび起こる流血のクーデター、一九一五年から一九三四年までのアメリカによる占領。[1] フランソワは病弱で、感情を外に出さない陰険な子どもであった。そのうえ、言葉の違いで、仲間はずれにされがちだった。ハイチ人の多くはクレオール語を話すのに、デュヴァリエ一族の口をついて出るのはフランス語のみであった。フランソワは文系のバカロレアを取得したのち、養父がたいへんな犠牲をはらってくれたお陰で一九三四年に医師免状を取得することができた。だが開業はむずかしかった。金がないうえに、黒人であるために、ハイチのエリート階級であるムラート［ラテンアメリカおよび北米における、白人とアフリカ系黒人の混血］を患者として獲得することは容易ではなかったからだ。さらには本人も病弱で（糖尿病もちであるうえ、心不全にも悩んでいた）あったため、最終的に公務員となった。

ある保健センターに配属されたが、患者を診るよりは、刊行されてから日が浅い雑誌「レ・グリオ」に投稿する記事の執筆に心血（しんけつ）をそそいだ。この雑誌は、黒人ナショナリズムをあおり、アフリカをルーツとするハイチ文化とヴードゥー教への回帰を訴えていた。フランソワは、「ごろつき」扱いされている階級を抜け出し、知識人の仲間に入れてもらうことを夢見ていた。下手な文章を書きつらねたテキストのなかで、彼はヴードゥーの知識をひけらかして民族学研究者を気どった。一九四八年から一九六九年にかけて彼は一〇冊ほどの政治的色彩の濃い著作を出す。だが、このころの彼は用心深く、いずれの政党にも肩入れしなかった。ゆえに彼は、同世代のなかで、投獄経験のないまれな人間の一人であった。

その他大勢のなかに埋没しないために彼は自分の立ち居ふるまいに演出をこらし、人を怖がらせるために、ヴードゥー教における墓場の守護霊であるバロン・サムディに自分を似せようとした。そのために、あの世から響いてくるような低い声で話し、黒いフェルト帽を常用した。フロレスタルが仕立ててくれる時代遅れの黒いスーツのお陰で、彼はさながら葬儀社の人間のようだった。

彼の私生活は面白みに欠けていた。三二歳でまだ独身であったので、友人たちがシモーヌ・オヴィドを紹介してくれた。出自がはっきりしない、六歳年下のシモーヌは美人で、ムラートであることを示すやや白い肌の持ち主だった。背が高く、フランソワとならぶと、頭ひとつ抜け出ていた。身体的には不ぞろいの二人であったが、社会に復讐したいという願望を共有し、これが絆（きずな）となった。結婚式は一九三九年一二月二七日にペティヨンヴィルの教会でとりおこなわれた。二人は、三人の娘（マリー＝ドゥニーズ、ニコル、シモーヌ）と一人の息子（ジャン＝クロード）の親となる。

一九四二年、アメリカ大陸諸国の保健医療制度の整備を助けるインターアメリカン・コミッションが、極貧層の疾病（チフス、癩、結核、マラリア、そしてなによりもイチゴ腫[2]）に対処する医師を募集した。採用されたうちには、フランソワ・デュヴァリエもいた。一九四四年、フランソワはアメリカで研修を受けることになったが、英語力が貧弱だとわかったので、数か月後に帰国した。そのうえ、アメリカの学生たちの高慢な態度と、人種差別は、忘れられない嫌な思い出となった。ハイチに戻った後に、フランソワは臨床医としての活動をはじめ、驢馬（ろば）にまたがって僻地（へきち）をめぐる農村医師という伝説をうちたてた。貧者を診察し、自分が発明した奇跡のイチゴ腫治療薬と称してペニシリンとテラマイシンをあたえた。こうしてフランソワは、「ボン・パパ・ドク（よき父親のような先生）」というあだ名を獲得した。

殺人者としての第一歩

一九四六年、ハイチの社会が黒人とムラートに分断されている現状を背景として、フランソワは、ハイチにおける人種闘争は階級闘争にほかならない、裕福なエリート層のムラートと庶民である黒人のあいだの闘争である、と主張して、そこそこの知名度を得た。そして、都市と農村の貧困層を擁護するMOP（労働者農民運動）の設立に貢献し、名声を獲得した。フランソワはペティヨン高校時代の恩師であった黒人の大統領、デュマルセ・エスティメに接近し、自分の肌の色を政治的野心の道具とした。彼は公共保健庁の長官に任命され、次に保健労働大臣に就任した。だが、この栄光は短期間で終わりを迎える。一九五〇年、黒人層とムラート層のあいだの亀裂が革命を誘発した。ムラートのエリート層に支持された軍人、ポール・マグロワールがデュマルセ・エスティメは失脚し、マグロワールが新たな大統領となった。デュマルセ・エスティメという敗者の側についていたデュヴァリエは、生きのびるために潜伏するほかなかった。一八か月間、地下にもぐっているあいだに政治活動家となり、反政権陣営にくわわった。一九五六年、大赦によって潜伏生活から抜け出したフランソワは、多数の候補者のなかにまぎれこみ、ハイチ共和国大統領選挙に出馬した。

選挙戦は九か月続いた。前代未聞の暴力が吹き荒れた。くりかえし起こるスト、爆弾テロ、大量虐殺により、三人の臨時大統領が姿を消した。この大嵐のなか、デュヴァリエは消極策に徹し、発言をひかえ、めだたぬように努め、だれもが名残（なごり）おしんでいるエスティメ大統領のもとで大臣をつとめていた、という経歴のみを強調した。しかし、彼は陰で騒乱を指揮し、自分が組織した小規模なチームを使って社会の混沌を作り出していた。汚れ仕事を担当したのはクレマン・バルボ、資金集め役はリュクネル・カンブロンヌ、資金管理を請け負ったのはクレマール・ジョゼフ・シャルルだった。ほかの候補者が露骨に暴力的であったのに対して、デュヴァリエは〈あまり自分というものをもたない人間〉という印象で安心感をあたえた。ゆえに、一九五七年九月二二日に彼は得票率六九パーセントで楽勝した。彼の勝利は、彼に票を投じた黒人、貧農、中流階級のムラートへの復讐を意味した。大統領に就任するやいなや、フランソワは自分の選挙戦を支えた仲間や支持者をさっさとお払い箱にした。デュヴァリエは何にもだれにも従属しない一匹狼なのだ。彼のなかで眠っていた独裁者が目を覚ました。

彼の統治は、陰険、混沌、不器用という彼自身の特徴をそっくりそのまま映してはじまった。貫禄をつけるために実年齢よりも老けているように見せようと、ベイラム［ラム酒を使った化粧品］で髪を脱色した。落選したほかの候補者たちは、デュヴァリエがみずから失策を犯して失墜するまで待てずに、異議を申し立て、ストやテロで対抗した。デュヴァリエは反撃として、ならず者の集団を雇い入れ、残忍な弾圧をくわえた。一九五八年、反デュヴァリエの襲撃隊がフロリダで準備した小規模なハイチ侵略があと少しのところで失敗し、一味は虐殺された。デュヴァリエは命の危険を感じ、生きのびるには熱狂的に自分を支持する者たちを完璧に組織化して盾にする必要があると理解した。そこで、政界進出にのりだした初期から自分に従っている、粗野そのもので邪悪なクレマン・バルボに、民兵組織の構築を託した。トントン・マクート[3]の誕生である。トントン・マクートは、デュヴァリエ

公用車内のフランソワ・デュヴァリエ（1907-1971）。ポルトープランスにて、1963年ごろ。『銃口を向ける権力』
© Michael Rougier/The LIFE Picture Collection/Getty Images

大統領の私兵であり、彼に身も心も捧げていた。その見返りとして大統領の親衛隊というステータスをあたえられ、彼らはハイチ各地に根を張った。

ねっとりした闇のなかで[4]

一九五九年、五二歳のデュヴァリエははじめての心臓発作に襲われた。死の淵から生還したデュヴァリエは悪霊さながらだった。彼の手足となって悪事を働いていたクレマン・バルボを処刑し、自分が地下にもぐっていたときに家族を支えてくれたクレマンとデュカスのジュメル兄弟を追いつめて殺した。カトリックの聖職者たちを迫害し、ヴァチカン、アメリカ、ドミニカ共和国との絆（きずな）を断ち、ハイチ軍を粛清し、トントン・マクートを強化した。公務員、ブルジョワ層のムラート、共産主義者は追いつめられ、国外に逃げることを余儀なくされた。陰惨なフォール・ディマンシュ刑務所は、学生、職人、労働者であふれかえった。彼らは拷問を受け、処刑されなかった者は非人間的な扱いや栄養不足で死んだ。商人、実業家、黒人、ムラート…だれもかれもが標的となった。

一九六三年、デュヴァリエの子どものうち二人――ジャン＝クロードとシモーヌ――を狙うテロが起きた。ボディガード四名が死んだ。デュヴァリエはこれを好機とばかりに、自分に敵対していた親衛隊の若い下士官ブノワを犯人として糾弾し、年寄りから赤児まで、ブノワ家の一八人を皆殺しにした。一九六三年五月二二日、忠臣たちが組織した「国民投票」でデュヴァリエは大統領に再任された。これは序章にすぎず、クライマックスは一年後に訪れる。すなわち一九六四年六月二二日、デュヴァリエが終身大統領となったことが宣言された。彼は皇帝フランソワ一世として戴冠することまで考えた。恐怖で縛られた国の統治者として、彼は頂点に到達した。

一九六七年、デュヴァリエ家内部で反乱が進行していた。デュヴァリエが最初に心臓麻痺を起こしたときに、自分が未亡人となっても安心して暮らせるように準備すべきだ、と考えた妻のシモーヌは、内務大臣で彼女の愛人であったリュクネル・カンブロンヌの協力で、タバコ・マッチ公社の収益と、サトウキビ伐採のためにキューバやドミニカ共和国に派遣する出稼ぎ労働者に支払われるべき賃金を横領していた。くわえて、リュクネルがとりしきるおいしいビジネスも彼らに富をもたらした。最貧のキューバ人からとった血を高値でアメリカの病院に売りつけるヘモ・カリビーンと、死体置き場から失敬した死体をアメリカの医学部に送り出す非常に実入りのよい解剖用遺体取引である。デュヴァリエ家の三人の娘のなかで父親のお気に入りであったマリー＝ドゥニーズとその夫のマックス・

ドミニク中佐の二人は、フランソワ・デュヴァリエは正気を失ったと思い、彼を政権の座から追い落とすことを計画した。しかし、年老いたドクは地獄耳であり、妻と娘と婿をアメリカに追放した。彼はたった一人で、人質となった五〇〇万人のハイチ人の上に君臨するようになった。

重く暗い日々

デュヴァリエが大統領になってから一〇年たち、ハイチ国民は恐怖で身動きもできぬ状態だった。大統領府にこもったままのデュヴァリエは、いたるところに敵の影を見た。自分に服従していた大臣複数を解任し、わが子ともよべる将校たちを処刑した。

地下活動を続けていた反体制派は共同戦線を張り、武力闘争に出ることを決意した。標的とされたのは、名が知られているトントン・マクートたちであった。なかでも、アドルフィーヌの通り名で知られていた、トントン・マクートのトップであるマックス・アドルフ夫人が狙われた。デュヴァリエ政権が主宰するイベントは毎回のように、爆弾の破裂によって中断された。一九六九年初頭、こうして連帯した反体制合同戦線に左翼がくわわった。同じ年の四月二八日に採択された法律は、共産主義者の活動は死刑に価する国家反逆罪と認定したが、そんなことで共産主義者たちの士気をくじくことはできなかった。自分の手に負えなくなったと感じたデュヴァリエは、アメリカ政府の腹の底からの反共主義に訴えて、支援と自分が欠いている資金を得ようとした。強大な隣国であるアメリカをさんざん挑発してきたデュヴァリエが、忠誠といつまでも変わらぬ友情を捧げます、とすがりつくように訴えるようになったのだ。ハイチ経済が崩壊して破滅の縁(ふち)にあることも、この態度豹変の大きな理由であった。統治能力をなくしたデュヴァリエは、行きあたりばったりとなり、財源になりそうなものすべてに手をつけた。公租公課を引き上げ、給料からの源泉徴収を増やし、国外亡命者の財産を没収し、公務員の給料は二か月に一回、ときには三か月に一回しか支払わなかった。マフィアにも声をかけ、賄賂の支払いを条件に、ポルトープランスのインターナショナルカジノの運営をまかせてもよい、あらゆる密輸取引に適した無法地帯として使えるようにトルトゥーガ島を譲渡してもよい、ともちかけた。

一九七〇年にまたも心臓発作を起こしたデュヴァリエは片脚を棺桶につっこんでいた。だが、自分が作り上げた小さな熱帯の地獄を王朝体制として固めるだけの力は残っていたので、自分の家族に権力を託すべく、政権にまだ残っていた有力者の排除に取り組んだ。長女でお気に入りの娘だったマリー＝ドゥニーズ（「一家のなかの本物の男児！」）を後継者にできたらよかったのだが…。母親からは立派な体格と、父親からは度胸が据わった性根をゆずり受けた娘だった。しかし彼女は女であり、ハイチは男が女の上に立つマッチョの国だった。ゆえにデュヴァリエに残された選択肢は、唯一の息子であるジャン＝クロードだけだった。デュヴァリエは息子の後見人になってもらうため、妻のシモーヌの帰国を許した。自分の業績を末永く伝え、デュヴァリエ革命を継承する役割を託すことができるのはこの二人だけだから、という理屈は、約一四年前からデュヴァリエ家がハイチに対して行なっている経済搾取を継続するための口実であった。

デュヴァリエは、二人の補佐役となる何人かの忠臣の名前を紙に記し、被選挙権年齢を四〇歳から一八歳に引き下げるために憲法を大急ぎで改正した。こうして一九七一年一月二日、ジャン＝クロードが父の後継者となった。公式写真のなかで、よぼよぼの老烏のように見えるパパ・ドクは、きついスーツを着た初聖体拝領の子どものように見える太った息子の肩に手を置き、位をゆずっている。大あわてで一九七一年一月三一日に実施されたインチキな国民投票で、ジャン＝クロードの大統領即位に対する反対票はゼロだった…。これで老独裁者は心置きなくあの世に旅立つことができるようになった。一九七一年四月二一日、彼の心臓はついに打つことをやめた。ベッドの上での死であった。これまでなんの権限もあたえられていなかったジャン＝クロード・デュヴァリエが、ひもをかけたままの小包のようにハイチ国民の前にポンと投げ出された。病気がちの老独裁者のもとで一〇年以上も前から飢えに苦しんでいるこの国で、人々は希望をいだきはじめた。ピーナッツバターの過剰摂取で太りすぎた重量挙げ選手さながらのシルエットの持ち主で、世界でいちばん若い現役国家元首であることを誇らしく思っている一〇代の大統領が、なにかを変えてくれるのではないか、と。

ベビー・ドク、ハイチ共和国のゾンビ

ハイチ国民が親しみをこめて「ベビー・ドク」とよんだジャン＝クロード・デュヴァリエは一九五一年七月三日に生まれ、母親と三人の姉に囲まれて成長した。父親と会うのは一週間に一度だけだった——父親にとっての家族サービスは、一週間に一回いっしょに食卓を囲むことであった——が、ジャン＝クロードはそれを不満に思うこともなかった。パパ・ドクは口よりも先に手が出る男であり、母親が殴られるのを見てジャン＝クロードはおびえた。父親が大統領になったとき、彼は六歳であった。一家はポルトープランスの中心にある堂々たる大統領府に引っ越した。けんかする両親がたてる

物音は庭までとどいた。そして、ヴードゥーの儀式や暴力的な尋問が行なわれる地下階から響く叫び声が聞こえると、ジャン＝クロードは恐怖のあまり身がすくんだ。気持ちをおちつけるために少年はひたすら食べた。そして過剰なまでに太った。

パパ・ドクは息子をフレール・ド・ランストリュクシオン・クレティエンヌの学校（カトリック系のミッションスクール）に息子を通わせたいと思ったが、母親のシモーヌの主張が通って、ジャン＝クロードは名門校として名高いバード中学（メソジストのミッションスクール）に入学した。ジャン＝クロードはボディガードにつきそわれて三人の姉妹とともに通学した。一九六一年、最初に撮られた公式の写真のジャン＝クロードは丸坊主頭で、両の頬がぷっくりとふくらみ、うつろな目をしている。存在感が薄く、だれからも注目されない子どもだった。

しかし、なかなか勇敢なところもあった。一九六二年、一一歳だったジャン＝クロードは執務室にいた父親に直談判（じかだんぱん）して、大統領府の地下で尋問を受けることになったクラスメートを助けた。一年後、姉一人と自分を誘拐する計画が失敗すると、おそろしい弾圧の嵐が吹き荒れた。恐怖で金縛りとなったジャン＝クロードはこの事件のことを考えまいとした。自分の目の前で四人のボディガードが死んだことは思い出すのも辛かった。パパの大統領任期の二期目がはじまった一九六四年、ジャン＝クロードはあきらかに茫然自失としていた。大好きで尊敬していた姉、マリー＝ドゥニーズがいなくなり、彼のそばにいて支えてくれる人が皆無となった。一人ぼっちになったジャン＝クロードは、不安を追いはらうためにバーボンを飲んだ。アルコールが憂さを忘れさせ、もつことができない安心感をもたらしてくれた。

一五歳になると、彼は大人なみの体の持ち主となった。洋服箪笥のように横にも縦にも大きくなり、いまや父親にたてつくようになった。母親のシモーヌを殴ろうとする父親を一室に閉じこめる、という大胆な行為に出たこともあった。若い娘たちが獲物として次々に彼のところにつれてこられてたが、彼はそのなかのだれにも特別な感情をいだかず、彼の憂さが晴れることもなかった。勉学は退屈なばかりだった。ほとんどなにも憶えず、なにも理解できなかった。教師たちが、大統領の期待にそって成績を書きなおさなかったら、彼の通信簿は惨憺たるものとなったことだろう。バカロレアに受かったかどうか、本人の記憶は定かでなかった。パパ・ドクは「おまえは法律を勉強すべきだ」と決めた。しかしジャン＝クロードは、ハイチ最高の法律家による個人教授を受けても――受けることを強制された、というのが真実だ――、居眠りするばかりだった。国を治める政務に関心はなかった。子どものころから政治の世界にひたっているので、自分は教わらずとも知っていると思っていた。好きなのはドラムと強い酒、射撃競技とイタリア製の赤い車だった。赤い車は数台もっていて、彼が望むと、内務大臣が大通りの交通遮断を命じ、トントン・マクートが拳銃をぶっ放して見物人を追いはらってくれるので、アクセルをふみこんだままポルトープランスの町を通りぬけ、デュヴァリエ家が郊外に所有する牧場風の大邸宅までパパ・ドクがアスファルト敷きにした道を走った。

　一九七〇年一一月一二日、パパ・ドクが二回目の心臓発作に倒れたとき、ジャン＝クロードは一九歳だった。彼は、怒りっぽい小男であった父親の痩せこけ骨張った体つきとも、母親の堂々としてした女像柱さながらの体つきとも無縁だった。彼の体重はだいぶ前に一〇〇キロの大台にのっていて、その鈍重そうな大きなシルエットは見る者をおびえさせてもおかしくなかったが、不器用そうな身の

ジャン＝クロード・デュヴァリエ（1951-2014）と母親のシモーヌ。ポルトープランスの大聖堂の前で、1978年5月。

こなし、抑揚のない声、空疎な雰囲気をただよわすぼんやりとした目つきが、威圧感を相殺した。

彼を待っていたのは、トントン・マクートの恐怖にさらされ、身も心もボロボロとなった国民であった。国を牽引するエリートは存在しておらず――エリートは殺されたか亡命したかのどちらかであった――、経済を牛耳っているのはアメリカのマフィアの大ファミリーだった。ジャン＝クロードは終身大統領であったが、彼が治めるのは、牢獄の汗と拷問部屋の渇いた血糊の臭いが立ちこめる国であった。母親のシモーヌは息子に、パパの忠臣たちの手を借りて自分がすべての面倒を見るから、と約束した。ゆえにシモーヌとデュヴァリエ派にとって、この事態をのりきることは必須であった。

「おまえは、言われたとおりにすればいいんだよ」

パパのいないハイチ

父親から意志の強さもカリスマ性も受け継がなかったジャン＝クロードは、はじめのころ、母親の言いつけに従うことを受け入れた。テレビカメラの前で、パパ・ドクが死ぬ前に書いてくれたおおげさな文言の演説をもぞもぞと読み上げた。アメリカから資金を得るのに役立ち、デュヴァリエ家の繁栄に役立った共産主義の恐怖は過去のものとなった。いまこそ、若者の活躍が期待される。開放の時代がはじまるのだろうか？　「父は政治革命をなしとげた。わたしは経済革命をなしとげる」とベビー・ドクは約束し、いっしょに新しいハイチを作ろう、とよびかけ、亡命した国民の帰国をうながした。本人もその気になって、経済と司法の改革に着手した。諸外国も、パパ・ドクによる忌まわしい独裁の時代は過去となった、ハイチは安心して出入りできる国になった、と感じて信頼をよせるようになった。経済はもちなおしはじめ、投資は増え、外国からの援助もふたたびはじまった。

ジャン＝クロードも変わった。体重を落とし、迷彩服を着て、アメリカで訓練を受けた親衛隊レオパールを従えて行進するようになった。自信をつけ、母親から自立し、自分の党、コナジェク（Conajec, ジャン＝クロード・アクション全国評議会）を結成した。「デュヴァリエリズム（デュヴァリエ主義）」は終わりだ、これからは「ジャン＝クローディズム（ジャン＝クロード主義）」の時代だ！ 鈍重そうな外見はあいかわらずだったが、ジャン＝クロードは経験から学び、母親たちも彼を簡単にはあやつることができなくなった。リベラル派を味方につけ、経済をにぎっているムラート層に接近し、ハイチに外国の投資をよびこんだ。さらには、恣意的な逮捕と検閲を禁じて、デュヴァリエ家の人間がこんなことをするとはと驚かせた。最低賃金は増額され、新聞雑誌は大胆な記事を掲載し、反体制派は批判を思いきって表明するようになった。ハイチは、国民一人あたりの額で外国からの援助が世界一多く集まる国となった。入ってくる援助金の額は膨大で、国家予算の収入を上まわった。国は上昇気流にのりはじめた。ハイチは、一八〇四年からあれほど待ち望んでいた新時代の夜明けにさしかかったのだろうか？

一九七七年、飢饉がハイチ北西部を襲った。旱魃で作物が全滅し、国際機関が手配した緊急援助物資はハイチに到着するやいなや横流しされ、消えてなくなった。これはベビー・ドクにとって大試練であった。あいかわらず私腹を肥やすことに熱心な母親のシモーヌが超えてはならぬ一線を越えてしまっただけになおさらだった。これ以上よけいなことをさせないため、ジャン＝クロードは母親をパリに送り出した。彼女は、横領した金を用いて、すでにパリで不動産投資を行なっていた。だが、母親を排除したくらいでは解決できぬほど事態は深刻だった。まともな国としての発展が遅れに遅れていただけに、国民の辛抱も限界に達していた。パパ・ドクの恐怖政治による長期間にわたる麻酔が切れると、国民は当然ながら民主主義を求めた。その一方で、ジャン＝クロードには支援をコーディネートし、政府の施策に整合性をもたせ、腐敗を防止する能力がないことが明白になった。支援国は、ハイチ国家には構造的欠陥があるうえ、エリートたちが自国の立て直しに無関心である、と非難した。ハイチは、底がない井戸のようなもので、支援はどこかに吸いとられて跡形もなくなってしまうので、援助する側の徒労感は大きかった。国民はストをくりかえし打ち、ジャン＝クロードは世論の支持を失った。そこで、彼も父親と同じく、強権をバックにして自分個人の利益を優先することに決めた。

それ以降、国際援助はベビー・ドクとその一族にとって、最悪の事態にそなえて自分たちの懐を潤すための資金源となった。税収の三分の一以上が、一族の口座へと流れた。一九八〇年、横領は最高潮に達し、ＩＭＦが融資した二〇〇〇万ドルが二日でどこかに消えてしまった。デュヴァリエ一族は猟犬が一斉(いっせい)に獲物にくらいつくように利益を漁った。国民が飢えているのに、ベビー・ドクはルクセンブルク、アメリカ、スイスに開設した約三〇〇もの口座の残高を積み上げた。フランスで城を一つ、パリでアパルトマンを一つ、モナコにもアパルトマンを一つ、そしてヨットを一隻買い求めた。こうした買いもののためにハイチの国家予算からぬきとられた金額は二億五〇〇〇万ドルに達した。

「ピティ・ティグ、セ・ティグ（小さい虎でも、虎であることには変わらない）」、すなわちパパ・ドクの息子はパパと同じくデュヴァリエ家の人間なのだ。ベビー・ドクの統治スタイルはこれにつきる。受けを狙って、表向きは「わたしは、ハイチに民主主義の基礎を築いた者として歴史の法廷に立ちたい」と殊勝な志(こころざし)を表明するものの、それには留保条件がついていた。「ポトマック川、テームズ川、セーヌ川の畔で生まれたモデルはわが国には向いていない」。パパ・ドクの亡霊が戻ってきた。ジャン＝クロードはトントン・マクートをふたたび招集し、内閣を改造して父親に仕えていた者たちを復権させた。

蜜月

ジャン＝クロードはもはや一人ではなかった。彼は昔のクラスメートのミシェル・ベネットと恋に落ちた。ミシェルは、ムラートのブルジョワ階級に属する羽振りのよい実業家の娘であり、スリッパ製造会社の広報係としてアメリカで暮らしていたが退屈しきっていた。彼女は肌の色が薄く、ほっそりとした小柄な美人だが、良心の呵責とは無縁で、鉄の意志の持ち主だった。母親のシモーヌの大反対を押しきり、ジャン＝クロードはこのミシェルと一九八〇年五月二七日にポルトープランスのカテドラルで結婚式をあげた。披露宴もふくめて二〇〇万ドルはたっぷりとかかった豪華な結婚式であった。ジャン＝クロードのかたわらにこの新たな王妃が君臨することになり、シモーヌ・デュヴァリエと古参たちは、ベネット家につらなるムラート層が自分たちに替わって台頭することを受け入れるほかなかった。だがミシェルは外見をつくろうことに気をつかった。マザー・テレサに会いたいと言われると、辞を低くして迎えた。しかしベビー・ドクの運命は決定的に悪い方に転がった。ミシェルが最初の夫であったハンサムなアリクス・パスケと離婚してジャン＝クロードと結婚したのは、この結婚がどれほどの富を自分にもたらすかを計算してのことだった。ドタバタ喜劇が、悲劇と権力欲と下劣きわまりない貪欲と同居する結婚だった。ミシェルの強欲は天井知らずで、これ見よがしのぜいたくは、何をやっても許されると彼女が知っていたことを示していた。

　最初に警告を発したのは、一九八三年にポルトープランスを訪れたヨハネ＝パウロ二世であった。ハイチで数時間すごす間に、教皇は「この国は変わらねばならない！」と発言した。これがシグナルとなった。聖職者たちの協力で部外者が立ち入ることのない集会が開かれ、小規模なコミュニティーがいくつも組織された。司教たちはジャン＝クロードに、迫害と国際援助の横領をやめるよう強く求めた。とどめを刺したのは、ベビー・ドクの弛緩し混沌とした独裁がカリブ海一帯の不安定要因になることをおそれたアメリカ、カナダ、フランスであり、三国は彼に本物の最後通牒をつきつけた。一九八六年一月三〇日、国際監視団が見守る自由な選挙が実施されてデュヴァリエ一家全員が国外退去しないかぎり、国際援助を打ち切りにする、と通告された。一週間後の二月七日、まだポルトープランスの町が眠っているころ、グアンタナモ米軍基地から飛んできた飛行機がフランソワ＝デュヴァリエ空港で二一人の旅客――ジャン＝クロードとミシェル、二人のこどもであるフランソワ＝ニコラとアンヤ、夫婦それぞれの家族――を乗せ、武器、車、オートバイ、ドルが詰まったスーツケースや宝石で一杯のトランクなどの荷物を積みこんだ。デュヴァリエ一族を乗せた飛行機が離陸するやいなや、デシュカージュがはじまった（デシュカージュはハイチ特有の言葉であり、寵を失った、もしくは凋落した著名人の所有物件を荒らして破壊することを意味する。そうした著名人のみならず、彼らの用心棒や手下もこのデシュカージュの対象となる）。うっかりと置いてけ堀にされたミシェルの祖父は心臓発作で死んだ、と言われる。トントン・マクートたちは虐殺され、デュヴァリエ政権の大物たちは民衆に追いまわされて姿を隠した。デュヴァリエ家が間一髪（かんいっぱつ）のがれた、狂気の殺戮は数日間続き、国中が暴力と残忍性の洪水にひたった。

アメリカが用意した飛行機が着陸したフランスでは、デュヴァリエ一族のぜいたくな逃亡生活がスイスに近いオート＝サヴォワの高級ホテルではじまっていた。彼らを受け入れるはずだったアメリカは迎えに来るという約束を忘れ、ジャン＝クロードは不法滞在者であったがフランス当局は目をつぶった。オート＝サヴォワのタロワールでの滞在をへて、暖かな気候が自分に向いているとの理由でジャン＝クロードはコートダジュールのムジャンをおちつき先に選び、ミシェル、年老いた母のシモーヌ、二人の子どもとともに、サウジアラビアの実業家から借りた美しい別荘に引っ越した。

苦々しい最期

ジャン＝クロードはついに、以前から夢見ていた大富豪の暮らしを享受できることになった。しかしミシェルは以前のように王妃として君臨できないことが面白くなかった。夫がよからぬ目的で使っていたアパートにのりこみ、浮気の現場をおさえることなど、ミシェルにとって児戯に等しく、彼女は「夫に裏切られた妻」を演じた。その後、ドミニカ共和国で離婚が成立した。だがミシェルはその前にアメリカ、スイス、ルクセンブルクを訪れ、番号口座［顧客名を用いない、番号だけの口座］を自分名義の口座に変更していた。ミシェルはこうして自由かつ裕福な身の上となった。ジャン＝クロードには家賃を支払う金も残っておらず、引っ越しを余儀なくされた。子どもたちのそばで暮らすため、近所の小さなホテルに母親といっしょにおちついた。というのも、ミシェルは新たな金づるとなる恋人を見つけてカンヌで子どもたちと暮らしていたからだ。請求書を渡されたら精算する、ということをいままで一度も習ったことがないジャン＝クロードは、母親と夜逃げするように引っ越しすることになった。一九九七年に母親がパリ郊外の老人ホームでだれからも忘れられたまま亡くなると、ジャン＝クロードは費用を抑えるために火葬にした。ヴェロニク・ロワという女性と出会ったときのジャン＝クロードは、あと少しで貧窮におちいるところまで追いつめられていた。ヴェロニクはぬけ目のないフランス人女性で、ジャン＝クロードの借金を払い、パリの北部にある二部屋のアパートに彼を住まわせた。彼女は、ハイチではデュヴァリエ時代の忌まわしい記憶が薄れたようだと判断し、ジャン＝クロードのハイチ帰還を精力的に準備した。

二〇一〇年一月一二日、ポルトープランスはマグニチュード七・三の大地震に襲われた。首都の建物はほぼすべて倒壊して二三万人が数分で死亡し、世界中が息をのんだ。これに無関心でいられる国は皆無であり、世界の各地から支援金が届いた。こうした資金の流れこみとＮＧＯの活動は、ジャン＝クロードにとって逃すことができないチャンスであった。

自分の帰国を正当化するため、ジャン＝クロードは「ヴェロニク・ロワはハイチをとても愛しているから」と述べた。ヴェロニクはハイチを愛していたかもしれないが、それよりもなによりも、スイスで凍結されたままの七〇〇万ドルをジャン＝クロードがとりもどす可能性があることを嗅ぎつけていた。もし彼がハイチに帰国して逮捕されるおそれがないとしたら、七〇〇万ドルを彼がハイチ国民のために使うことへのコンセンサスが形成されるはずだ。ジャン＝クロードは現に、それが七〇〇万ドルの使い道だ、と約束している……

　ジャン＝クロードというやっかい者がいなくなることに安堵したフランスは、二〇一一年一月一六日に彼が出国するときも見て見ぬふりをした。彼はマルティニークで飛行機をのりかえ、トゥーサン＝ルーヴェルチュール空港に降り立った。弱々しく病気がちの白髪の老人となっていたジャン＝クロードは、メロドラマ風におおげさに跪（ひざまず）き、滑走路に口づけした。彼を歓待した群衆のなかには、デュヴァリエ時代を知らない若者たちと、強権政治に荷担した昔を懐かしんで涙を浮かべる老人たちがいた。彼らは、フランソワ・デュヴァリエの選挙のために一九五七年に結成されたＰＵＮ（国民団結党）とフランソワ本人によって採用された黒と赤の旗までひっぱり出してきた。血に飢えた独裁者親子の王朝がほぼ三〇年間にわたってハイチを丸裸にし、金銭を巻き上げ、三万—五万人を殺したことを憶えている者はいなかっただろうか？

　独裁に苦しめられたかつての犠牲者たちが反対の声をあげた。ジャン＝クロードはじわじわと追いつめられ、ハイチ出国を禁止された。その後、腐敗、公金横領、組織犯罪の嫌疑がかけられた。重大な人権侵害および人道に対する罪で、彼を告訴する者が次々と現われた。初審の判事はジャン＝クロードに同情的だったが、アムネスティー・インターナショナルとヒューマン・ライツ・ウォッチが目を光らせた。控訴院は熱心そうに見せかけ、時間を空費し、複雑な訴訟手続きに終始して審議を遅らせた。それでもジャン＝クロードは居住指定を受けた。とはいえ、官憲につきまとわれることなく散歩をすることも、ミシェル・マルテリ大統領のかたわらで公式セレモニーに出席することもできたし、二〇一四年一月にＰＵＮの初事務所開設式でホスト役をつとめてもお咎（とが）めなしだった。ハイチの司法当局はどうやらジャン＝クロードを裁く気がないとわかったので、国際社会は、年老いた独裁者の復帰をあきらかに支援しているマルテリ大統領に、ハイチが締結するのを忘れている「国際刑事裁判所に関するローマ規定」を批准するようせまった。

公衆の前に姿を見せるごとに健康状態が悪化しているのが見てとれたベビー・ドクは二〇一四年九月なかば、おそろしい毒蜘蛛である黒後家蜘蛛に刺されて緊急入院した。致命傷かと思われたが、皆が驚いたことに彼は死ななかった。数日後に退院し、ヴェロニク・ロワと暮らす高級住宅街の家に戻ると、なんとか健康をとりもどそうとしたが、ヴェロニク、前妻、息子の三人のあいだのたえまない争い――いずれも彼を自分の思うようにあやつろうとしていた――に疲れはて、避けるようになった。二〇一四年一〇月四日の朝六時、前日に近親者のあいだにまたしても起こった喧嘩(けんか)から逃げ出してきたジャン＝クロードを泊めたバディギ大佐は、彼がキッチンのタイルの上に横たわっているのを発見した。すでにことときれていた。心臓発作が死因だった、といわれる。「ジャン＝クロード・デュヴァリエが死去」というニュースはハイチ全国に伝えられ、次に世界が知るところとなった。ベビー・ドクは死んだ。

ピティ＝ピティ・デュヴァリエ、記憶を葬りさる者

国葬が検討されたが大反対の声があがって政府が断念する、というすったもんだをへて、二〇一四年一〇月一一日、ジャン＝クロードの母校であるサン＝ルイ＝ド＝ゴンザーグ学院の礼拝堂で葬儀ミサがあげられた。堂内は会葬者で立錐(りっすい)の余地もなかった。容色がおとろえた前妻ミシェル・ベネット

は泣きぬれ、三〇歳代となった子どもたちと列席していた。ヴェロニク・ロワもいた。親デュヴァリエ派や、かつて政府の要職にあった連中も駆けつけていたが、彼らがジャン＝クロードの息子フランソワ＝ニコラ・デュヴァリエに大いに敬意をはらっているのはだれの目にも明らかだった。体が弱ってきた父親の後継者となるために戻ってこい、と母親に命じられたフランソワ＝ニコラは二〇一三年四月にハイチに到着した。彼はハイチ入りすると同時に、忌まわしい王朝の継承争いの輪に飛び入りし、一度も会ったことがない祖父、フランソワ・デュヴァリエを称賛して皆を驚かせた（その話しぶりから、パパ・ドクがどのような人物であったかはまったく知らないことは明らかだった）。マルテリ大統領は彼のために、自分の執務室の近くにオフィスを用意させた。二〇一七年、デュヴァリエ家の後継者が聖人だとはまったく考えていないジョヴネル・モイーズが新大統領として就任すると、フランソワ＝ニコラはこのオフィスの鍵を返却する。

この常軌を逸した王朝の三代目である「ピティ＝ピティ・デュヴァリエ［デュヴァリエの息子の息子］」を待つ運命はどのようなものであろうか？　彼は一九八三年にポルトープランスに生まれ、一九八六年より、母親が保有する何百万ドルもの財産のおかげでコートダジュールとパリを行ったり来たりして暮らしていた。父親の葬儀のときの彼は、明るい色の肌をもつ、ハンサムで行儀がよさそうな若い男だった。その丸い顔と、お洒落な服を着たふくよかな体型がデュヴァリエの血を物語っていた。だが、ハイチ帰国から六年たった二〇一九年、彼をデュヴァリエリズムの聖杯のごとく崇める、懐古的なデュヴァリエ政権の顔役たちからいろいろと吹きこまれつづけたせいだろうか、現在のフランソワ＝ニコラは父親とほぼうり二つとなっている。ゾンビのような目つきの、ぶくぶくしたビバンダム［ミシュランタイヤのマスコット］である。

彼は父親から「なにもしないという、ほぼ失われた技(わざ)」[5]を受け継いでいる。デュヴァリエ家が得意として磨きをかけた技能だ。二五年間の亡命生活で、ジャン＝クロードはなにも生み出さなかった。彼の息子である三五歳のフランソワ＝ニコラは、父親よりは生産的だったのだろうか？　どこかの私立学校に通っただけだ。しかも、彼は卒業するのを忘れてしまった…

ミシェル・ベネットと、もはや身を隠そうともしないデュヴァリエ派は、フランソワとジャン＝クロードと続いたデュヴァリエ王朝の再興を狙っている。二〇一八年初めからフランソワ＝ニコラが何回か公(おおやけ)の場に姿を見せていることは、この不吉な一族がふたたびハイチを統治する前兆なのだろうか？　数か月前から高まっているハイチ社会の混乱は、独裁をよびこむカオスのメカニズムを再生している。近ごろふたたび見かけるようになった黒と赤の旗は、心配なサインの第一号だ。二〇一九年四月七日、ハイチの日刊新聞の第一ページに、フランソワ＝ニコラが、経済と政治の危機的状況から抜け出すために打つべき手が見つからないジョヴネル・モイーズ大統領とならんでいる写真が掲載されたが、これは「デュヴァリエの息子の息子」を暗黙のうちに後継者として認めているかのようだ。「不可能は可能であり、可能は不可能なこの国」[6]では、最悪への回帰は決して不可能ではないのだ。

〈原注〉

1 アメリカによる占領は治安の回復とインフラ整備をもたらしたが、その代償として、あらゆる反対運動は無慈悲に弾圧され、血なまぐさい人種差別が行なわれた。

2 ハイチの国民病ともよべるイチゴ腫は、重大な皮膚疾患をもたらす伝染性の熱帯病であり、とくに足がおかされることが多い。何千人もの死者を出し、それよりも多くの人々の生活力を奪った。

3 悪名高いこの民兵組織は強盗や殺人犯で構成され、軍隊の力に拮抗することを使命とする。トントン・マクートは武器、青い制服を支給されるが、無給である。そのかわりに、略奪行為で金品を奪うことが黙認された。

4 シャルル・ノジュマンのドキュメンタリー、『ねっとりした闇のなかのカテドラル――フランケティエンヌ』にちなむ「フランケティエンヌはハイチ人の作家、音楽家、画家」。

5 アカデミー・フランセーズ会員であるハイチ人作家、ダニー・ラフェリエールの著作（二〇一四年、グラセ社刊）のタイトル。

6 「この国では、不可能は可能であり、可能は不可能である。このことを憶えていれば、あなた方は何にも驚かないというよりも、まだなにかに驚くことができることに驚きをおぼえるだろう」（ジュスタン・レリソン）。

〈参考文献〉

Elizabeth Abbott, *Haïti : The Duvalier and Their Legacy*, New York, Mac Graw-Hill, 1988, revu pour une nouvelle édition dans A Shattered Nation, 2011.

Gérald Bloncourt, *On ne peut pas tuer la vérité — Le Dossier Jean Claude Duvalier,* Amnesty International, 2011.

Raphaël Confiant, *Les Ténèbres extérieures,* Écriture, 2008.

Bernard Diederich et Al Burt, traduit par Henri Devet, *Papa Doc et les Tontons Macoutes,* Albin Michel, 1971.

Bernard Diederich, *Le Prix du sang, t. 1 : François Duvalier (1957–1971). La résistance d'un peuple haïtien face à la tyrannie,* Port au Prince, Éditions Antillia, Centre œcuménique des droits humains, 2005.

__, *Le Prix du sang, t. 2 : Jean-Claude Duvalier (1971–1986). L'Héritier,* Haïti, Éditions Henri Deschamps, 2011.

Jean Florival, *Duvalier, la face cachée de Papa Doc,* Mémoire d'encrier, 2007.

Amanda M. Klasing et Reed Brody, *Haïti : Un rendez vous avec l'Histoire. Les poursuites contre Jean-Claude Duvalier, Human* Rights Watch, 2011.

John Marquis, *Papa Doc : Portrait of a Haïtien Tyrant 1907 1971*, Kingston, LMH, 2007.

14 フィデル・カストロ

権力への執着

エリザベト・ブルゴス／ローランス・ドゥブレ

カストロは大急ぎで恋人のセリア・サンチェス宛てのメッセージをしたためた。このときの彼は、六か月前からマエストラ山脈に潜伏していた。「マリオ（カストロのゲリラ組織に協力していた農民）の家に砲弾が落ちるのを見て、アメリカにこの報いをきっちりと受けさせてやる、と心に誓った。この戦争が終わったら、もっと長引く、そしてもっと重要な戦争がはじまることになる。わたしがアメリカに仕かける戦争だ。それこそが、わたしの真の運命だ」。こうして、カストロの政治をつらぬく指針が定まった。ゆえに、キューバの経済発展やキューバ国民の生活の安寧が、彼の優先事項となることはない。彼の心を占めるのは、アメリカとの恒常的な戦争状態だ。彼の独擅場（どくせんじょう）は、カリブ海に浮かぶ島キューバを強大な隣国アメリカの支配から解放し、世界に名だたる強国にするための闘いだ。カストロが生まれた一九二六年の時点で、アメリカのキューバへの干渉権を認めるプラット条項［キューバ憲法にくわえられた修正条項」はいまだに有効であった。この条項はキューバ国民の誇りに刺さった棘であり、その痛みは減じてなどいなかった。私生児として生まれたというカストロの個人的な痛みと同じように。カストロは自身とキューバのイメージを重ね合せ、復讐と償(つぐな)いを求めていた。

この反米感情こそが、カストロが西側諸国で信じられないほどの人気を獲得し、何をやっても大目に見てもらえた理由の一つである。伝説的なチェの戦友であり、おしゃべりで陽気なゲリラ、というカストロのイメージには、西側の人間の心をとらえるものがあったのも確かだ。ドンキホーテと同時にロビンフッドを彷彿(ほうふつ)するイメージでもある。権力維持のためなら自国経済の破滅も本物のライバルもしくはライバルではと思われる者たちの排除もためらわない、という冷笑的で無慈悲な実像と、これほどかけ離れたイメージを築くことに成功した独裁者はまれだ。

反抗児

マリスト会士たちが経営するサンティアゴのラサール学院で、少年フィデルは学友たちから「ユダヤ人！」とよばれた。カトリックのキューバでは、洗礼を受けていない子どもはユダヤ人とみなされたからだ。フィデルは八歳になってようやく受洗し、教会に受け入れられた。そのころの彼はフィデル・ルスとよばれていた。父親が不明の子どもだった。父親の姓カストロを冠してフィデル・カストロ・ルスと名のるには一四歳になるまで待たねばならなかった。

父親のアンヘル・カストロはスペインのガリシア地方の農民の息子であったが、故郷のブルジョワ子弟の代理として徴兵に応じ、一八九五年にキューバに渡った。アメリカの支援を得て反旗をひるがえしている独立派（マンビセス）によって存続が脅かされている、スペイン王国にとって最後の豊かな植民地キューバを死守するためだ。一八九八年、太陽が沈むことのなかったスペイン帝国は昔日の面影をすっかり失った。しかし、戦争で荒廃したキューバも独立を獲得したわけではなかった。マンビセスたちは、キューバ解放のために駆けつけたアメリカに無視され、一八九八年一二月一〇日にパリで行なわれた和平条約締結にもよばれなかった。この和平条約は、無条件降伏したスペインとアメリカの争いに終止符を打った。一九〇一年、ワシントンはキューバ内政への干渉権をアメリカに認めるプラット条項を押しつけた。一九三四年まで維持されるこの条項は、キューバがアメリカの属国となったことの公示にほかならなかった。期待を裏切られたキューバは建国神話をもつチャンスを奪われただけでなく、自国の運命を決めることもできないことになった。カストロはキューバがかかえるこのトラウマを背景に、自身の反米主義を国是とし、長期政権のレコードをうち立てることになる。

　三年の戦場暮らしで柔（やわ）な青年ではなくなったアンヘル・カストロは、敗戦という屈辱を嘗めた母国スペインに戻った。しかし、婚約者は彼を待つことなく別の男性と結婚しており、故郷ガリシアは貧困にあえいでいた。貧しさからのがれるため、アンヘルは短期間でふたたびキューバに渡った。文盲であったが目端（めはし）がきいて仕事熱心だったから、絶大な影響力をふるっていたアメリカ企業ユナイテッド・フルーツ・カンパニーの主導のもと、キューバ東部でサトウキビ栽培がさかんになろうとしていたことに目をつけた。市会議員で保守政党の幹部であったフィデル・ピノ・サントスというスペイン人の引き立てにより、アンヘルは次々に土地を借り受け、その後に購入した。そして、サトウキビ収穫のために雇うハイチ人労働者に対する容赦ない扱い、取引でのタフネゴシエーターぶりでたちまち評判となった。ほんの数年で、彼はビラーンに故郷ガリシア風の木造の家をかまえることができた。主人の部屋の真下で家畜が眠る、ピロティ構造の家屋であった。そして、大地主という新たなステータスを完成させるためにアメリカンスクールの教師であったマリア・ルイサ・アルゴタと結婚した。穏やかで、教養があり、育ちのよい妻は、アンヘルの世間体にとってプラスであった。息子のフィデルに言わせると、それでもアンヘル・カストロが読み書きを憶えることはなかった。夫婦のあいだには二人の子どもが生まれた。ペドロ・エミリオとリンダである。マリア・ルイサは、混血の先祖をもつ少女、リナ・ルスが女中として同居することを認めた。文盲だが精気にあふれたリナ・ルスは、娘のリンダと同じく一四歳であった。アンヘルは昔の領主さながらに初夜権を行使した。やがて、最初の婚外子アンヘラが生まれたが、この娘はお屋敷の近くの荒ら屋で暮らす祖母［リナ・ルスの母親］の手で育てられた。次に男児が誕生した。ラモンである。これ以上の妻妾同居に耐えられなくなったマリア・ルイサは家を出てサンティアゴに移り住んだ。子どもたちを名門校で学ばせるため、というのが表向きの口実だった。そうなると、リナが女主人として屋敷をとりしきるようになった。

フィデルは一九二六年八月一三日にビラーンで生まれた。本人に言わせると、「［ビラーンは］村ではなかった、寒村ともよべなかった、家は数軒しかなかった」。フィデルは、父親の親友であるフィデル・ピノ・サントスにちなんだ名前である。のちにフィデルの洗礼で代父をつとめることにもなるピノ・サントスは、このころにはすでに国会議員になっていた。五年後にもう一人の男児、ラウルが生まれる。フィデルは生涯、この弟の保護者をもって任ずることになる。さらに二人の女児、フアニータとアグスティーナがくわわって大家族が完成する。やっかいなことに、マリア・ルイサが侮辱された妻としての権利を主張して訴訟へと動き、アンヘルの農場が解体されるおそれが生じた。その当時、このような訴訟ざたはまれであり、一帯では醜聞として話題になった。アンヘルは自己破産を演出し、婚外児たちをサンティアゴに住むルイス・イベールという男に預けた。イベールはハイチ領事であったが、その実、キューバのサトウキビ栽培プランテーションにハイチ人労働者を供給する、いわば奴隷商人であった。四歳のフィデルは家族にすてられた、と感じた。後見人イベールの家での生活は家庭の温もりとは無縁であった。三年後、彼はラサール学園の寄宿生となったが、生意気で喧嘩ばやく、ありあまるエネルギーをスポーツにぶつけた。長期休暇にはビラーンに戻ったが、父親の屋敷にはまだ入れてもらえず、母方の祖母の家で暮らし、いくらかの母性愛を味わうことができた。父親とのふれあいはなく、馬にまたがる姿を遠くから眺めるだけだった。フィデルが一〇歳になったとき、ようやくマリア・ルイサとの協議がまとまり、少年は両親がそろっているところをはじめて見た。だからといって、フィデルと父親との距離が縮まった訳ではなかった。アンヘルはよそよそしく怒りっぽい男であり、子どもたちより農場や家畜に関心を向けていた。四年後、すなわちフルヘンシオ・バティスタがはじめて大統領に就任した一九四〇年に、新憲法が発布された。離婚を認めるなど、当時のラテンアメリカでもっとも進歩的な内容をそなえたこの憲法のおかげで、一家にのしかかっていた恥辱はとりのぞかれた。両親は正式に結婚し、フィデルはもはや私生児ではなくなった。

フィデルはイエズス会が経営するハバナの名門校、ベレン学院に入学し、謹厳で勤勉な同校の雰囲気にすぐさまなじんだ。彼は弁論術、瞑想会、山中を長時間歩くトレッキングで心身を鍛えた。イエズス会士たちは全員がスペイン人で、フランコ支持者であった（なお、アンヘル・カストロも自分と同じガリシア出身のフランコを崇敬していた）。彼らは、故国は海の彼方（かなた）であるにもかかわらず、スペイン内戦の推移に強い関心をはらっていた。フィデルもこれに感染し、たちまち戦争と歴史に夢中になった。「授業のあと、わたしは遊ぶのではなく、空想にふけっていた。戦争を想像していた。歴史の話に夢中となった」。彼は、この世の権力者に近づくことも試みた。セルジュ・ラフィが著わしたカストロ伝によると、「彼は一二歳のとき、あやしげな英語で奇妙な手紙をローズヴェルト大統領に送り、ニッケル鉱脈の地図を一〇ドルで買わないか、と提案した」。だが返事はなかった…。勤勉な生徒としてフィデルは優秀な成績で学業を続け、その負けず嫌いで勝者になりたいという底なしの渇望はバスケットボールでも発揮され、闘争心むき出しのプレイヤーであった。そうした彼の試合ぶりに注目したのが、バティスタ支持の青年組織の責任者であったラファエル・ディアス・バラルトだった。当のフィデルは、ラファエルの妹であるミルタに目をつけた。ラファエルはフィデルに、自分の青年組織にくわわらないか、と勧誘した。だがフィデルは迷った。ムラート［黒人と白人の混血］の血を引き、貧しい育ちだったが軍隊に入ったことで政治にかかわるきっかけをつかんだバティスタはフィデルと同郷であったが、このころのフィデルの目には、バティスタは民主主義に傾きすぎ、コンセンサスを重視しすぎ、と映った。なにしろ、バティスタ大統領の第一期（一九四〇―一九四四）では、キューバ共産党も政権にくわわっていたのだ。

フィデルはハバナ大学に進学し、法学部に籍を置いたが、このころの同大学は物騒きわまりなかった。さまざまな学生運動のセクトがキャンパスを分断していた。フィデルはセクトをわたり歩き、『資本論』を腕の下にかかえていたかと思うと、『わが闘争』をこれ見よがしにもち歩いたが、いちばんの愛読書はマラパルテの『クーデターの技術』であった。彼は派手な行動でめだとうとしたため、たちまち敵を作り、ライバルを殺そうとしたとの嫌疑をかけられた。騒ぎが鎮まるまで、友人のディアス・バラルトが匿（かくま）ってくれた。冒険と名声を求めてやまぬフィデルは一九四七年、独裁者トルヒーヨを追い出すことを目的にドミニカに侵攻するという計画にくわわった。総勢一二〇〇人のキューバ人、ドミニカ人、プエルトリコ人が四隻の船に乗りこんでとある小島に向かい、攻撃開始を待つあいだにいい加減な軍事訓練を受けた。だがこの計画はＣＩＡの知るところとなり、一同は小舟に乗るか、泳ぐかして逃げ出した。フィデルは、鮫（さめ）が泳ぐなか、抜き手をきって海を渡りきった、と自慢することになる。このころからカストロ伝説の構築ははじまっていたのだ。ドミニカ侵攻計画の頓挫（とんざ）から、彼は教訓を引き出した。カリスマ性のあるリーダーおよび入念な準備なしでは、権力奪取は不可能だ、と。彼が戻ったハバナでは、ラモン・グラウ・サン・マルティン大統領[1]が、キューバが汚職と騒乱の淵に沈むのを放置していた。フィデル・カストロはメンターを見つけた。日曜の夜に放送されるラジオ番組で聴衆の心をとらえていたエディー・チバス上院議員であった。新たに結成された正統党［オルトドクソ党］の指導者であるチバスは次期大統領選挙で勝つ、というのがもっぱらの下馬評であった。だが、チバスはこのときの選挙で敗れ、次の大統領選挙で捲土重来をめざすことになる。ところが、チバスは大臣の一人にかかわる汚職を糾弾したものの、証拠を求められてもこれを提出することができず窮地におちいった。そのあげく、自分のラジオ番組に出演している最中に、激烈な演説をぶったのちにリヴォルヴァーで自殺をはかり、病院で死ぬ（一九五一年）。

　チバスの死でメンターを失うまでのあいだも、あいかわらず名声を求めていたフィデルは、快挙とよんでもらえる行動を起こすことを学んだ。まずは、「デマハグア」という通り名をもつ重さ一四〇〇キロのブロンズの鐘を一〇〇〇キロも離れたマンサニージョからハバナに運ぼうと思いつき、この計画をどうでも実現させようと駆けずりまわった。デマハグアは、独立戦争のはじまりを告げるために打ち鳴らされたという来歴をもち、キューバ独立のシンボルであった。この鐘をもち帰れば、ハバナ市民は反政府で蜂起するにちがいない！　何人かの協力者を得て、フィデルは目的を達した。一九四七年一一月三日、驚いて口もきけない何千人もの学生が見守るなか、フィデルは有名な鐘とともにオープンカーに乗って首都に帰還した。この快挙に意気が揚がった二一歳のフィデルは群衆にデモをよびかけたが反応はなかった。正統党も彼を支持してくれなかった。次期の選挙で与党になれると確信していた同党は、社会の混乱を避けたいと思っていたからだ。だが、アジテーターであるフィデルはけたはずれな野心を抑えることができずに、過激な行動を続けた。そのようななか、学生運動でフィデルのライバルと目されていた男が殺され、フィデルに容疑がかけられた。証拠不十分で保釈となったフィデルは、米州会議［アメリカとラテンアメリカ諸国のあいだで開催される会議］設立準備の外務大臣協議会がコロンビアの首都ボゴタで開催されるのに対抗して同時期に同じボゴタで開催される南米反帝国主義学生会議に参加することにした。フィデルがボゴタの町を歩いていたちょうどそのとき、コロンビアの反体制派のリーダーとして人気があったホルヘ・エリエセル・ガイタンが暗殺された。フィデルは前日にガイタンと会ったばかりであった。ガイタンが殺されたと知って、ボゴタ市民は蜂起した。フィデル・カストロも喜び勇んで暴動にくわわった。しかし、暴動は制圧されて多くの血が流れた。逮捕をのがれて大急ぎでキューバに戻ったフィデルは、「ボゴタソ」とよばれるこのボゴタ市民蜂起における自分の役割に尾鰭をつけ、語って聞かせた。

フィデルの殺人容疑は沙汰やみとなったが、父親のアンヘルは騒動ばかり起こす息子をこらしめるために生活費を送るのをやめた。そこでフィデルは友人のラファエル・ディアス・バラルトに頼り、彼の妹で、ハバナ大学の哲学科で学んでいる美しいミルタに接近した。フィデルはミルタの心をとらえることに成功し、ミルタの父親の反対を押しきって二人は華燭の典をあげた。ミルタの父親とは昔からの親友であった元大統領のバティスタは、結婚祝いに現金をたっぷりとはずんだ。新婚夫婦はハネムーンでマイアミとニューヨークを訪れた。だが甘い生活は続かず、フィデルは政治活動にふたたび身を投じ、妻を放置した。息子フィデリートが誕生しても、フィデルが家庭をかえりみることはなかった。一九四九年、キャンパス内での政治抗争で命を狙われたフィデルは身を隠すためにアメリカに渡り、ニューヨークで三か月をすごした。この三か月間に彼が何をしていたのかは大きな謎である。帰国後、彼は法学部の卒業試験に受かるために日夜、勉学に励んだ。アメリカの大学で勉強を続けるために奨学金を申請することすら考えたが、一つの科目の試験で失敗したために夢はかなわなかった。兎にも角にも弁護士資格を得たフィデルは一九五〇年から一九五二年にかけて、二人の仲間とともに弁護士事務所をかまえて、もっぱら貧しい人々の弁護にあたった。こうして弁護料を払うことができない顧客ばかりを相手にしていたので、妻子のミルタとフィデリートの生活は困窮した。だが、家庭のつまらぬ事情にフィデルはまったくもって無頓着であった。

反逆者

ガリシア出身の父親に似て色白、巨漢で体型はがっちりとしたスポーツマンタイプ、身ぶりがぎくしゃくした二六歳のフィデルは、義理の兄であるディアス・バラルトの仲介によって、ふっくらした体型で享楽的なムラート〔黒人と白人の混血〕である五〇代のバティスタ将軍にはじめて会った。大統領経験者であるバティスタは、若い弁護士カストロに、自分を支持してくれるのなら政権に返り咲いたときに閣僚のポストを用意する、と美味(おい)しい話をもちかけた。しかしフィデルは、もしバティスタがクーデターを仕かけるつもりであるなら自分は反対であると告げ、会談はそこで終わりとなった。カーニバルのさなかであった一九五二年三月一〇日、バティスタはクーデターを起して政権を奪ったが、政治ギャングがまきおこす無政府状態と暴力に嫌気がさしていたキューバ国民は秩序回復をバティスタに期待して反発を示さなかった。カルロス・プリオ・ソカラス大統領はおとなしくメキシコへと去った。血は一滴も流れず、旧政権側に対する報復行為もいっさいなかった。共産党でさえも無反応であった。憲法や合法性を無視してクーデターで政権を奪ったバティスタだが、専制的な体制を敷くことはなかった。彼の望みは、アメリカの支援でキューバの経済発展をはかることだけだった。フィデルは、「どいつもこいつも腐敗している」既成政党に失望し、「簒奪者(さんだつしゃ)」バティスタと干戈(かんか)をまじえることを望む者たちとともに、「直接行動」に出るための運動組織を立ち上げた。義兄ディアス・バラルトが新バティスタ政権で副内務大臣に任命されるころ、フィデルは新たな仲間たちと大学の地下で武器の使い方を学んでいた。

フィデルは、革命を起こそうと準備をはじめたが、その政治綱領の中身は貧弱で、キューバ革命党を一八九二年に設立して「新たな国民の創設と社会勢力の均衡」を夢見たホセ・マルティから拝借したいくつかの標語でお茶を濁した。武器を購入する金がなかったので、一九五三年七月二六日にサンティアゴのモンカダ兵営を襲撃して盗むことにした。栄光ある武勇伝となるはずだったこの襲撃は大失敗に終わった。被害は甚大だった。準備不足という戦術ミスのために、襲撃側の六〇人が死亡し、三〇人が逮捕された。しかしフィデルは話題をさらうことができて大満足だった。ないがしろにされているにもかかわらず、ミルタが夫のためにバティスタに寛大な処置を懇願したため、命は保証された。裁判で二時間にわたって自己弁護を展開して皆を唖然とさせたものの、フィデル・カストロは一五年の禁固刑を言い渡され、ピノス島[2]に移送されたが、そこで待っていたのは快適な捕囚暮らしであった。ほんの数か月で、送ってもらった五〇〇冊でちょっとした図書室を作り上げ、「歴史はわたしを無罪放免とするだろう」ではじまるマニフェストを執筆した。妻ミルタにくわえ、バティスタの両親とは顔見知りであった母親リナの奔走により、フィデルは一九五五年五月一五日、恩赦によって釈放された。CIAのある専門家は、「カストロは、キューバにおける赤い危険に対する最良の砦である」と考えた。すなわち、カストロを殉教者に祀(まつ)りあげるのではなく、許容可能な反体制派に仕立て上げるべきだ、そうすれば共産党の影響を排除できる、という計算だった。

二二か月の刑務所暮らしを終えるやいなや、反逆者カストロは組織「M26」を正式に旗揚げした（七月二六日のモンカダ襲撃にちなんだ命名である）。キューバはまたも、デーモン（テロ、暗殺、腐敗、無政府状態）にとりつかれた。カストロは、こうした混沌の火を掻(か)きたてる側にまわった。困りはてたバティスタが、憲法が保証する自由を停止すれば、民衆蜂起を正当化できる、と考えたから

にこやかなフィデル・カストロとエルネスト・チェ・ゲバラ、1960年ごろ。

だ。逮捕状が出されて尋ね者となったカストロは今回、メキシコに逃亡し、決定的に重要な出会いを体験する。彼にとって不可欠の盟友となるアルゼンチンの医師、エルネスト・ゲバラとの出会いである。次に、アメリカに行き、亡命キューバ人たちを集めて、「解放軍」の司令官だと自己紹介して運動資金の寄付を求めた。この「解放軍」の兵士はたったの八〇名ほどであり、そのなかでもっとも熱意に燃えていたのは弟のラウルだった。キューバに渡るために用意できたのは、全長一四メートルのヨット、グランマ号であった。

英雄譚

一九五六年一二月二日、フィデル

とその一行は七日間続いた嵐を耐えぬいたすえに、キューバに上陸した。彼らを待っていたのはキューバ軍であった。カストロは生きのびた二〇人ほどとともにマエストラ山脈に逃げこんだ。援軍として支持者が合流したのと、現地の農民を味方につけたお陰で、コマンダンテ［指揮官］とよばれるようになったカストロは、彼に心酔する約一〇〇人が暮らす「自由区」の支配者となった。こうしたゲリラたちは定住するようになり、上下関係がはっきりとした極小社会が成立した。革命法廷が、複雑な手続きぬきでさっさと――多くの場合は無慈悲に――問題を解決した。もはや自分の企みの過激性を隠さなくなったカストロは「キューバに必要なのはロベスピエールだ、たくさんのロベスピエールだ！」と宣言した。

彼はすでにメディアの影響力がいかに大きいかを理解していたので、ニューヨークタイムズの主筆の一人であるハーバート・L・マシューズがやってきたときは、ためらわずに演出をこらした。すなわち部下たちに、人数が多いように見せかけるためにたえず動きまわり、実際は手もちぶさたであるのにやるべきことが多くて忙殺されているふりをし、いくつもの前線から重要な知らせを届けに来たメッセンジャーを演じるよう命じた。おかげでマシューズは、カストロが広範な地域に何十もの部隊を配置しているものと信じこみ、彼を悪辣なバティスタと闘うロビンフッド、圧政に苦しむキューバ国民の希望の星、と称える記事を書いた。ほかのアメリカメディアも続々と訪れて同じ罠にはまった。カストロはさらに、レベルデというミニラジオ局を開設してプロパガンダに努め、レーニンの衣鉢を継いで「新しい人間[3]」を説くようになった。

自分に対して怒りっぽくなる一方であったカストロが自分を裏切って別の女性と親密であることを

知ったミルタは堪忍袋の緒をきらし、夫がピノス島に収監されているときに離婚の手続きを開始した。じつのところ、カストロはモンカダ兵営襲撃の以前から、ハバナの著名な心臓外科医の妻であり、正統党の活動家でもあった富裕な女性、ナティ・レブエルタと恋仲になり、彼女は身も心も彼に捧げるようになっていた。ただし、愛人はナティ・レブエルタ一人ではなかった。組織の管理運営能力が高く、峻厳な戦略家であったセリア・サンチェスがマエストラ山脈においてカストロにとって不可欠な存在となった。フィデルは数多くの愛人をもったが、セリアは参謀をかねた愛人という特別なステータスをあたえられた。なお、カストロは複数の女性にあわせて一〇人ほどの子どもを産ませている。しかし、彼の第一の結婚相手は革命であった。マエストラ山脈の陣地が空爆され、キューバ陸軍が待ち伏せ作戦によってしだいにせまっているというのに、カストロは、自分は革命を成功に導くことができると信じて疑わなかった。そうしているあいだに父親が亡くなった。母親は、二人の息子［フィデルとラウル］への温情をバティスタに懇願しつづけた。これにほだされたのか、バティスタは奇妙なことに長いあいだ、カストロを決定的にたたきつぶそうとはせず、自軍にときどき戦闘休止を命じるほどであった。

アメリカが兵器を援助してくれたにもかかわらず、バティスタ政権は国内の治安を回復させることができなかった。テロ、怠業、暗殺がやまなかった。バティスタは忍耐心を失い、暴力に恐怖政治でこたえた。アメリカの世論がこれを非難するようになり、ワシントンはバティスタを見放しはじめた。これまでアメリカが独占していた製粉業を自国民がはじめることをバティスタが認めただけになおさらだった。さらにバティスタは、ハバナでいちばん長いトンネルの建築をフランス企業（ソシエテ・デ・グラン・トラヴォー・ド・マルセイユ）に託した…。とはいえ、バティスタは首都ハバナを、コッポラ監督の『ゴッドファーザー』が描いたごとくに「熱帯のラスベガス」に変えたし、キューバの土地の半分を所有しているアメリカの要求にこたえることが多いために「ミスター・イエス」とあだ名されるほどだった。

バティスタの独裁政権に挑んでいたのはフィデル・カストロだけではなかった。たとえば学生運動のリーダーたちは革命評議会（ＤＲＥ）を結成し、都市での抵抗運動に取り組んでいた。そこでカストロは抵抗勢力をすべてＭ26のもとに結集するために次々と手をうった。まずは、穏健な反体制派の大物二人を山中に招待して一九五七年七月一二日にシエラ・マエストラ宣言を出した。バティスタ退陣を求めて計画した一九五八年四月九日のゼネストが失敗に終わると、Ｍ26は反体制勢力をすべて集めて会合を開いた。そして七月二〇日には、ほかの反政府勢力とともにカラカス宣言に署名した。共産党を排除して出されたこのマニフェストに署名した諸勢力は、「革命武装勢力の総司令官」に任命されたカストロが主導する「武装蜂起」を成功させたのちに憲政（文民統制政府、選挙、一九四〇年制定の憲法への回帰）を確立することを誓った。だれもが、武力闘争をとおして民主主義をとりもどすことができると信じていた…。フィデル［忠実な者］という名にふさわしくないＭ26のリーダーが、同時にこっそりと共産党と協議を重ねており、同党との合体をめざす極秘協定をやがて結ぶことになるとは、夢にも知らず。陽気な戦士のイメージを売り物にしていたカストロはすでに裏工作の達人だったのだ。

反体制武装勢力がサンティアゴにせまり、バティスタの命運は風前の灯火となった（このころ、カ

初めての長時間演説（1959年１月、ハバナにて）。プロパガンダの達人（鳩を仕こんだ）。
© Roger-Viollet

ストロはバティスタに会うことを考えた、といわれる）。一九五八年のクリスマス、カミロ・シエンフエゴス[4]とチェはキューバの半分を味方につけた。一二月三一日の真夜中の直前にバティスタが亡命すると、カストロはただちに権力の空白を活用することにした。自分の配下たちがハバナに向かって進軍している一九五九年一月二日、カストロは勝者としてサンティアゴに入市した。こうしてフィデルは故郷に錦を飾り、私生児、ユダヤ人と揶揄された子ども時代の屈辱を晴らした。解放者はもてはやされ、キューバは抵抗することなく彼に身をまかせた…。半分は直近の三か月にくわわったばかりという、兵力三〇〇〇人の急ごしらえの軍隊が七〇〇〇万人の国民を従属させたのだ。次にハバナに到着したカストロは、やがて彼のトレードマークとなる長大な演説をはじめて行なった。甲高くて細い彼の声は群衆を虜にした。演説のさなかに、タイミングよく白い鳩が舞い降りて彼の肩にとまった。天の遣いだろうか？　いや、みごとに仕組まれた演出であった。救世者のごときリーダーは、舞台効果のどのような細部をも蔑ろにしなかったのだ。

権力の取得

バティスタ打倒のためにM26とともに闘った革命評議会は大統領府を占拠し、共同統治に向けて交渉できるものと思っていたが、そうはならなかった。武力を独占していたカストロは、「革命は法の源泉である」と宣言し、軍隊を再編し（やがて、忠勤者の弟ラウルが支配するところとなる）、臨時政府と並行して「闇の政府」を組織し、議会を解散し、死刑を復活させ、資産を没収し、「選挙だって？　何に役立つのだ？」と述べた。以降、カストロは絶対的権力者としてキューバに君臨することになる。ほんの一か月で、彼は自分に対抗しうる勢力をすべてつぶした。面倒な手順をはぶいた裁判が行なわれて、「反革命の罪」で一〇〇〇人ほどのキューバ国民が処刑され、二五万人が亡命を選んだ。M26のなかでも、カストロのライバルとなりそうな、もしくは彼に反対しそうな幹部は全員、指導部からはずされた。国民に人気がありすぎた髭面男のカミロ・シエンフエゴスは、疑わしい状況下で死亡した。革命はクロノス神のようにわが子をむさぼり食うようになった。犠牲者のリストはその後も長くなる。

カストロはそれからも尻尾をつかまれぬように立ちまわった。絶対的権力は目的ではなく一つの技、自分と世界とのあいだのチェスゲームであるかのように。彼は一九五九年四月にはじめてワシントンを訪問し、アメリカの世論を安心させた。穏健な革命家を演じてみせ、自分は共産主義者ではない、と訴えたのだ。同じころ、彼は四〇〇人のキューバ人をモスクワに送りこみ、防諜活動員の促成教育を受けさせていた。そしてアメリカから帰ると、急ぎ足で農地改革を断行し、強制的な農業集団化へと誘導した。耕作しているわずかな土地の所有者となることを夢見ていた小作農たちは国営農業協同組合の公務員となった。カストロ本人がトップをつとめるINRA（全国農業改革局）は、改革の実施を監視することを任務とする「農村軍」を設立した。都市では、民兵たちがすべての産業拠点を、CDR（革命防衛委員会）が住民居住地の各区画を監視するようになった。キューバからグサノス（虫けら）、すなわち亡命者や亡命希望者、反体制派、裏切り者だけでなく、同性愛者たちを一掃することは、カストロが望む社会を構築するうえでの原則となった。キューバの弾圧システムは、世界でもっとも高度で残酷なシステムの一つであった。

エル・コマンダンテ［司令官］カストロは、キューバの六つの州で起きている内戦についてふれることを注意深く避けた。一九五九年より、農地改革に失望した農民、カトリック信者、民主主義者たちが農村ゲリラを組織し、のちにエスカンブライ戦争とよばれる戦いをくりひろげていた。この内戦は、ゲリラ側に三〇〇〇人の死者を出し、四年間で一〇万人以上の兵力が投入された。こうした反乱に国内がゆらいでいる一九六一年の四月に、アメリカに亡命していたキューバ人一五〇〇人がＣＩＡから武器をあたえられ、ピッグス湾に侵攻した。この侵攻部隊は、キューバ国内の反カストロ勢力を支援することを意図していた。だが、彼らはたちまちキューバ軍に蹴ちらかされ、ピッグス湾侵攻事件はカストロにとって国の統制のさらなる強化――一〇万人が一斉に検挙された――以上に、隣国アメリカの脅威からキューバを守るための保護をソ連に要請する好機となった。アメリカは、市場価格より高値で買い付けていたキューバの砂糖輸入割当を減らした。カストロは報復処置として、キューバ国内にあるアメリカの企業や銀行を国営化した。アメリカはこれに対して、医薬品を除くアメリカ製物資の対キューバ輸出を禁止し、一九六一年一月に両国は断交した。この禁輸は、ヤンキー帝国主義に対してキューバが恒常的に臨戦態勢をとることを正当化する理由をカストロ体制にあたえた。「反帝国主義のキューバ指導者たちは、帝国主義文化にどっぷりと浸かり、アメリカン・ウェイ・オブ・ライフに慣れきって、野球やアイスクリームやコミックブックが大好きであっただけに、かわいさあまって憎さ百倍となり（ただし、フィデル・カストロほどアメリカにとりつかれ、アメリカを憎む者はいなかった）、ボリバルの子どもたちはマルクスを盲信するようになった。マルクスはボリバルを嫌っていたのだが」とレジス・ドゥブレは説明している［ボリバルは、南米の諸国をスペインからの独立に導いた革命家であり、南米では「解放者」とよばれる」。

ピッグス湾侵攻に対する勝利から三か月後という絶好のタイミングで、カストロは自分の革命の社会主義的性格を明らかにした。これに応じるように、フルシチョフのソ連は砂糖四二万五〇〇〇トンをキューバから買入れ、石油をキューバに供給し、産業技術協力を提供する、と約束した。マルクス主義のイデオロギーを標榜する以上、それくらいのことをしてもらわねばならない。冷戦のさなか、キューバの重要性は増した。以前はアメリカの衛星国であったキューバは、熱帯のコルホーズと化した。モスクワは、アメリカの海岸から二〇〇キロしか離れていない、この新たな被保護国に核ミサイルを送りこんだ。一九六二年一〇月、ミサイル危機によって世界は核戦争の淵に立たされた。キューバはこの危機の中心地であったが、ワシントンとモスクワとの交渉の席から自分がはずされたことにカストロは大憤慨した。キューバをないがしろにしたまま、二つの超大国の話しあいでキューバ危機は回避された。カストロは世界の大物になることを切望していたのに。

赤いコンキスタドール

カストロのふくれあがる野望にとって、キューバという舞台は狭すぎた。カストロは寝ても覚めても自分の革命を輸出することを考えるようになった。自分の王国を拡大することに血道を上げる王様のように、カストロは権力をにぎってからわずか二週間後の一九五九年一月二三日にカラカスを訪れ、キューバに倣(なら)って革命を起こすようにベネズエラ国民を鼓舞した。折も折、ベネズエラは民主主義をとりもどしたばかりであった。キューバはやがて、蜂起の火元(フォコ)を作り出そうとして、ベネズエラだけでなく、ペルー、グアテマラ、コロンビア、アルゼンチン、ドミニカ共和国、ボリビア、ブラジルにも武器と要員を送りこむことになる。カストロは、モスクワ公認のマルキシズムドグマに反するフォコ理論――共産党やプロレタリアとの連帯を必要とはみなさず、農民に支持される前衛革命家たちのゲリラ闘争の役目を重視する、カストロとゲバラがあみだした理論――を実践したのだ。つねに国際舞台で前面に立つことを求めるカストロは、独立と政治的な代表権を求める第三世界の国々を集め、一九六六年一月にハバナで三大陸サミットを開催し、非同盟国のリーダーとなった。だが、キューバの資金とお膳立てによってラテンアメリカでフォコを作り出す試みは次々に失敗した（例外は、サンディニスタ革命が成功したニカラグア）[5]が、カストロは懲りることなく、野心の矛先をアメリカ大陸の外にも求めた。彼はアルジェリアのＦＬＮ（民族解放戦線）を支援し、アフリカ各地に部隊を送りこんだ。かくして、コンゴ、エチオピア、ソマリア、イエメン、ギニア＝ビサウ、アンゴラにキューバ軍部隊が派遣された。とくにアンゴラには一九七五年から一九八九年にかけて三〇万人の「義勇兵」が送りこまれた。ソ連が武器を供給し、キューバは黒人が多数を占める兵力を供給した。そのうちの三四〇〇名が戦死し、一万人が負傷し、何千人もの兵士がエイズに感染して帰国し、この革命輸出はキューバにとって高くついた。

表ざたにできない活動を支えるため、カストロは恐るべきキューバ諜報機関、ＤＧＩを作り上げた。イスラエルのモサドとアメリカのＣＩＡとならぶ、世界でも第一級の諜報機関、といわれる。プント・セロを筆頭に、キューバ各地にＤＧＩのトレーニングセンターが作られた。副内務大臣であるマヌエル・ピニェロ（あだ名はバルバロッハ〔赤髭〕）が、ＤＧＩの「ラテンアメリカ担当部局」でロジステイックス（偽造文書・証明書、武器の購入など）を指揮し、外国の政府機構の中枢にまでスパイを送りこむことに成功する。もっとも有名なスパイは、ペンダゴンでキューバ問題を担当していたプエルトリコ系アメリカ人女性、アナ・ベレン・モンテスであり、なんと一六年間にわたってハバナに国防機密情報を流していた（彼女は二〇〇一年に逮捕され、二五年の禁固刑を宣告された）。

カストロの国際主義政策はしだいに変化し、英雄的ゲリラからよきサマリア人へと変身をとげ、カラシニコフをワクチンに置き換えた。二〇〇〇年代に入ると、ＮＧＯからヒントを得て、キューバは医師と教師を、チャベスのベネズエラとルラのブラジルを筆頭とする「兄弟国」に派遣するようになったのだ。彼らは「民衆」によりそい「貧者」の手当をしたが、これは海面に顔を出している氷山の一角にすぎず、彼らに同行している顧問たちが派遣先の国々の内政に干渉した。こうした「人道的支援」へのお礼は外国通貨で支払われ、ベルリンの壁崩壊から金欠に悩むカストロ体制にとって貴重な収入源となった。ソ連崩壊――カストロにいわせると、ゴルバチョフはＣＩＡの影響下でペレストロイカを導入したことで革命を裏切った――により、キューバはもはやロシアの援助に頼ることができず、破産も同然であった。

大失敗

一九五八年、バティスタ失墜の直前におけるキューバの国民総生産は、ベネズエラとウルグアイに続き、南米第三位であった。教育にあてられる国家予算の割合は二三パーセントで、アメリカ大陸でいちばん大きく、とくに力を入れていたのは国民の一八パーセントが文盲という現状を打破するための識字教育であった（ちなみに、同時期のメキシコにおける文盲率は三三パーセントであった）。そして、平均寿命は南米でいちばんの長さを誇っていた。カストロ政権は「バティスタ時代のキューバは貧しく、衛生状態は劣悪で、国民の多くが文盲であったが、革命がこうした問題を根治した」と主張し、歴史を改竄するプロパガンダを行なった。カストロ政権によって医療と教育が無償化されて国民全員にいきわたったことは否定できない事実であるが、だからといって、一九六一年より強制された配給制度や、私有財産禁止を原因とする経済振興の失敗をなかったことにできないし、サフラ・デ・ロス・ディエス・ミジョネス（一〇〇〇万の収穫）の完全なしくじりはあまりにも有名だ。一九七〇年、砂糖を一〇〇〇万トン生産する、という目標を掲げて、あらゆる手段を動員したが、ほかの産業を実質的に麻痺させるだけで、徒労に終わった。一九五〇年代には世界でも主要な砂糖輸出国であったキューバはいまや、砂糖を輸入する羽目におちいった。カストロは一九六七年、キューバを牛乳大生産国に変えることを望んだ。ちょうどそのころ、彼はイタリアの出版社、フェルトリネッリに自伝の出版権を売ったばかりだった（約束した自伝をカストロは執筆することがない）。一〇〇万ドルの前渡し金を手にしたカストロはカナダでホルスタイン種の雄牛を購入した。ロサフェと名づけられたこの牛は「種付けの神」との評判であった。カストロは、熱帯気候に耐えられる唯一の品種であるセブ種の雌牛に種付けすることをもくろんだ。畜産のエキスパートと化したカストロの胸算用によると、一日に最低六〇リットルの乳を出すことができるハイブリッド種が誕生するはずだった。カストロは、イギリスのすぐれた遺伝学者の一人に、このとんでもない実験にとりかかるよう依頼した。当の学者が、あなたの計画が成功する見こみはゼロである、とカストロに告げたところ、ＣＩＡのまわし者だと責められ、即刻キューバから追い出された。壮大なヴィジョンを描くのが好きなカストロは、みみっちい目標を立てることなどできなかった。キューバは牛乳生産量でオランダを追い越すべきだ、チーズをフランスよりも多く生産すべきだ、牛肉生産量でアルゼンチンを上まわるべきだ…。だが、キューバで飼育される乳牛の頭数は六〇〇万頭から…二〇〇万頭に減った。この惨憺たる結果を無視して、カストロはロサフェをキューバ牛の父に祀りあげ、実物大の銅像の制作を命じた。それ以前もカストロは、自分の好物である苺をフランス大使夫人が栽培しているのことからヒントを得て、この果物をキューバで大量生産することを夢見た。また、子どもたちを動員してハバナ近辺にコーヒーの木を植えることを思いついた。学業のさまたげになることも、農民の知恵に反したアイディアであることも意に介さなかった。

「国は城主である彼の支配権がおよぶ領地であり、国家は彼の資産だ。彼は大地主が自分の大農場を管理するように国を運営している。（…）国家予算は、議論も監査も、会計簿も必要としない、彼個人の財産である。宮廷とは、彼が支配する共産党だ。副司令官は、彼の弟であるラウルだ。私生活も、家庭生活も、家も、パーティーもない。リーダーはだれかの夫でも、父親でも、息子でもない。彼は四六時中、リーダーなのだ」とレジス・ドゥブレはカストロを定義する。カストロは、予定も日程もたてずに馬にまたがって国中を視察してまわった。随行するのは、一〇人ほどの戦闘服を着た要員からなる護衛隊と、侍医であるレネ・バジェホであった。フィデルは執務室をもたず、自宅というものももっていなかった。お洒落な高級住宅地のエル・ベダドにたつ建物の一二階に何冊かの本と私物を置き、休息の場としていた。彼の部屋は僧坊さながらに簡素だった。幅の狭いベッド、枕元のテーブル、ランプが一つ、それだけだった。バルコニーには筋トレ用の器械がならび、彼は日常的に体を鍛えていた。彼がここにいつやってくるのかはだれも知らなかった。予告なしに姿を消し、出現し、意図的に時間を守らなかった。短時間で終わるはずの会談が一六時間にもおよぶことがある一方で、公式訪問がなんの説明もなしに短縮された。「決定権をもつ上層部においては、きわめつきにとるにたらぬ発議であってもへフェ［上司、すなわちカストロ］の明確な指示を必要とするゆえに、まったくもって予測不能な彼の往き来にあわせてだれもが予定を変更した。彼の伝説的な遅滞に、その下にいる仲介者の遅滞がくわわり、上から下まで、指令チェーンのすべてに影響が出た」とドゥブレは皮肉を述べている。キューバでは何ごとにも多くの時間がかかった…そしてリデル・マクシモ［最高リーダー、すなわちカストロ］の長広舌（ちょうこうぜつ）は、説教、挿話、激烈な酷評が終わるまで続き、中断なく一〇時間にもおよぶことさえあった。だが締めの言葉はつねに同じで、「祖国さもなくば死、われわれは勝つ！」であった。

夜になるとカストロは「特別な招待客」のもとを訪れ、明け方まで政治について論じた。朝の六時くらいになると、彼は睡眠をとるために姿を消した。だが一一時には、通信社の速報の束を腕にかかえ、フランス、チリ、ベトナム、モザンビーク、そして彼にとってもっとも重要なアメリカの最新ニュースをすでに頭に入れて姿を現わした。疲れ知らずであるうえに細部にこだわるカストロは、すべての事柄のすべてのディテールをチェックした。一つの水筒を満たすのに要する時間、日本製クウォーツ時計の耐久性、ホテルのエアコンの機能、ボルドーワインの品質、作戦の進捗具合。彼はすべての前線に立ち、なにも見逃すまいとした。こうしたエネルギーが発散する魅力、彼の多弁、そして彼の伝説的な愛想のよさを無視できる人はほぼ皆無だった。キューバ国民にとってカストロは、国家を体現しているのと同時に、国家およびその欠陥に対する抗議をも体現する、という至難の業をなしとげている人物だった。街中では「もしフィデルが知っていたら、こうはならないものを!」という嘆きの声が聞かれた。勇気を出してカストロを批判するときは、用心のために彼の名前を出すことなく、顎に二本の指をあてて彼の髭の形をなぞるか、肩にふれて彼の肩章に輝く銀色の星を連想させた。カストロはキューバに沈黙の掟を強制した。全土に二〇〇もの刑務所が存在し(一九五九年当時は一四しかなかった)、それぞれに平均して一二〇人の政治犯がつながれていた。くわえて矯正施設が何百もあり、一九六三年から一九六七年にかけては「反革命的な態度」を理由に三万人の若者が閉じこめられていた。今日、その数は八五〇〇人である。カストロ体制がはじまってから六〇年のあいだに、(一一〇〇万人のキューバ国民のうち)二五〇万人が亡命し、形だけの裁判で判決を受けて五七七五人が処刑された(その多くが一九六〇年代に処刑された)。

四〇年間をオリーブグリーン色の戦闘服、ブーツ、太いベルトという服装でピストルをたずさえて生きてきたあと、リデル・マクシモは一九九〇年代の終わりからスーツにネクタイという格好を採用するようになった。そして、治世の終わりには、痩せこけた体を青いトレーナー、トレパンに包むようになった。馬は、装甲板や防弾ガラスで守られた自動車に置き換えられ、どれにカストロが乗っているのかがわからぬよう、そっくり同じの黒いメルセデスベンツ三台が走行した。加齢とともにパラノイア的傾向が強まる一方となったカストロは、移動時にはかならず防弾ベストを身につけ、何百人もの護衛、毒味役、救急車一台をともなうようになった。カストロのオフィスを訪れることができる、ごく親しい者たちは、長い廊下のどこかに仕こまれた金属探知機をパスしてから、入り口の引き戸まで達する。この扉は、マイクロフォンで来訪を知らされたカストロのみが遠隔操作で内側から開けることができた。彼は、化学兵器と核兵器の攻撃に耐えるシェルターを転々とし、歴史の本を読みながら、目下の敵である老化と闘った。彼の晩年については情報がほぼ皆無だ。彼がハバナの街中に姿を現わすことはしだいにまれとなったが、国際舞台に登場するときは大きな関心を集め、いくらかの称賛がこもった好意で迎えられた。国連創立五〇周年（一九九五年）を祝った際に、もっとも盛大な拍手を浴びた国家元首はカストロであった。「屈辱を受けていた人々のチャンピョンは第三世界を熱狂させ（そしてその他の国々の称賛をさらった）。怪傑ゾロはいまだに大向（おおむ）こうを唸（うな）らせることができたのだ」（レジス・ドゥブレ）。

二〇一六年一一月二五日金曜、カストロの死が公表された。九〇歳で、彼は自分の寝床の上で死を迎えた。約一〇の暗殺未遂のみならず、保護と支援をあたえてくれたソ連の崩壊をも乗り越えたすえの死であった。死の一〇年前、彼は全権力を弟のラウルにゆずり渡した。まるで王朝のように、権力はカストロ家の手のなかにとどまった。国をあげての九日の服喪が宣言された。彼の遺灰は四日間をかけてキューバを横断し、革命揺籃（ようらん）の地であるサンティアゴにたどり着いた。彼の霊廟は、キューバ独立の父であるホセ・マルティの霊廟、そしてモンカダ兵営襲撃の犠牲者たちの霊廟から数メートルのところに建っている。故人は出発点への回帰を欲したのだ。ラウル・カストロは、キューバ国内では、「あらゆる個人崇拝の表明を回避するため」、フィデル・カストロの名前が地名や建造物に使われることはいっさいない、と宣言した。五七年のあいだ、自国を自分の途方もない野心にあわせて作り変えたカストロにとって、自分の名前を冠した場所や建物など無用だ。彼が死んだ日、キューバ共産党機関誌のグランマは「キューバはフィデルである」と見出しに書いた。

〈原注〉

1 ラモン・グラウ・サン・マルティンはバティスタに替わり、一九四四年から一九四八年まで大統領の座にあった。
2 キューバ南西の海岸から一〇〇キロ先の沖に浮かぶ島。
3 チェ・ゲバラは、このコンセプトを『キューバにおける社会主義と人間』のなかで理論化した。
4 カストロとともにメキシコからグランマ号に乗ってキューバに向かい、マエストラ山脈のゲリラとなった有名なバルブドス［髭面男たち］の一人。一五五九年一〇月二八日に飛行機事故で死亡するが、その状況については謎が多い。
5 サンディニスタ民族解放戦線（ＦＳＬＮ）が一九七九年に政権についた。

〈参考文献〉

Juanita Castro, avec María A. Collins, *Fidel et Raúl, mes frères*, Plon, 2009.
Jean-Pierre Clerc, *Fidel de Cuba*, Ramsay, 1988.
Régis Debray, *Loués soient nos seigneurs*, Gallimard, 1996.

Alina Fernández, *Alina, Memorias de la hija rebelde de Fidel Castro*, Barcelone, Plaza y Janés, 1996.
Jean-François Fogel, Bertrand Rosenthal, *Fin de siècle à La Havane : les secrets du pouvoir cubain*, Seuil, 1993.
Carlos Franqui, *Journal de la Révolution cubaine*, Seuil, 1976.
—, *Retrato de familia con Fidel*, Barcelone, Seix Barral, 1981.
Brian Latell, *After Fidel*, Palgrave Macmillan, 2002.（ブライアン・ラテル『フィデル・カストロ後のキューバ——カストロ兄弟の確執と「ラウル政権」の戦略』、伊高浩昭訳、作品社、二〇〇六年）
—, *Castro's Secrets, The CIA and Cuba's Intelligence Machine*, Basingstoke, Palgrave Macmillan, 2012.
Serge Raffy, *Castro l'infidèle*, Fayard, 2003.
Ignacio Ramonet, *Fidel Castro, Biografía a dos voces*, Barcelone, Debate, 2006.
Tad Szulc, *Castro, 30 ans de pouvoir absolu*, Payot, 1987.
Jeannine Verdès-Leroux, *La Lune et le Caudillo. Le rêve des intellectuels et le régime cubain (1959–1971)*, Gallimard, 1989.

15　ジョゼフ＝デジレ・モブツ

ザイールのプレデター

ジャン＝ピエール・ランジェリエ

一九六五年から一九九七年まで、ほぼ三二年間にわたってジョゼフ＝デジレ・モブツは、ザイールと改名された旧ベルギー領コンゴ（現在はコンゴ民主共和国）に圧政を敷いて君臨した。それは、流血の犯罪、汚職、国の資源の恥知らずな掠奪を組みあわせた残忍な独裁であった。豹の毛皮のトーク帽をトレードマークとしたモブツは、冷戦が続いているあいだ、自国をアフリカにおける「共産主義の防波堤」として売りこむことで、戦略的な役割を演じた。ベルリンの壁が崩壊すると、同盟者のステータスを失い、「迷惑な昔の知りあい」となったモブツは西側諸国から見放され、間一髪で国外に逃亡し、異国で死を迎えた。

一九四〇年、アフリカでジョゼフ＝デジレ少年が祖父と森のなかを歩いていると、一匹の豹が飛び出して彼を襲おうとした。一〇歳の少年は怖くて祖父の腕のなかに逃げこんだところ「おまえは男ではない！」と言われてしまった。これに誇りを傷つけられた少年は気をとりなおし、もっていた槍を豹の額に投げつけた。豹は大きな傷を負って後ずさりした。少年は豹の頭に刺さった槍をぬきとって勝利を完全なものとし、孫の勇気に大喜びしている祖父に「ぼくはこれからなにも怖がらないと思う」と述べた。

フィクションであると思われるこの少年時代の武勇伝は、独裁者モブツがその統治の絶頂期の一九七七年にザイールの村々に配布した、謙遜とは無縁の伝記漫画における最初のクライマックスである。この長編漫画は、モブツの戦士としての手柄、政治家としての勘のよさ、倫理的な徳の高さを綴っている。国民を導くリーダーに求められる賢さ、力強さ、勇気は豹の特質にほかならず、モブツは自分と豹のイメージをたえず重ねあわせることになる。三〇年間、モブツは公共の場に出るときは豹の毛皮のトーク帽をかぶることになる。アフリカの諺（ことわざ）が説くように、「豹の毛皮の上（もしくは下）には、二人の首領がならび立つ場所はない」ことを皆にわからせるためであった。専制君主モブツの敵と犠牲者たちは、豹はなによりも策略、裏切り、残忍性のお陰で生きのびる動物である、と知ることになる。

私生児

後年に「偉大な豹」となる人物は一九三〇年一〇月一四日に、湾曲するコンゴ川にいだかれた小村、リサラに生まれた。両親は、当時のベルギー領コンゴの約二五〇の部族のうち、もっとも弱小な部族の一つ、ンバンディ族に属していた。貧しかった母親のマリー＝マドレーヌ・イェモ（通称は

「ママ・イェモ」）が料理人のアルベリク・ベマニと結婚したとき、彼女はすでに妊娠していて、二か月後にモブツが生まれた。赤ん坊は祖父と大おじに育てられ、大おじの苗字、モブツを名のることになる。モブツはンバンディ語で「埃（ほこり）」を意味する。このような苗字は、これをもらった本人に、自分の出自が貧しいことをつねに思い出させることになる。権勢をふるう大統領となったモブツは、より立派な響きがある「永遠」を意味する「セセ・セコ」を苗字にくわえた。この見栄っ張りそのものの改名だけでは、父親が不明の子ども、という幼少時からひきずっている傷が癒（い）えることがなかった。

ごく幼少期、すなわち一九三〇年代に、運命はジョゼフ＝デジレ少年に最初のチャンスをあたえた。父親の雇い主であったベルギー人判事の妻、デルクール夫人が彼に関心をもってくれたのだ。子どもがもてなかったデルクール夫人は彼をかわいがり、きちんとしたフランス語での読み書きと算数の初歩を教えてくれた。少年にとって夫人は天の恵みであり、彼女との絆（きずな）は彼の教育にとって決定的な役割を果たした。父親が亡くなったとき、ジョゼフ＝デジレは八歳にもなっていなかった。収入源をもたぬママ・イェモは、四人の子どもをつれて生まれ故郷であるカウェレに戻った。ここは中央アフリカとの国境に近く、夫の生まれ故郷であるバド＝リテからは数キロの距離にあった。なお、モブツは後年、栄光の頂点に達すると、このバド＝リテに二つの豪華な宮殿を建てることになる。母子家庭は、この地方の各地を転々として数年をすごす。

ほら吹きで喧嘩ばやく、家を飛び出すこともしばしばであったモブツは、宣教師たちが経営する寄宿学校に入って厳しい規律というものをはじめて経験した。コキラヴィル（将来のムバンダカ）のキリスト教系の学校から退学処分を受けたモブツは、一九五〇年二月に強制的に植民地軍に入れられる。七年間の奉公である。ルルアブール（今日のカナンガ）中央学校への入学を許されると、通信教育で優秀な成績をおさめた。一九五三年一月、彼は同学年で二番の成績で卒業し、秘書・会計士・タイピストの資格を得た。首都のレオポルドヴィルで、彼は勤勉で有能な兵士として評価された。原住民の兵士が望むことができる最高の階級、伍長に上りつめたモブツは、自分よりも一一歳年下で一四歳のマリー＝アントワネット・ビアテネと民法上の夫婦となり、ジャーナリストとなることを夢見た。

一九五六年四月から一九五九年三月にかけての三年のあいだ、将来の独裁者はペン一本で生計を立てることになる。世俗主義でリベラルな日刊紙「ラヴニール」が、一週間に一度、すべての記事をコンゴ人が執筆する姉妹紙「アクチュアリテ・アフリケーヌ」を発行することになり、モブツは執筆陣の一人として採用された。「素顔の町」と題された連載記事をまかされたモブツは情報通ぶりを発揮し、しばしばユーモアをまじえて、レオ「レオポルドヴィル」の日常をにぎわすさまざまな出来事を文章にした。やがて一階級上への昇進を果たし、トップ記事や論説という「高尚（こうしょう）な原稿」を執筆するようになると、ナショナリストで民主主義者という立場を鮮明にした。一九五八年六月、彼は万博を取材するため、ベルギーをはじめて訪れた。帰国すると、編集長に抜擢（ばってき）された。ジャーナリズム界の有力者となったモブツは、コンゴ・ナショナリズムのリーダーたちと会う機会が増えた。そのうちでもっとも優秀な人物が彼の友となった。パトリス・ルムンバである。

ジョゼフとパトリス

二人は一九五六年、アクチュアリテ・アフリケーヌの仕事場ですでに顔を合せていた。ルムンバはスタンレーヴィル（のちのキサンガニ）の郵便局員に採用されてからほどなくして、横領と文書偽造の罪で収監された。レオポルドヴィルに送還されたルムンバは獄中でモブツの署名記事を読んで感銘を受けた。ルムンバとジョゼフは、いくつかの考えを共有していた。どちらも有力部族に属していない二人は、コンゴが外国の干渉に抵抗できる、強くて団結した国になることを望んでいた。一九五八年一二月二八日に開かれた集会において、磁力のように人を惹きつける力がある長身のルムンバが細く長い腕をふりまわして聴衆を熱狂させると、「ディペンダ！　ディペンダ！」という魔法の言葉——アンデパンダンス［独立を意味するフランス語］のリンガラ語訛り——が人々の口からはじめて飛び出した。この日、モブツはルムンバが設立したコンゴ国民運動（ＭＮＣ）に加入した。一九五九年一月四日にレオポルドヴィルで激しい暴動が起きたことで、歴史の歯車のスピードが早まった。ベルギーのボードゥアン国王は政府に先んじてコンゴ独立承認を約束した。交渉がはじまることになった。モブツは助成金を得てアクチュアリテ・アフリケーヌの公式代表としてブリュッセルに移り住むこととなり、「親愛なる読者諸君」に別れを告げた。

何か月ものあいだ、ベルギー政府は言を左右にした。政権内部の意見対立と、コンゴ在住白人の急な植民地解放に対する反発で動きがとれなくなったからだ。その後、歴史の歯車はまたもスピードを上げた。一九六〇年一月、コンゴ人有力者を全員招いて、ブリュッセルで円卓会議が開催された。政治面で、ベルギーは「すべてを投げだし」た。コンゴは六月三〇日に独立することになった。ルムンバとモブツは、相互の利害と共通の理想がからみあう複雑な友情で結ばれていた。ルムンバは、モブツがジャーナリストの仕事のかたわら、植民地警察に情報を提供して報酬を得ていたことを知ってはいたが、彼のことを信頼していた。他方のモブツは、積極的な政治行動へと自分を導いてくれたルムンバを大いに尊敬していた。ルムンバは、選挙を準備するためにコンゴに戻った。モブツはブリュッセルに残り、経済および金融にかんする新たな円卓会議にＭＮＣ（コンゴ国民運動）代表として出席した。モブツの愛想のよい態度、分厚いレンズの眼鏡に縁どられた穏やかなその目の下からは、すでに熱帯版ラスティニャックが顔をのぞかせていた［ラスティニャックはバルザックの人間喜劇シリーズの登場人物。野心家の代名詞］。選挙の結果、ナショナリズム系の政党が圧勝した。すなわち、ＭＮＣとその友党が上位に躍り出た。連立政権となることは確実となった。首都レオポルドヴィルで多数を占めるバコンゴ族の首領で、当時の主要政治リーダーであったジョゼフ・カサ＝ヴブが大統領に、パトリス・ルムンバが首相となった。モブツは、首相付き国務補佐官に任命された。このポストにより、モブツはルムンバの側近および相談相手となった。幸先のよい出世を果たしたモブツの前に、新たな人生が開けた。

短時間のうちに、ルムンバとモブツのあいだに不信感が生まれた。ルムンバが、コンゴ独立の日に祭典の賓客であるボードゥアン国王を前にして、あきらかに挑発的な反ベルギー演説を行なったことに、モブツは失望した。ルムンバのほうも、やっかいな側近であるモブツと距離を置きはじめた。しかし、軍をゆるがす暴動という非常事態が起きると、二人は団結した。コンゴ人兵士たちは、独立後もコンゴ軍にとどまって自分たちを不当に扱う白人将校たちに反発するのと同時に、給金に対する不

ジョゼフ＝デジレ・モブツ（1930-1997）、1960年10月撮影。

満から、国防大臣を兼職していたルムンバ首相を恨んで暴動を起こしたのだ。七月八日、ルムンバはモブツに次のように言った。「ジョゼフ、君は軍人だったことがある。どこかで大佐の制服を調達したまえ。君を参謀長に任命するから」。こうして、わずかとはいえ軍隊経験のある唯一の閣僚であった予備役モブツは、軍隊のナンバー・ツーに躍り出た。彼は、兵士たちをなだめるために、獅子奮迅（ししふんじん）の活躍をする。

ルムンバ、墓もない死者

七月一一日、重大な事態が発生した。地方州政府の長であったモイーズ・チョンベが、ベルギー人の将校や顧問から支援されて、資源豊かなカタンガ州の独立を宣言したのだ。国連は介入を決定し、コンゴに二万人の国連軍兵士を送りこみ、一九六四年六月三〇日までとどまることになる。八月九日、ダイヤモンドがとれるカサイ州南部も分離独立を宣言した。関係は悪化する一方であったものの、ルムンバとモブツは――これが最後となるが――一致協力し、以上二つの州の分離独立を武力で撤回させることに決めた。だが、カサ＝ヴブ大統領とルムンバ首相とのあいだに対立が生まれ、どちらからもライバルを逮捕するように命じられたモブツは、これを逆手にとり、九月一四日に二人を軟禁状態に置いて「無力化」する、という彼にとってはじめてのクーデターを成功させた。そして、ソ連大使に四八時間以内に国外退去するよう求めた。翌日、モブツの名前がはじめて外国の新聞の紙面を飾った。大文字で。彼はこうして国際舞台に躍り出た。それから三七年以上、彼はこの舞台から降りることはない。

モブツのクーデターは即興ではなかった。ＣＩＡとの共謀で、冷静にじっくり練られた作戦だった［アメリカはルムンバがソ連に接近していることを問題視していた］。彼は自分が自在にコントロールできる若い大学人からなる政府を発足させ、軍隊の統制に力をつくした。一九六〇年の夏から秋にかけて、最初は無力化すべき対象であったルムンバは、排除すべき対象となり、ついには始末すべき対象となった。コンゴという舞台に立つ役者のうちには、ルムンバは消えてほしいと望む者の数が非常に多かった。大半の国会議員がルムンバは法的に正当な首相であると考えていたうえ、国民の多くが彼を慕っていただけに、彼は邪魔な存在であった。ルムンバの敵は数多く、あちこちにちらばっていた。レオポルドヴィル（キンシャサ）のライバルたち、分離独立したカサイとカタンガの指導者たち、教会関係者、ＣＩＡ、そして舞台袖のあちらこちらで見え隠れするベルギー人たちだ。彼らの一人一人が、ルムンバの失墜を望む理由をもっていた。しかも、冷戦がたけなわであったこのころ、全員がルムンバに善悪二元論の視線を向けていた。彼らは、誠実で情熱にあふれるナショナリストであるルムンバのことを、よくてアフリカにくいこもうと逸る国際共産主義に使われている道具、最悪の場合は協力者である、とみなしていた。

軟禁から逃げ出したが一二月二日に捕まってしまったルムンバは、殴られ、縛られ、ヘリコプターに押しこめられて、とある軍事基地に運ばれた。ルムンバにかんして陰謀をめぐらす多くの者たちはある事情により、ルムンバをさっさとかたづける、という方向に傾いた。近々、すなわち一月二〇日に、ジョン・Ｆ・ケネディがアメリカの大統領に就任することになっていたのだ。この若い次期大統領はルムンバ解放に手を差しのべるつもりではないか、とささやかれていた。ベルギー政府は、ルムンバを最悪の敵、すなわち、断固として親欧米派であり、ルムンバの中央集権的ナショナリズムに敵意をいだくカサイのモイーズ・チョンべに引き渡すことを決定した。これを知らされたモブツは、ポンテオ・ピラトの役どころを演じた［ローマから派遣されたユダヤ属州総督。イエス・キリスト処刑の責任は自分にはないことを示すために手を洗ったエピソードで有名］。一九六一年一月一七日、独立を宣言したカタンガの首都エリザベートヴィルの飛行場の管制塔は、「貴重な荷物」の到着を告げられた。ルムンバは、チョンべと四人のベルギー人の立ち会いのもと、その日のうちに処刑された。モブツはその後もいっさい、この殺人の道義的責任が自分にあることを認めない。厚顔無恥にも、後日、ルムンバを「国民英雄」に認定する。特記すべきことはただ一つ、彼は自分の庇護者であったルムンバを救おうと思えば救えたが、救わなかったことだ。モブツ独裁の基盤を固めたこの殺人は、死体も墓も残していない。モブツは、邪魔な荷物から自由になった手を思う存分ふりまわせるようになった。血に濡れた手であったが。

CIAの友

ルムンバ暗殺は、独立したばかりのコンゴの歴史の第一期――混沌として、おびただしい血が流れたが、長さは六か月そこそこであった――の幕を引いた。同時に、第二期のはじまりを告げた。第二期は約五年も続くので、ずっと長い。それよりもなによりも、比較にならぬほどに無秩序で暴力的であり、何十万人ものコンゴ人が命を落とすことになる。この間、「コンゴ化」というたった一つの単語が、ほぼ恒常的な内戦状態が生み出すすべての災厄――権力闘争、部族間対立、虐殺、弾圧、農村の貧窮――を意味するようになる。

軍のトップおよび将軍となったモブツと、ＣＩＡとの緊密な関係が強まったのもこのころである。モブツは一九六三年にアメリカを初訪問、ホワイトハウスでケネディに歓迎され、これでＣＩＡとの距離がいっそう縮まった。同じ年、モブツはイスラエルでパラシュート降下のライセンスを獲得し、ハイファ沖の海に舞い降りた。彼の主たる関心事は、自軍の秩序を回復させて近代化させ、コンゴを血で染めている反乱勢力をたたきつぶすことであった。最悪の反乱勢力を指揮しているのは、ルムンバ内閣の閣僚であり、いまやモブツの宿敵となったピエール・ムレレであった。シンバ（スワヒリ語でライオンを意味する）とみずから名のるムレレ派戦士たちの熱気を高めていたのは呪術師たちであった。シンバたちは、敵の銃を折り曲げ、彼らの弾を溶かして水にしてしまう力がある、とのふれこみの護符を呪術師からあたえられ、首や手首につけた。こうしてなにもおそれなくなった彼らは農村地帯に恐怖をまきおこし、国軍の兵士たちは逃げ出した。一九六四年六月、だれからも肉体的にタフであると認められていたモブツは数人の部下とともに、キヴ州のカマニョラにある、戦略的に重要な橋を奪還した。ナポレオン率いるフランス軍がオーストリア軍を破ったアルコレ橋の戦い（一七九六年）を連想されるこの栄光あるエピソードは、モブツ伝説形成に大いに寄与する。一九六四年一一月、シンバたちの狂気じみた蛮行がスタンレーヴィルでくりひろげられた。ベルギー空挺部隊と傭兵らによるスタンレーヴィル制圧が、独立まもないコンゴの歴史の最悪の一章を終わらせた。ほぼ同じころ、すなわち一九六五年の四月から一一月にかけての七か月間、東部の山地に一人の名高いゲリラがこもっていた。チェ・ゲバラその人である。ゲバラは病気にかかったうえ、自分が訓練したアフリカ人ゲリラたちの闘志不足に失望してコンゴを去る。

やがて中将に昇進するモブツは、かつてないほど自分には力があると感じた。冷戦の準主役とはいえ、この東西対決から大きな利益を得ていたモブツは、共産主義者たちに狙われているアフリカにおける西側諸国の大切な味方となった。二五年ものあいだ、西側の大統領、将軍、スパイ、銀行が彼を共産主義の防波堤とみなすことになる。もはやだれも、なにも彼のいきすぎを止めることがなくなった。一九六五年一一月二四日、モブツは全権力をにぎり、カサ＝ヴブ大統領を罷免し、憲法を停止し、議会を解散した。一発の弾丸も炸裂しなかった。モブツは記者たちに対して、自分の大統領任期は五年である、と明言した後に、「権力掌握のレースは終わった」とつけくわえた。彼は三五歳にして、生涯でもっとも重要な仕事をやってのけた。彼の運命は確固たるものとなり、ついでにコンゴの運命も定まった。モブツは、フランスの約五倍の面積という広大な国土の下に眠る豊かな地下資源（銅、コバルト、ダイヤモンド、戦略的価値のある希少金属の数々）ゆえに、しばしば「地学的スキャンダル」とよばれるほど潜在的に豊かな国の支配者となったのだ。やがて豹のトーク帽を手放さなくなる軍人大統領モブツは、自信とエネルギーに満ちあふれていた。彼は、「単刀直入に語る」と決め、その率直さは聞く者を驚かせ、感心させた。彼は、命令口調と辛辣な表現を特徴とする演説スタイルで、重々しくゆっくりした力強い声で、強いベルギー訛りを響かせながら堂々と語りかけた。颯爽（さっそう）として、熱狂的で、獰猛なモブツは、傲慢と虚栄の塊だった。自分が得た絶大な権力に酔いしれた彼は、自分のことを三人称で語るようになった。

聖霊降臨祭の絞首刑

暴力、奸計、嘘が「偉大なる豹」の独裁を盤石とした。一九六六年の聖霊降臨祭の日、モブツは悪魔的な計略を立てて、元首相のエヴァリスト・キンバとその閣僚三人を罠にはめた。翌日、たった一時間半の審理のまねごとが行なわれ、特別軍事法廷によって死刑を宣告された四人はその二日後（六月二日）、三〇万人が見つめるなか、公開で絞首刑に処せられた。群衆は、顔にすっぽりと頭巾をかぶせられた死刑囚が、処刑人を前にして最後の祈りを唱えるのを聞いた。コンゴは一九六〇年から、多くのドラマを体験していたが、政治家が処刑されるのははじめてだった。モブツは、敬虔なカトリック教徒が多いこの国でキリスト教の重要な祭祀の日にわざわざことを起こすことで人々の心も頭も萎縮させ、自分には生殺与奪の権限があることを見せつけた。このメッセージは、政治家、軍人、インテリ、庶民をとわず、全国民に宛てられていた。残忍でショッキングなこの公開処刑により、反対勢力はそれから長いあいだ、声をあげることもできなくなる。マキャヴェッリの『君子論』を何度も読んだモブツ——彼は、旧い友人で、ＣＩＡのキンシャサ支部長であったラリー・デヴリンに「これはわたしの愛読書の一つだ」と打ち明けている——は、自分は国民に敬愛されていると自慢した。おそれられていた、というのが真実だ。

ルムンバは死に、カサ＝ヴブは自分の村から出られぬ軟禁状態に置かれているいま、軍人大統領モブツに残っているライバルはモイーズ・チョンベだけとなった。カタンガ州分離独立のリーダーであったチョンベはスペインに亡命していたが、モブツの目には始末すべき対象と映った。ＣＩＡの助けを得て、モブツがチョンベに罠をはったところ、不用心にもチョンベはひっかかった。一九六七年六月にチョンベが乗っていた飛行機がハイジャックされ、彼はアルジェで軟禁状態におかれて二年後に亡くなるが、その死の状況は不明だ。一九六八年一〇月、モブツはようやくムレレも始末することができた。すべての者に恩赦をあたえるとして、モブツは和解を餌にムレレをおびきよせた。ブラザヴィル［旧フランス植民地のコンゴ共和国の首都、コンゴ川をはさんでキンシャサの対岸にある］に逃げこみ、精も根もつきはて、孤立していたムレレは、コンゴ川を渡って帰国し、モブツ体制に合流することを受け入れた。和解を祝うシャンペンがたっぷりとふるまわれたのもつかのま、ムレレはキンシャサの軍事基地につれていかれ、拷問のすえに殺された。モブツ政権下で外務大臣をつとめたジュスタン・ボンボコは後日、ムレレのおぞましい最期について次のように語っている。「まだ生きているうちに、彼は耳と鼻を削がれ、眼球をえぐりとられ、すべては地面に投げすてられた。局所も切りとられた。それでも彼は生きていたが、両腕、次に両足を切断された。残った部分は袋に入れられ、川に沈められた」

川を流れる死体

ノーベル文学賞作家である故V・S・ナイポールは、名前は決して明かされない「偉いお方」――モデルはモブツである――のおそろしい影がのしかかる小説『暗い川』［原題はA bend in the river］のなかで「叢林は殺人の音をかき消し、泥水の川は流された血を洗っていた」と書いている。ザイールと改名されたコンゴにおいて、以上の文学的イメージは禍々しい現実そのものであった。独裁が続いた三二年間、どれほどの人が水漬く屍となったのだろうか？　ティエリー・ミシェルのドキュメンタリー映画『ザイール王、モブツ』のなかで、および書籍『ラバトワール［屠殺場］』のなかで、ヘリコプターパイロットであったピエール・ヤムブヤは、一九七八年から一九八四年にかけて、自分の意思に反して、非常に特殊な夜のミッションに参加させられた経験を語っている。何十人かの軍人もしくは民間人——生きている場合も、死んでいる場合もあった——を上空から投げ落とす、という任務だった。ヤムブヤは、忌まわしい仕事が行なわれたその場所に立ち、カメラに向かって次のように証言している。「わたしはここに着陸して、殺された囚人たちを積みこんだ。シークレットサービスによって処刑された者たちの死体はあそこに置かれていた。死体は防水布で包まれていた。川の上から投げ落とした。夜間飛行が終わるごとに、一滴の血の痕も残らぬよう、モブツの護衛たちが入念にヘリコプターを掃除した」

モブツは暴力で支配した。恐怖は金銭とならんで、彼の長期政権の重要要素の一つだった。公衆の面前で大臣や側近をいたぶることもあった。多くのザイール国民は、モブツは最初の妻の死（一九七七年）に関係している、と確信していた。妻から大統領辞任を勧められたことに怒り狂い、手加減もせずに殴った、といわれている。この噂は長いことモブツにまとわりついた。その結果、ずいぶんと時間がたってからだが、モブツは、ザイール唯一の政党の党大会に軍医のヴィクトル・イヤンガをよびだし、自分には責任がないことを証言させた。モブツに唐突に「わたしが妻を殺したのか？」と問われたイヤンガ医師は「まさか、違います！」と答えた。それ以外の答を口にすることなど不可能であった。

虐殺と共同墓穴

モブツはわが手で拷問を行なうような人物ではなかった。彼は第三者を介して殺し、自分の責任は否定しながら殺戮を組織した。だれかを不当に告発する匿名の手紙を受けとったときは、当の手紙に「消すこと」という短くも不吉なコメントを書きそえるだけで、この人物の運命を閉じることができた。彼は自分の協力者である閣僚や将軍たちの力を弱めるためなら、彼らの妻を寝とることも躊躇しなかった。三〇年間、アムネスティー・インターナショナルはモブツを、ザイールにおける人権侵害にかんするじつに嘆かわしい年次報告書のなかで非難しつづけた。逮捕状なしでの逮捕、裁判ぬきでの収監、叢林地帯への追放、処刑すると思わせて寸前で中断するいたぶり、あらゆる種類の拷問、不公正であっというまに終わる非公開裁判、なぜか行方不明になる反体制派、民衆の抗議やストやデモの残忍な弾圧、陰謀のでっち上げ、行政機関や軍における粛清。

一九六九年、軍の部隊が首都のロヴァニウム大学のキャンパスで発砲し、遺骸を共同墓穴に投げこんだ。一九七一年、同大学はまたしても閉鎖され、二〇〇〇人の学生は二年間の兵役につかされた。国営テレビによると、「彼らが言いつけに従い、よけいな口をきかないことを学ぶ」ためであった。一九七八年、若手将校八人と民間人五人が、体制に対して陰謀をはかったという理由で処刑された。一九九〇年、権力に敵対しているとみなされた若者たちを殺そうと、特別攻撃隊がルムンバシ（旧エリザベートヴィル）大学に夜襲をかけた。男子学生は喉をかききられ、窓から投げ落とされた。女子学生は強姦された。犠牲者は数十人におよんだ。一九九二年二月一六日（日曜）、教会のよびかけに応じて、大都市で合計一〇〇万人がデモを行ない、民主主義を求めた。彼らは歌い、スローガンを唱え、手にもった小枝をふり、軍のバリケードの前に座りこんだ。キンシャサでは、この「希望の行進」に対する応え（こた）は殺戮であった。兵士たちは催涙弾、ナパーム弾を使ったうえ、群衆に発砲した。すくなくとも三五人が死んだ。こうした残虐行為にもかかわらず、モブツは——とくにその統治の初期においては——世界各地の国家元首や君主（ド・ゴール、エリザベス二世、リチャード・ニクソン、日本の天皇、ナーセル、インディラ・ガンジー、ボードゥアン国王、毛沢東）に歓迎され、称賛の言葉を浴びた。なお、毛沢東はモブツと二回も会っている。フランスの大統領と首相（ヴァレリー・ジスカール・デスタン、ジャック・シラク、レイモン・バール）は、モブツを誉めたたえ、コートダジュールにモブツが所有する豪華な別荘への招待を断わらなかった。

モブツは、自分に全面的に忠実な軍を政治手段としていた。一九六五年以前、彼は将来の自分の権力の基盤、そして踏み台とすべく、軍を掌握した。大統領となると、軍は彼にとって生き残りの道具であった。だが、その役割が重要なだけに、いつでも疑り深いモブツの目に軍は危険だと映った。彼はゆえに、軍をコントロールし、団結させぬように仲違い（なかたが）させ、裏であやつることに心血をそそいだ。体制を守る精鋭であり盾である大統領特別師団（DSP）はモブツただ一人に仕えると宣言していた。師団兵一万五〇〇〇人の一人一人が、「オーイエ！　わたしたちは、あなたを選びました。わたしたちはあなただけを選びました」と唱えて、「建国の父である大統領への忠誠」を誓った。この誓いは、ザイール共和国に対するものでも、国の機構や制度に対するものでもなかった。この忠誠の見返りとして、モブツはDSPが何一つ不自由しないように心をくだいた。その他の軍人（約五万人）はそうした厚遇とは無縁であった。年月がたつにつれ、モブツは自分を君主の位に押し上げてくれた軍を顧みなくなった。兵卒や下士官たちは、雀の涙ほどの給与しか手にすることはできなかった。軍は「下層プロレタリア」になり下がり、生きのびるために民間人を強請るようになり、ありとあらゆる闇取引を実践する組織と化した。国家安全保障の情報機関は完璧に機能した。モブツも、自身がパラノイアに襲われることが多かっただけに、これに力を入れていた。この組織全体を下支えしていたのは、CIAをはじめとする提携関係にある外国の情報機関と連携して暗躍する、ザイール人もしくは外国人の情報提供者からなるネットワークであった。彼らの一部は大統領予算から報酬を支払われていた。

「スーツ打倒！」

モブツにとって国民を統制するための主要な手段は、コンゴ唯一の党として一九六七年に結成された「革命人民運動」（MPR）であった。すべての国民は、本人が望もうと望むまいと、同党のメンバーであるとされ、公式の標語によると、「先祖や胎児」も党員であった。モブツはずばり、「われわれは対置を必要としない。われわれは並置を実践しているのだ［対置を意味するoppositionには野党という意味もある］」と宣言した。モブツは、かつてサバンナの諸王国を治めていたバントゥー族の王たちの後継者となることをもくろんだ。モブツは「わが国に、村長が二人いる村が一つでもあるなら、どこにあるのか教えてほしい！　リーダーに対する敬意は神聖である」と述べた。一部の役所の廊下には次のような文言が掲げられていた。「自分のリーダーを批判することは、自分の昇進の鎖を断ちきることだ」。肝に銘じるべき標語である…

モブツは一九七〇年代の初め、自分の個性が刻印されていて、世界の人々に自分がいかに偉大であるかを示すことができるドクトリンをほしがった。思いついたのが「真性」ドクトリンであった。彼は、自国民がアフリカのルーツに誇らかに立ち戻り、自分たちのアイデンティティーと先祖伝来の伝統から力を引き出すべきだ、と考えた。モブツはそこで、文化革命を国民に提案した。西欧の精神的束縛からの脱却をはかる健全な試み、ということで、植民地からの独立からさほど年月がたっていない当時の社会情勢を背景に、多くの人がこれに賛同した。すでに一九六七年に通貨がザイールと改名されていたが、一九七一年には国名コンゴもコンゴ川もザイールに変更され、「三つのZ」とよばれた。考えてみると奇妙な決定である。コンゴは現地アフリカの言葉であるのに対して、ザイールは「すべての川を飲みこむ大河」を意味する現地語のポルトガル語訛りであるのだから。ザイール国民は、これまでの「ムッシュー」を「シトワヤン［市民］」に置き換えた。モブツは、「ア・バ・ル・コスチューム（スーツ打倒）！」を語源として「アバコスト」と名づけた、首もとまでボタンでとめるジャケットの着用を強制した。男女をとわずすべての市民には、典型的にザイール風とされる名前をもち、もともとの

「王笏」を掲げるモブツ、1985年。
© Thierry Boccon-Gibod/Gamma-Rapho

名前に一人もしくはそれ以上の先祖の名前をくわえることが義務づけられた。モブツ本人も自分の苗字を引き伸ばし、セセ・セコ・クク・ンベンダ・ワ・ザ・バンガ（ンバンディ語で、「通ったあとには火を残し、なにもだれも止めることができぬままに、征服に征服を重ねる全能の戦士」を意味する）とした。だが名前負けしたようで、モブツは司令官としては凡庸であり、一九六〇年代の反乱にはじまって、シャバ州（旧カタンガ州）を舞台とする二回のシャバ紛争（一九七七—一九七九）まで、毎回のように外国軍の支援で窮地を抜け出している。第二次シャバ紛争では、隣国アンゴラから侵攻した反政府組織コンゴ解放民族戦線（ＦＮＬＣ）に対して劣勢となったモブツ体制を救うためにジスカール・デスタン仏大統領は、暴力と混沌のさなかにあった地下資源豊かなシャバ州のコルヴェジにフランス軍空挺部隊を派遣した。

最高位のプレデター

伝統は、あらゆる濫用を正当化する口実となった。モブツ礼賛は、アフリカでは前例のないレベルに達した。「至高の案内人」と自称して驕慢(きょうまん)そのものとなったモブツは、自分を対象とする個人崇拝の高揚にひたすら励んだ。彼は権力に酔いしれ、自分を神に近い存在と考えるようになった。毎夕、ニュース番組がはじまる前のテレビ画面に、雲に囲まれたモブツの顔が映し出された。まるで神であるかのように。満員のスタジアムでは、モブツの顔が描かれた服を着た大勢の観客がルンバのリズムにのり、モブツが「永遠の命」を得られますように、と祈念した。彼は、ザイールが大いに話題となり、しかも肯定的に語られることを求めた。この望みは一九七四年一〇月三〇日に瞬間的に達成された。この日、キンシャサのスタジアムで、二人のボクサー、ヘビー世界チャンピョンのジョージ・フォアマン（二五歳）とモハメド・アリことキャシアス・クレイ（三二歳）が夜に「世紀の対決試合」を行なった。費用はホスト国もちであった。モブツの巨大な肖像が見下ろすサッカースタジアムにつめかけた数万人の観客が見守るなか、ピッチの中央に設けられたリングにフォアマンとクレイがあがったのは、現地時間で朝の四時すぎであった。試合はアメリカに衛星中継された。アメリカのゴールデンタイムに合わせたため、アフリカでは明け方前というありえない時間となったのだ。モハメド・アリが勝ち、多くが彼を応援していた観客たちは大喜びした。この興行のためにザイールは結局、一〇〇〇万ドル以上を支払った。

金銭はモブツ体制が走りつづけるための燃料であった。モブツは、政治エリートたちを文字どおり買収していた。支持者をつなぎとめるために、彼らに大盤ぶるまいをした。だれもが、「（公益に）仕えること、横領しないこと」という有名なスローガンが説くところとは正反対の行動をとった。手本は大統領であった。すなわち、モブツは恬（てん）として恥じることなく横領を働いていた。最高位のプレデターであったモブツは自国に「窃盗症」を蔓延（まんえん）させる張本人となり、国庫を自分の金庫と混同し、ベルナール・クシュネル［フランスの医師、政治家。「国境なき医師団」の設立者の一人］がモブツを形容するのに使った比喩「豹の毛皮の帽子を上にのせた、歩く銀行口座」が正鵠（せいこく）を射ていることをみずから証明した。彼は自分の生まれ故郷、一族、家族（二人の妻、二人の愛人、認知した、もしくは認知していない子どもは合わせて約五〇人）をあからさまに優遇した。一九八〇年代、彼の財産は四〇億ドルとなった。モブツは世界でもっとも裕福な男であり、それを自慢していた。彼は死んだ時点で、二〇もの高級不動産を所有しておた。そのうちには、ベルギー国内にある九つの不動産、ロクブリュヌ＝カップ＝マルタン［コートダジュール］の別荘「ヴィラ・デル・マーレ」、ワインセラーに最高級ワイン（グラン・クリュ）が一万一〇〇〇本以上貯蔵されているポルトガルの大邸宅もふくまれていた。忘れてならないのは、キンシャサから北方向に一〇〇〇キロ以上離れた、熱帯林のただなかにあるバド＝リテに彼が建てた豪華な宮殿、いわゆる「ジャングルのヴェルサイユ」だ。この宮殿を飾るためにふんだんに使われた大理石、鏡、高級家具、絨毯はすべて、特別機で外国から空輸された。

三〇年間、モブツは自分のとてつもない願望を満たすために自国を徹底的に掠奪した。彼は公金を自分のほうに流すためのシステムを作り上げた。外国からの援助を横領し、国営企業のジェカミンヌ（銅、金、コバルトを採掘）をふくむ鉱業企業に、収入を特別口座に振りこむように強要した。ダイヤモンド、コーヒー、輸出入にかかわる企業にも同じ手口を使った。モブツの他者を腐敗にまきこむ能力は際限がなかった。権力維持のため、彼は鷹揚に金をばらまいた。支持者たちの忠誠心、敵の服従、その他の者たちの沈黙を金で買ったのだ。罰せられることがないので、腐敗は国を蝕んだ。まずは軍隊。将官たちは金のあるところからとりたて、兵卒たちは庶民たちから脅しとった。「マタビシュ」（賄賂）の王国と化したザイールで、モブツはジャン＝フランソワ・バイヤールがよぶところの「ポリティーク・デュ・ヴァントル」［一部の者の物質的満足のみを目的とする政治］を実践した。腐敗は社会階層の階段に沿って下方にも拡がり、だれもが「おこぼれ」にあずかり、不満を鎮めることを可能にしたが、結局のところ、不平等が激化した。「マタビシュ」は日常生活において、目端がきく庶民が夢想する憲法の教えとなった。彼らは、自分たちが「第一五条」とよぶこの教えを、こんなこと当然だろ、といわんばかりの口調で、「うまく立ちまわれ！ってことさ」とひとことで要約してみせた。ザイールで要領よく生きのびるのに賄賂は必然となった。

同盟者から迷惑な昔の知りあいへ

モブツは加齢とともに幻滅を味わうようになり、性格は暗くなった。多くの場合、無気力で、孤独、怒りっぽかった。やがて自分の命を奪う前立腺癌におかされていることをすでに知っていたのだろうか？ ベルリンの壁崩壊と、アフリカに吹く民主化の風を受け、彼は譲歩しようという気になった。だが彼の譲歩は十分ではなかったうえに、遅すぎた。一九九〇年四月、モブツは複数政党制を復活させた。四半世紀にもおよんだ絶対的専制に続く七年は混沌としていた。一九九一年四月にキンシャサではじまった最高国民会議は、現体制を糾弾する民衆裁判の様相を呈した。街中では人々が「独裁者を倒せ！ モブツは盗人だ！」と声をあげたが、当人はなんの反応も示さなかった。だれもが、「偉大なる豹」は爪を失った、と思った。モブツはまだ君臨していたが、もはや統治はしていなかった。彼が自分のことを嘲笑するキンシャサから離れた場所ですごす時間は増すばかりだった。当初は豪華ヨット「カマニョラ」号を浮く大統領府としていたが、やがてバド＝リテの宮殿にひっこんだ。まだ残っていた少数の側近をのぞき、彼が他人の前に姿を見せることはほぼ皆無となった。

一九九〇年代初頭、世界情勢は大きく動いてモブツに不利となった。以前は「アフリカはレボルバーの形をしている、ザイールは引き金に相当する」とよくいわれていた。フランツ・ファノン［マルティニーク出身の精神科医、思想家］の言葉であったが、モブツはファノンの名前を出すことなく、ま

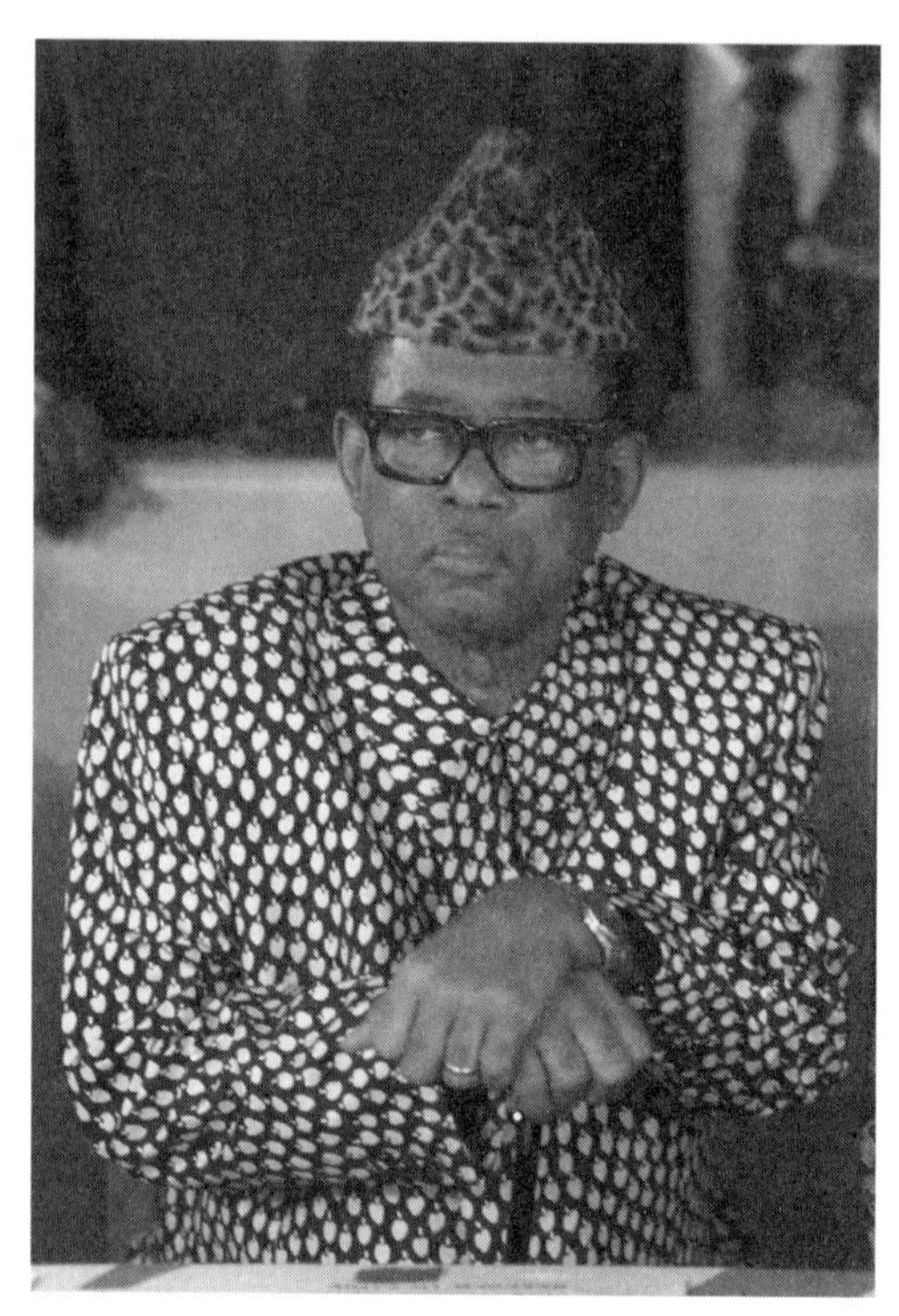

終わりのはじまり。1997年5月4日、最後のチャンスに賭け、コンゴでカビラと会見したときのモブツ。
© Patrick Robert/Sygma via Getty Images

るで自分が考え出したかのように口にしていた。しかし冷戦は過去のものとなり、アフリカのピストルはホルスターにおさめられた。モブツはもはや、共産主義の最良の敵という役を演じることで戦略地政学的な利点を生かすことも、西側諸国の恥ずべき甘やかしをあてにすることもできなくなった。以前は不可欠な同盟者であった彼は、迷惑な昔の知りあいとなった。

一九九三年、アメリカ、ベルギー、フランスは野党勢力に政権をゆずるよう、モブツにせまった。だが、彼はきっぱりと断わった。彼の命運は、小さな隣国ルワンダで定まった。八〇万人のツチ族とフツ族穏健派が殺された一九九四年のジェノサイドののちであった。ルワンダの首都キガリに成立した新政権の支持を受けたザイール国内のツチ族叛徒が、一九九六年一〇月にキヴ州の州都ゴマを制圧した。ツチ族大量虐殺に対する報復をおそれてザイールに逃げこんでいた一〇〇万人以上のフツ族ルワンダ人は、難民キャンプを去ってサバンナやジャングルに逃げこんだ。ゴマを制圧した叛徒の首領であるスキンヘッドの大男、ローラン・デジレ・カビラはマルクス主義者であり、モブツの旧敵として根深い恨みをいだきつつ、さまざまな闇取引に手を出して富を築いていた。

数週間で、叛徒たちは抵抗にもあわずに進軍をつづけた。ザイール国軍兵士はいつのまにかいなくなり、モブツ体制は崩壊した。しかし、だれもがわかっていた。カビラが前面に出ているが、彼の後ろには、モブツをなぎ倒そうとする真の立役者二人が隠れている、と。それは、豪腕の持ち主でやがてルワンダ大統領となるポール・カガメと、ウガンダ元首のヨウェリ・ムセヴェニであった。どちらもツチ族であった。カガメは、フツ族出身の元ルワンダ大統領をモブツが支持していたことをどうしても許せなかった。カガメの兵士たちは、ザイール国内叛乱軍の先頭に立っていた。ムセヴェニはこの戦いのブレーンであり、自分をなにかと贔屓(ひいき)にしてくれるアメリカの支援をバックに、アフリカ中部における自分のリーダーシップを築きたい、と夢見ていた。この内戦を読み解くカギは、米政府のかかわりである。あとになってわかったことだが、クリントン政権は一九九五年の終わりにすでに、モブツを倒すためのシナリオを書き終えていた。アメリカから派遣された軍事顧問がカガメの部隊の訓練にあたっていた。そうした軍事顧問の一部は、ザイール侵攻にも参加しており、なんと二人が戦死している。ビル・クリントンはモブツについて、いらだちも露(あら)わな次のような感想を述べていた。

「わたしが学生だったころ、彼は大統領だった。わたしが知事であったころ、彼はまだ大統領だった。そしてわたしが大統領になったいま、彼はあいかわらず大統領だ！」

失墜と亡命

モブツは無力なまま、自分の権力の消滅に立ち会った。最後の日、キンシャサでは彼に仕えた重鎮たちが辞職し、逃げ出した、もしくは露骨に彼を裏切った。一九九七年五月一六日、モブツと家族は、襲撃されるのをおそれて通常とは異なるルートで空港に向かった。同じ理由で、彼らを乗せた飛行機はこれまでとは異なる飛行ルートでバド＝リテへと向かった。バド＝リテに着いてほっとしている暇はなかった。反旗をひるがえした国軍兵士たちが、モブツがどこにいるかを探りあて、彼の命を狙った。五月一八日の明け方、モブツを乗せたメルセデスベンツが、使用可能な唯一の飛行機であった、イリューシン社製造の航空機の貨物室に格納された。飛行のあいだ、モブツは車から出ることができなかった。飛行場に到着した国軍兵士たちは、どうにかこうにか高度を上げつつあった飛行機に向かってカラシニコフを連射した。あとになって飛行機を点検したところ、翼に六つの銃痕が見つかった。トーゴ国内で五日間待たされた後、モブツらは五月二三日にモロッコに逃げ延びた。

モブツはそれから一〇〇日と少したった一九九七年九月七日に死ぬ。享年六六歳。出血過多でひどい貧血となったモブツの体重は四〇キロそこそこであった。家族は、ラバト［モロッコの首都］の非ムスリム用の墓地に礼拝堂の形の奥津城を建て、彼を埋葬した。石にきざまれた、互いにからみあう三文字のイニシャルMSSがなければ、だれがここに眠っているかわからない墓だ。栄光の頂点にあったころのモブツは「人がわたしのことをさして、あの人は元ザイール大統領だ、と言う日は絶対に来ないだろう。そうではなく、ザイール大統領モブツがここに眠る、と言うだろう」としばしば述べていた。元大統領のモブツはラバトに二二年前から眠っている。彼は権力者として死んだのではない。彼は自国で死んだわけでもない。運命はこうして彼に二つの侮辱をあたえた。バントゥー族の伝統にしたがうと死者は先祖とともに葬られねばならないが、モブツの遺骨がいつの日かコンゴに改葬されるのかどうかはだれもわからない。

〈参考文献〉

Colette Braeckman, *Le Dinosaure. Le Zaïre de Mobutu*, Fayard, 1992.

William. T. Close, *Beyond the Storm*, Meadowlark Springs Productions, 2006.

Ludo de Witte, *L'Assassinat de Lumumba*, Karthala, 2000.

Cléophas Kamitatu, *La Grande Mystification du Congo Kinshasa*, Maspero, 1971.

Jean-Pierre Langellier, *Mobutu*, Perrin, 2017.

Jean Omasombo Tshonda, *Lumumba, drame sans fin et deuil inachevé de la colonisation*, Cahiers d'études africaines, 2004.

David Van Reybrouck, *Congo, Une histoire*, Actes Sud, 2012.

Michela Wrong, *In the Footsteps of Mr Kurtz*, Londres, Fourth Estate, 2000.

Pierre Yambuya, *L'Abattoir*, EPO, 1991.

Il était une fois… Mobutu, bande dessinée publiée par Afrique Biblio club, 1977.

映画

Thierry Michel, *Mobutu, roi du Zaïre*, un film (135 minutes) et une série TV (162 minutes), Cinélibre, 1999.

16 ムアンマル・アル＝カダフィ

ベドウィンの難破

ヴァンサン・ユジュー

あらゆる独裁者は個性的である。しかし、リビア号という小艇の舵をほかのだれにも触らせずに一人で操縦していたカダフィは、ユニークな専制政治のモデルを発明した、といえよう。それはジョージ・オーウェルが描くような統治であり、カダフィが考案した盲信的で愛国的な人民主義の具現が目的とされていた。ジャマーヒリーヤ（大衆による国）――リビア・アラブ社会主義人民国――の物語は、ゆがんだユートピア、ディストピアの物語である。生まれつきの反抗児が長じて謹厳な将校となったカダフィが、無名であるものの自分の幸運を信じて一九六九年にクーデターを起こしたときに唱えた平等と寛容の理想は、衰退しきっていた王制から、ひかえめにいえば無視され、悪くいえば蔑ろにされていた貧民たちの希望に合致するものであった。しかしながら、ナーセル主義の煽動者であったカダフィはごく短期間で、自分の英雄譚がつづられるのを邪魔する抵抗の動きに業を煮やした。そうした抵抗を示すのが、ともにクーデターを起こした将校仲間であれ、自身の大胆な考えをこばむ大衆であれ、自分が熱狂的に説くアラブ世界融合と普遍的思想に少しも賛同しようとしない強大な隣国（筆頭はエジプト）であれ。そうなると、砂漠の風雲児は高圧的、横柄、横暴となった。ただし、いつになっても、国家元首の称号はしりぞけた。そして、日常的な政務から解放された指導者である自分にふさわしい肩書きは「革命の導き手」だと主張していた。これは表現上のトリックであった。崇められ、もしくはおそれられ、または蛇蝎のごとく嫌われ、西側諸国からおべっかを使われていた「リビアの舵とり」は、すべてをとりしきっていた。「アラブの春」の嵐が自分の王国に吹き荒れても、彼は自分の妄想に空しくしがみついた。「わたしがその運命を体現している国民がわたしを見すてることなどありえない」と思って。リビアの救世主であったはずのムアンマルは、虚栄心、悔しさ、現実否定のカクテルである毒入りの妙薬に酔い、映画「M」の主人公のように追いつめられて、砂漠のなかを駆けぬける呪われた旅を終えた［Mは、連続殺人犯が追いつめられているようすを描いた一九三一年のフリッツ・ラング監督の映画作品］。

生きているときのカダフィは謎であり、合理的な説明を試みる者に無限の挑戦をつきつけていた。そして死んでもいまだに謎である。不名誉な最期から八年たっても、ムアンマル・カダフィはいまだに、彼を打ち破った勝者と彼を研究する者を当惑させている。絶対君主たちの霊が祀られる神殿において、カダフィは、歴史に名を残す反逆者の区画と、忌むべき悪者の区画のあいだで眠っている。すなわち、彼を殉教者と崇める者もいれば、残忍な道化者とみなす者もいるのだ。謎に満ちたその生まれから、唐突で状況が不明瞭なその死にいたるまで、カダフィは過激な演出でみずからの伝説を練り上げ、パラドックスを自家薬籠中のものとした。

一九六九年夏、自由の価値を説く颯爽とした将校であったカダフィは、弱体化していた王制を倒し、無慈悲な専制をはじめた。「人民の権力」の予言者を気どっていたが、自国の人民を隷属させた。女性の男性への隷従を批判していたが、自分のものにした女たちの尊厳をふみにじった。敬虔なムスリムで通っていたが、ウラマー［イスラムの聖職者］たちを揶揄し、コーランの自己流解釈を強要し、家父長制の伝統をくつがえし、急進的イスラム主義を徹底的に迫害した。職業軍人としては、クーデターでは勘のよさを見せて成功したものの、一九八〇年代のチャド介入の失敗と、権力掌握から四〇年後の最後の戦いにおける一貫性に欠ける行動が示すように、お世辞にもすぐれた戦士とはよべなかった。質実剛健を奨励していたが、息子たちとお気に入りの娘アーイーシャ——甘やかされた子どもたち——の無分別と金のかかる気まぐれには鷹揚だった。洗練とは無縁のベドウィンであったが、思想家でありたいと思い、既知のすべてのイデオロギーを陳腐化するとされる「普遍的理論」を構築したものの、一面的で論理があやふやな思索が錯綜する藪に入りこんで出口を見失ってしまった。断固たる愛国者であったが、エジプトのガマール・アブドゥル＝ナーセルが唱えた汎アラブ主義の衣鉢を継ぐ者となることを、次に「アフリカの王のなかの王」となることを夢見たが、どちらにもなれずに終わった。

突拍子もない独裁者

とはいえ、故カダフィに以下の手腕を認めないのは不公正であろう。カダフィは練達した馬の乗り手であり、ときとして、生き残り本能の命ずるままに、馬をのりかえて危機をのがれた。だから、テロリズムのゴッドファーザーであったのに、テロリズムを罰する側にまわった。地獄に落ちてしまえと呪っていた西側諸国におもねることもやってのけた。カダフィは死んだが、ヒーロー不在に苦しむ若者たち、とくにアフリカの若手インテリのあいだで、いまでも彼を崇拝する向きがあることは不気味だ。

「やつはいかれている！」という叫び声は、数十年ものあいだ、アフリカや中東のスーク（市場）の通路でも、金色の装飾がまばゆい欧米の官邸内部でも響いていた。この感想を吐かせたのが、苦々しい思い、軽蔑、困惑のどれであるか、という違いはあっても。カダフィは精神が錯乱していただろうか？風変わりなのは本当だ。怒りっぽいことも確かだ。だが、彼のエキセントリックな服装、劇的効果たっぷりの怒りの爆発、激烈な毒舌、錯綜していて読む者を当惑させる文章、突飛な思いつき、大言壮語（たいげんそうご）の裏には、徹底した一貫性があることは明らかだった。それは鎮（しず）まることのない反抗心である。この反抗心を焚きつけていたのは、植民地の屈辱を晴らし、辱められた民に尊厳を回復させ、イスラムを再活性化し、ウンマ（イスラム共同体）を結集し、国境を廃止してのアフリカ統合を急ぐ、という執拗で強迫的な思いであった。本人の言動から判断するに、自分はナーセル主義を広めるという神聖な使命をおびていると確信していたカダフィは、弟子もしくは敵しかもつことはできなかった。カルトのグルさながらに、彼は自分が選ばれた人間であると確信していた（投票で選ばれたことは一度もなかったが）。何年ものあいだに、数多くの暗殺計画や陰謀――マッキャヴェッリの名にふさわしいものもあれば、お粗末きわまりないものもあった――を生きのび、超大国アメリカによる大規模な空爆でも死ななかったカダフィが、自分は天の加護を受けている、と信じないほうが不思議であろう。死を躱したカダフィの伝説は、敵の血にひたしたペンで書かれるのだ。カダフィがまとうトガは、金糸と強運の糸で織られるのだ。

幸運だけですべての説明がつくわけではない。無慈悲な弾圧機構の血も凍るような有効性だけでも説明はつかない。かくも長期間にわたって荒天下で船を操縦するには、風に向かってジグザグに進む天性のセンス、混沌を作り出す手練れの技、部族間の力関係をあやつるための研ぎ澄まされた知恵が必要だ。カダフィは自分が属する部族を優遇していたものの、長年にわたって他部族の忠誠を金で買い、彼の統治機構の歯車を円滑にまわすための資金を石油収入から捻出していた。

一九七七年にジャマーヒリーヤ（大衆による国）――リビア・アラブ社会主義人民国――を成立させたことは、カダフィのもう一つの側面を明かしている。すなわち普遍的コンセプトの理論家、実践者であるとの自負である。有名な「緑の書」のなかで理論化されたこの前代未聞のコンセプトは、純粋で完璧な「直接民主制」の構想である。選挙も議会も、政党も反体制派もいない民主主義である。そこには、あらゆる永久革命の罠がひそんでいる。すなわち、永久革命を推進しようとする者は最後には、前に進むのではなく、ぐるぐると自転してしまうのだ。砂漠のレーニンと化したカダフィは、自身の妄想が生み出した酸で、多くのものを溶かすことになる。国家、政府、軍、そしてリビアそのものも。影絵芝居の絶対的な――ただし、離れたところから見下ろしている――支配人として、カダフィは自分の権威を否定し、権力の影を薄めたが、それは支配権をそれまで以上に掌握するためであった。すべてを支配し、なんの責任も負わないために。わが臣民はわたしにふさわしくない、と残念がる君主さながらに、高みに立って。

カダフィは、フランスにも大いにかかわりがある物語のヒーローもしくはアンチヒーローでもあった。年少にして反植民地主義に目覚めた高校生ムアンマルがセブハ（南部）でデモ隊をひきつれてフランス領事館の前で気勢を上げたときから、二〇一一年一〇月の朝、スルト西部で逃亡者カダフィの車列にフランス空軍のミラージュ戦闘機が二発の爆弾を投下するまでの物語だ。以上の二つのエピソードのあいだには、間歇的で波瀾万丈だが、どのような嵐にも耐えた、フランスとリビアの関係があった。リビアに革命を起こす若きカダフィは、彼がすべての革命の母型と考えるフランス革命の崇拝者であったし、ナポレオンを敬愛し、モンテスキューとルソーを愛読し、ユートピア社会主義のパイオニアたちの著作を耽読し、一八七一年のパリ・コミューンと一九六八年の五月革命を起こした者たちへの親近感を表明していた。権力の座についた彼は、何十機ものミラージュ戦闘機をフランスから購入し、一九七三年にはエリゼ宮でジョルジュ・ポンピドゥーと会見した（ポンピドゥー大統領は、血気に逸る新進国家元首カダフィに対してどちらかといえば好意的であった）。ヴァレリー・ジスカール・デスタンが次の大統領となると、両国の関係は冷えこんだ。当時のフランス政府はエジプトやアメリカとともに、第三世界のリーダーを気どるやっかい者カダフィを「無力化」するためのさまざまなシナリオを練っていたので、関係を持続的に冷えこます材料には事欠かなかった。ポスト植民地主義時代のフランスが影響力を残していた地域、とくにチャドにカダフィが手を出したため、状況は悪化した。フランスとリビアが足をふみあいながらも踊ってきたパソドブレの最後の派手なポーズは、フランス人の神経を逆なでした二〇〇七年一二月のカダフィのパリ訪問［カダフィはわがままをとおして、迎賓館の庭にベドウィンのテントをはり、予定されていなかったルーヴルやヴェルサイユの見物、ランブイエでの狩猟を敢行して大顰蹙をかった」と、四年後のかまびすしい破局であった［二〇一一年にフランスはリビアに軍事介入する］。カダフィはサルコジ大統領にとって最初は友人であったが、次に悪夢となり、最後には標的となったわけだ。しかも、バックグラウンドミュージックとして、スキャンダルのメロディがくりかえし流れていた。カダフィがニコラ・サルコジに大統領選挙運動の資金を提供したのではないか、との疑惑である。

ルーツ、反逆、確執、怨恨。カダフィをおおい隠している霧を少々はらいのけるためには、あまたの羅針盤を手にしたリビア国民のガイド（指導者）、カダフィがむちゃくちゃに駆けぬけた道からいくつかのエピソードを発掘し、彼の複雑きわまりない精神の襞に分け入る必要がある。いずれをとっても、彼の全体像はつかめない。だが、なぜ彼があのような人間であったのかについて知る手がかり――脆弱な手がかりかもしれないが――はあたえてくれる。

リーダーの子ども時代

幸先（さいさき）は…悪い。二つのもやもやが、カダフィ冒険物語のプロローグに影を落としている。ムアンマル少年の生年月日と父親がはっきりしないのだ。一九四〇年？　一九四一年？　一九四二年？　疑問の余地がない戸籍書類が不在なので、現在はカイロに亡命している従兄弟（いとこ）のアフメド・カダフ・アッダムの証言に頼るべきだろう。それによると、将来のカーイド［首領、リーダーを意味するアラビア語］が、港町スルトから三〇キロ南のワディ・ジャリフの遊牧民キャンプにはられた山羊革のテントのなかで誕生したのは、一九四二年六月である。父親は所有するわずかな羊と子山羊の群の移牧のために留守がちだった。きょうだいのうち、男の子二人は病気で亡くなり、女の子三人は生きのびた。ムアンマル少年は母親のもとでぜいたくとは無縁の教育を受けて育った。子守歌がわりに聞かされたのは、公認の父親と先祖の勇ましい武勲――脚色によって美化された話――であった。彼らの祖国は、ムッソリーニのブーツにふみつけられ、すなわちファシズム時代のイタリアの植民地となったのち、[1]英仏の共同統治領となった。トリポリタニア（西）とキレナイカ（東）はイギリスが、砂漠地帯のフェザーンはフランスが統治していた。アラブ化したベルベル人のマイナーな氏族であったカダファ族の日常は灰色であり、窮乏ゆえに華やかさにはまったく縁がなかった。砂漠の辺縁では夏は灼けるように暑く、冬は厳しく、風は苛烈だった。彼らはなかば遊牧民であったから、男たちは時期によって牧畜、農業、屑鉄の商いに従事していた。慣習にしたがい、ムアンマル少年も何匹かの山羊を世話し、大麦や小麦を栽培するわずかな農地の草とりをまかされたが、ふつうの子どもとは違っていた。好奇心が強く、考え深く、孤独好きな子だ、といわれた。

　先に「公認の父親」と述べたが、ほんとうの父親であるかについて疑問があるだろうか？　あるのだ。しかも、疑問への答として二つの説があるのだ！　まずは小説のようで奇想天外な説から披露しよう。自由フランス軍の戦闘飛行隊ノルマンディ・ニーメンの中心的パイロットとなる、コルシカ出身のアルベルト・プレツィオージこそがカダフィの父親、というものだ。プレツィオージが操縦していた戦闘機ホーカーハリケーンがリビアの砂丘に墜落して、ベドウィンのある一家に助けられた…という前提に立つ魅力的なシナリオだが、時系列からいってもおかしいいし、地理的にも文化的にも問題があってしりぞけざるをえない。もう一つの説のほうがまだ信憑性がある。ムアンマルの父親はおじの一人である、というものだ。もう一つ、くりかえしささやかれている噂がある。これは、ムアンマル・カダフィにユダヤ人の血が流れているのではないか、というものだ。あのあたりの氏族の分布に精通している外交官、マンスール・セイフ・アル＝ナスルは「さほど荒唐無稽（こうとうむけい）な話でもない。王政時代には、スンナ派とユダヤ人は共存していた。また、両者間の結婚はまれではなかった」と述べる。一つ確かなのは、カダフィはシオニズムを呪っていたが、ユダヤ民族の壮大な物語に対する崇敬の念を隠していなかった。

ムアンマル少年は、以上のような憶測にわずらわされることなく、徒歩や驢馬の背にまたがってムスリム学校に通い、学びに熱心な生徒として飛び級を果たした。中学に入ると、下層階級出身である自分や友人たちが、海岸地方のブルジョワ階級の子弟から軽蔑されていることを知った。良家の坊ちゃんたちは、田舎の「どん百姓」の洗練とは無縁の物腰や言葉の訛りをばかにした。ムアンマルのなかで、社会的差別に対する復讐の念が芽生えたのは、このころであった。こうした気持ちに刺激された少年の熱烈なナショナリズムに、イタリアによる占領への抵抗運動の伝説的指導者オマル・アル＝ムフタールの武勲詩、そしてエジプトのラジオ局「アラブの声」から聞こえてくる偉大なナーセルの演説が火をつけた。家族とともに移り住んだセブハで、ムアンマルはアルジェリア独立運動の戦いを称え、フランスがこっそりとサハラ砂漠で行なう核実験を非難し、通っている高校の構内で、ＣＩＡとベルギーの同意のもとに暗殺されたコンゴのパトリス・ルムンバ首相の葬儀のまねごとを組織した。こうした過激ぶりがたたって、彼はセブハにいられなくなり、海運で栄える港町ミスラタに移った。

カダフィの革命

一九六三年、反抗心の塊であるムアンマルはキレナイカの州都であるベンガジ（東部）の陸軍士官学校に入った。制服や戦争術に強く惹かれていたからというよりも、自分の目的を果たすための効率を考えるとどうしても必要、と考えての戦術的選択であった。臆病なうえに神秘主義に染まった国王であり、西側のあやつり人形とみなされるだけの理由があるイドリース一世を倒すことができる唯一の組織である軍に入りこんで、内側から着々と、しかもめだたぬように工作せねばならない。地下活動支部を構築し、夜に秘密会合をもち、武器や弾薬を隠し場所に集める日々がはじまった。カダフィのイギリス滞在のために決起の時期が遅れたことは確かだ。反抗的なカダフィは五か月間、イギリス人教官に歯向かうことで悦に入った。通信隊と歩兵隊にかんするこのイギリス研修のあいだに、受け入れ側のイギリス人が礼儀正しいというよりは冷淡だと感じたこともあり、カダフィの愛国心はいっそうかきたてられた。帰国すると、空色のフォルクスワーゲン「カブトムシ」を駆って国中をめぐり、野営地に立ちよっては仲間の士気を高めた。

語り草となる一九六九年。実行予定日が近づいた。反乱将校たちは、毎年恒例となっている海洋療法のために国王がギリシアやトルコに長期滞在する時期が好機だと考えていた。だが、「アル・クッズ（エルサレムをさすアラビア語）」作戦の実施は延期となる。予定日の夜、大人気のエジプト人女性歌手ウム・クルスームが、パレスティナ人に捧げるコンサートをトリポリで開催したからだ。だが、情報機関と、彼らのメンターであるイギリス人たちが感づく前に行動を起こす必要があった。八月三一日から九月一日にかけての夜、王制は熟した果物が落下するように倒れた。血が流れることはなかった。明け方、ラジオで、反乱将校たちの大仰な信条が、ためらいがちな声で読み上げられた。この声の持ち主である無名の将校こそが、民衆から支持された無血クーデターを率いた二七歳のムアンマル・カダフィであった。ほどなくして「革命指導評議会」の議長となるカダフィの同志は少数であり、彼と同様に下層階級出身の将校で――遊牧民や農民の息子であり、多くは二流とみなされる部族に属していた――、いずれも三〇歳そこそこで、理想に燃えていた。革命指導評議会はただちに、信奉するピューリタン的社会主義思想を如実に反映した一定の措置を、有無をいわせずに実行した。大臣たちの報酬は半分に引き下げ、底辺の人々の給与を二倍に引き上げ、家賃や主食である穀物の価格を凍結した。むろん、カジノは閉鎖し、アルコール飲料は禁止した。三年後、人々からサイイド・アル＝アキード（大佐殿）とよばれるようになったカダフィは、六つの公職を兼任していた。国家元首、首相、軍のトップ、国防大臣、国家安全評議会および計画最高委員会の議長だ。だれもが権威を認める、国の舵とりとなったのだろうか？　ことはそう簡単には進まなかった。早い時期から、エゴのぶつかりあい、ドクトリンにかんする意見の相違、本物もしくは空想の陰謀が、社会主義国家建設のパイオニアたちのあいだに不和の種をまき、時間とともに彼らの多くは静粛された。革命政府は約二〇もの陰謀から生きのびた。最高神ユピテルなみの権威と人気を誇るカダフィは、辞任するとの脅しをかけることで巧みに主導権をにぎった。一九七一年一月から一九七三年九月にかけて、六回も辞任すると見せかけた。わたしを引きとどめよ、さもないとおまえたちに不幸が訪れるぞ…

直感にすぐれていたが立ち居ふるまいがぎこちないカダフィは、いかにも謹厳なようすとゴツゴツした風貌もあいまって、ジュリアン・グラックの小説『シルトの岸辺』［シルトはスルトのフランス語読みであり、スルトの語源はイタリアに面したリビアのシドラ湾（古名は大シルティス湾）である］の舞台であるリビア沿岸に送りこまれた欧米の特派員たちに強い印象をあたえた。こうして内向的なアウトサイダーで不器用だったカダフィは、さほど時間がたたぬうちに、劇的効果のある演説をぶったり、テレビ放送で革命的アジテーターぶりを発揮したりすることを愛好するようになった。強情で予測不能、悪態が口をついて出てくるようになったカダフィが、アラブ諸国の元首たちを困惑させるようになるまでに時間はかからなかった。カダフィは、彼らの一部をイスラエル寄りだと言って非難し、残りの者たちを——ときとしてはイスラエル寄りと決めつけた者たちもふくめて——、第三世界主義に不熱心だと言って揶揄した。カダフィの熱意はナーセルをも困惑させ、アラブ世界の統合を求める彼の熱狂ぶりはほかのアラブ諸国の元首たちを怒らせた。そこそこの命脈を保った連合や、決裂に終わった連合案の数は一四を下らない。エジプトと連合をはかったことは当然として、カダフィはチュニジア、シリア、スーダン、チャドとの婚礼も模索した。こうした「近隣国」の枠を超えた外交については、冷静が背景にあることもあり、新リビアの方針は一貫性を欠いていた。武器装備の充実を急ぐカダフィはモスクワに秋波を送るいっぽうで、ソ連の国家的無神論をはねつけた。これとまったく同様に、彼はワシントンとアメリカの石油メジャーに気をつかういっぽうで、ヤンキーの帝国主義を糾弾した。フランス好きのカダフィは一九七三年、ルモンド紙が主催したシンポジウムの目玉招待客としてパリを訪れた。これは、ピエール・マンデス・フランス［フランスの政治家］や、歴史修正主義

ムアンマル・カダフィ（1942-2011）、1971年、リビア革命２周年の儀式にて。
© Rosy Rouleau/Gamma-Rapho

のウイルスにおかされたマルクス主義哲学者ロジェ・ガロディ［ホロコーストはシオニストのでっちあげである、と主張した］と、忘れがたい論争をくりひろげる機会となった。また、ミラージュ戦闘機に目がない、ダッソー社［ミラージュのメーカー］の上得意であるがゆえに、このときはじめてフランス大統領府エリゼ宮に招かれた。

指導者についてこい

一九七四年四月、ムアンマル・カダフィは政治理念を深めることに専念するために、革命指導者以外の肩書きを手放した。粋がっての見せかけだろうか？　いや、それはない。彼は生涯の最後まで、国家元首の肩書きを拒絶する。他国の元首であれ、外交官であれ、ジャーナリストであれ、彼にうっかり「大統領閣下」とよびかけた者はひどい目にあった。このような外交儀礼上の大失策が犯されると、尊大な大佐殿は、それがアラブ連盟のサミットの席であってもくるりと背を向けて立ちさる可能性があり、会見の場であるなら話をそこで打ち切ってもおかしくなかった。失策を犯した者は、運がよければ、リビア流の「人民主権」主義がいかに特異であるか、もしくはユニークであるかについての退屈な説教を聞かされた。カダフィ本人の言を信ずるのであれば、彼は神聖な使命を託されているのであり、現世の務めから解放されている。政務のわずらわしい仕事は他人にまかせている、したがってさまざまな失敗の責任をカダフィが負うことはないのだ。むろんのこと、まやかしである。ユピテルさながらに怒りの雷を落とすことでおそれられている革命指導者カダフィは、オリュンポスの山の頂にいながら、すべてを把握せんと求め、裁可し、人事をにぎり、罰した。リビア号が、八方ふさがりの集産主義と無節制なリベラリズムの暗礁のあいだを目見当で進んだのは、カダフィ船長が舵をとっていたからである。

　ほぼ同時に起こった二つの出来事が、カダフィのこうした造物神気どりがいかなるものであったかを物語る。一つは、一九七七年三月にリビアがジャマーヒリーヤ国となったことだ（ジャマーヒリーヤは、共同体と大衆を意味するアラビア語を結合した造語である）。もう一つは、「第三の普遍理論」の普及活動だ。この理論はトリポリの雑誌に連載されたのちに薄い本［『緑の書』］にまとめられ、三〇ほどの言語に翻訳された。詭弁、簡略版本質主義の主張、浅薄皮相な寓話に満ちた、誇張した文体によるこの混沌とした語録は、いまになってあらためて読んでみると驚き呆れるほかない。そして、パリからカラカス（ベネズエラ）にいたるまでの世界各地で、数多くの知識人や解説者たちがこの本の著者を、世界の新たなグル、抑圧された人々の伝令とした称えたことを思い出すと、同じようにあきれるほかなく、彼らの物差しは縮尺がどうとでも変わるものなのでは、と疑わざるをえない。自分のことを世界でも指折りの深い思想の持ち主でありたいと願うカダフィは、世界中でこうしてもちあげられたことで気をよくし、リビアやそのほかの国のイスラム神学者たちを教え諭して悦に入った。演説や著作のなかで、彼は家父長制度の長老たちをけなし、ウラマー［イスラム神学者］の古くささを痛罵した。ただし、カダフィにそれなりの文才があることを認めないのは不公正であろう。フランスではEscapade en enfer［地獄への脱出］というまことに雄弁なタイトルで出版された、彼の難解きわまりない短編集の比較的わかりやすいページには、刺すような皮肉と鋭い嘲弄のセンスが光っている。以上でおわかりだろう。敬虔なムスリムを自任するカダフィであったが、コーランの近代的解釈を主張したことにより、急進的なイスラム主義者から異端者扱いされることになる。

まもなくして、軍服を着た理論家たるカダフィは、自国の砂漠はお砂場のように窮屈だと感じるようになった。自分が描くすばらしいヴィジョンが花開くには、リビアは人口が少なすぎるし、狭すぎる。彼は、二一世紀に入るころまでに強引に「アフリカ合衆国」を誕生させようと試みた。これは彼の野心にとって最後の夢だったかもしれない。「アフリカ合衆国」を結成しようとする意図そのものはいかにも気高い。しかし、彼と近い関係にある少数の指導者たちが当人の希望に応じ、（アフリカ）大陸の「王のなかの王」とよぶようになったカダフィの権威的性格と押しつけがましさが、短時間のうちにサハラ以南のアフリカの国家元首たちの多くの反発をまねいた。すくなくとも、石油収入で得た金で忠誠心を買いとることをためらわないカダフィの気前のよさに靡かなかった元首たちは、自分にさからう不とどき者を成敗するとのカダフィの脅しにもかかわらず、反発した。カダフィは性懲りもない偽善者だった。「王のなかの王」の玉座の足元に駆けつける、もしくは、賓客としてやってきた「王のなかの王」とその数多いお供の気まぐれに翻弄されるサハラ以南の国家元首たちのことを、カダフィは内輪では「ニグロの王」とよんで軽蔑し見くだしていたのだ。リビア国内でサハラ以南の国々からの移民に対する人種差別や暴力が突発し、警察が見て見ぬふりをしても、カダフィは気にもとめなかった。国営プロパガンダととりまき連中は、カダフィをブラックアフリカのメシアに祀りあげる個人崇拝をあいかわらず焚きつけていた。汎アフリカ主義の途方もない野望がすべてを許し、すべてを無罪とし、すべてを帳消しにした。

暗殺者たちのパトロン

一九七〇年代の中ごろ、カダフィのリビアは西側諸国で、現在進行形の国際テロ博物館とみなされていた。ニカラグアのサンディニスタ、中南米のインディオ、アイルランド共和軍（ＩＲＡ）、ポリサリオ戦線のサフラウィ人、パレスティナ過激派、アルメニア解放秘密軍（Asala）、コルシカ民族解放戦線（ＦＬＮＡ）を名のるコルシカ独立派、ＥＴＡ［バスク祖国と自由］に属するバスク人、ニューカレドニアのカナク人、オーストラリアのアボリジニ人、モロ民族解放戦線のフィリピン人ゲリラといった、帝国主義やシオニズム、隷属を強いる植民地主義と闘っていると主張する者はだれでもトリポリに行けば、ねぐら、隠れ家、武器、訓練キャンプ、軍資金をあたえられた。

ただし、まちがえてはならない。この不穏かつ雑多な集団（ネイションズ・オヴ・イスラム[2]代表で金銭ずくのナルシストであるアメリカ人、ルイス・ファラカンも一員としてふんぞり返っていた）のパトロンであったカダフィにとって、テロリズムは宗教でも目的でもなかった。そうではなく、害悪をなす力への畏怖ゆえに大国がリビアを重んじるだろうとの計算にもとづき、カダフィが活用していた道具や梃の一つであった。だから、盲目的な暴力がリビアの利益を害する、もしくは自分の権力基盤を弱めるような事態が起きると、カダフィはテロを放棄したし、思い出したように倫理上の絶対的必要性を説いてテロを非難することすらした。テロは卑怯者の武器であってはならない。弱者、抑圧に苦しむ者、頸木の下で背中を折り曲げることを拒否する者の武器であるべきだ。カダフィはこの理屈をふりまわし、「自由の闘士たち」の大義がいかに怪しいものであろうとも彼らの気前のよいゴッドファーザーになったかと思うと、アルカーイダやその鬼子やライバルたち――狂信的イスラム主義の土俵で競うテロリストたち――への軽蔑を表明した。戦闘服から、染み一つない祭祀の衣に着替えるごとく。テロ組織を保護すると決めるときも、見すてるときも迷わなかった。二〇〇〇年の直後に、自分が生きのびるためには西側諸国との関係正常化が必要だと本能的に悟ったカダフィは、これまで現金やカラシニコフをたっぷりとあたえたテロ組織への支援を断ちきった。「悪の枢軸」の反対岸に問題なくリビア号を横づけするためには、邪魔で金のかかる荷物を処分したほうがよい。必要なら船縁から海中に投げ落としてでも。

人は、もともと金をもっている者にしか金を貸さない、といわれる。同じことが、テロの首謀者を名ざしするときにもいえるようだ。カダフィはさまざまなテロ組織の擁護者だっただけに、一九八〇年代の終わりに起きたすべての大量殺人は、カダフィのせいにされた。一九八九年九月一九日にテネレ砂漠上空で起きたＵＴＡ航空七七二便の爆破事件（死者一七〇人）は、リビアのしわざであることは確かである。これに対して、その一〇か月前にスコットランドのロッカビー村の上空で発生したパンナム航空のボーイング七四七の爆破（乗客と乗務員をあわせて二五九人が死亡）にリビアがほんとうに関与していたかについては正直なところ、疑問の余地があると認めざるをえない。

その三年前に、何が起ころうとゆるがないと思われていたカダフィがぐらついた。メイドインUSAの爆弾とミサイルが彼を狙って雨あられと降りそそいだのだ。駐独米兵行きつけのベルリンのディスコでテロが起きて多くの死傷者が出たことに対する報復として、ロナルド・レーガン米大統領――カダフィは、同大統領を「イスラエルのモサドに雇われた元ナチ」とよんでいた――の命令により、トリポリ郊外のバブ・アル・アジジヤ要塞［カダフィは、自分はこの要塞のなかでテントをはってベドウィンのように暮らしている、と宣伝していた］をおもな標的として空爆が実施されたのだ。カダフィが猛攻を生きのびたのは確かだが、廃墟から這い出したときの彼は茫然自失していた。自分に起こったことが信じられないおももちで、自分の足で立ってはいたがノックアウトされたも同様だった。とはいえ、カダフィは空襲を生きのび、すでにたくさんもっていたタイトルに、殉教者となるところを奇跡によって助けられた苦行者という肩書きをくわえることができた。

スルトのドリアン・グレイ

砂漠のフレゴリ［早変わりを得意としたイタリアの喜劇役者］は、衣装もちだった。質実剛健な暮らしぶりを誇示していたカダフィだったが、舞台衣装であふれかえるワードロブから時宜（じぎ）にかなった装束（しょうぞく）を選び、大見得（おおみえ）をきるのが習い性となっていた。晩年になると、飾りのないサファリシャツ、オ

2009年6月12日、ローマにて、何百人もの女性を前にスピーチを終えたカダフィ。

ペレッタに登場する元帥のような派手な軍服、鮮やかな赤のトレーニングウェアは衣装戸棚の奥に押しこめられ、けばけばしいブーブー［アフリカのゆったりとした長衣］の登場回数が多くなったことは確かだが。彼の烏の濡れ羽色の髪――正直に感想を述べれば、不自然なほど漆黒であった――を飾ったのは、縁なし帽、ケピ帽、シャプカ［額、耳、うなじをおおうフラップがついた帽子］、スカーフ、族長の冠と多種多様で、アイディア豊富な帽子デザイナーでもこれには脱帽するにちがいない。中高年になったカダフィは年をとることを偏執的におそれ、肉がついて皺がきざまれた顔の修復を、ブラジルの美容整形外科医、リヤシル・リベイロに託したが、加齢のサインがかえってめだつ危険をともなう手術であった。そして、若返るために悪魔と契約を結んだファウスト博士さながらに、未認可のさまざまな「奇跡の薬」をカダフィが試していたことについては、多くの証言が残っている。オスカー・ワイルドなら、カダフィにはドリアン・グレイに重なるところがある、と認めてくれるだろう［ワイルド作の『ドリアン・グレイの肖像』の主人公である美青年ドリアン・グレイは、放蕩ざんまいの生活を送るがいつまでも若さを保つ。そのかわりに、本人の肖像画が醜く年老いてゆく…］。カダフィといえば、ゴツゴツした風貌の「熱血大佐」のイメージがしぶとく残っているが、中高年に達したカダフィの弛んだ顔や体にこのイメージを求めてもむだであった。晩年の光が消えてなかば閉じられた目には、英雄譚の冒頭で燃えるように輝いていた瞳の面影など残っていなかった。

イメージと背景。カダフィは自分がいだいている自己イメージを他人に強要した。自分の背景であるべき砂漠に戻ることができないときは、砂漠をもち歩いた。カダフィは、バブ・アル＝アジジヤ要塞の壁の内側にはったベドゥインのテントで国賓を迎えたが、このテントは、子ども時代の生活背景の一部を切りとって都会の真ん中に再現したものとよぶほかない。ローマでも、ブリュッセル、ベオグラード、パリでも、ジャマーヒリーヤの絶対君主は迎賓館や高級ホテルをフンとしりぞけ、とりまき連中があらかじめ確保した公園や庭園に自分のテントをはって宿泊所とした——快適な施設がすべて整ったテントではあったが。年月がたつにしたがい、砂漠生活の再現はシンボルとなり、最後には挑発となった。結局のところ、この国家元首のノマド志向が意味していたのは…「われ、ムアンマル・カダフィは、どこに行こうと、自分の舞台装置と価値観をもちこみ、自分のリズムと気まぐれを押しとおし、西側諸国の外交儀礼など無視する。なぜ遠慮する必要があるのだ？」であった。彼のウード［オリエントの撥弦楽器］には多くの弦が張られていて、何本かの弦が切れても演奏しつづけることができた。テロリストたちを支援し、みずからもテロ行為に手を染めていたことをとがめられて国際的な制裁を受け、窮地におちいったカダフィは二〇〇三年の終わり、罪科のあがないとして、大量破壊兵器の破棄に同意した。だが、西欧諸国に、自分がコントロールしないとイスラムのジハード戦士たちが暴れるぞ、と脅しをかけ、次には、リビアが防波堤にならないとヨーロッパに大量の難民がおしよせるぞ、と警告した。リビアの石油資源と外貨準備高の抗しがたい魅力にくわえ、イスラムテロや難民の災厄に襲われることをおそれたヨーロッパは、カダフィを丁重に扱うほかなかった。ゆえに、どの国も屈辱をのみこみ、挑発をやめない、すなわち休演日のないカダフィ団長のサーカスのテントを受け入れた。

カダフィがかかえる矛盾が高温のマグマとなってふつふつと煮えたぎる領域があるとしたら、それは彼の女性や性との関係であった。カダフィ政権が崩壊し、恐怖が消えさって人々が本音を語るようになると、彼の心に空いたもう一つの裂け目が明らかになった。カダフィが自分の胸の内にしまいこむことができないほど大きな裂け目であった。それは、おまえの体はわたしのものである、という他者を自分のものにしたいという強迫的で中毒性のある欲望であった。学校訪問のさいに目をつけられた女子中学生、獲物を狩り出す勢子さながらに美人を探す役目を担った手下がカダフィのハーレムに送りこんだ女性、高官の妻、リビア出張中の外国人ジャーナリスト、若い女兵士。あらゆるタイプの女性が彼の餌食となった。当初は女性を誘惑しようと努めていたカダフィはやがてプレデター［捕食者］となった。性愛の快楽を求めるというよりは、相手を従わせ、自尊心を傷つけ、隷属させ、自分の力を見せつけて永遠に忘れさせないことが目的となった。カダフィはイスラム圏のフェミニストで通っていたではないか？　カダフィが女性たちを「姉妹」とよび、彼女たちが置かれている不当な状況を糾弾していたのは本当だが、その狙いは古来の家父制度を攻撃することだった。彼が私生活において女性とどのような関係を結んでいたかを少しでも知れば、カダフィをフェミニストとよぶことは大きなまちがいだ、とわかる。彼の身辺で、こうしたカダフィの二面性をもっと象徴していたのは、「アマゾネス」とよばれた女性兵士のみで構成された警護隊である。その第一の使命は国家元首の警護ではなく、フェミニスト・カダフィの神話に鮮やかな色をぬることであった。現代性の絵の具をべったりとぬりたくり、幻想で縁どった絵を完成するために。

途方にくれたカダフィ

まずはチュニジア、次にエジプトで「アラブの春」の嵐がまきおこると、なぜカダフィの足もとはぐらついてしまったのだろうか？　臣民が自分を否定するなどということは、彼にとって文字どおり想像もつかぬ事態だったからだ［二〇一一年二月に、ベンガジで大規模なデモや暴動が起き、当局が鎮圧したところ一〇〇人近い死者が出た。これで国中が騒然となり、内戦状態がはじまった］。嵐が吹き荒れているさなかに、カタールのアルジャジーラに出演したカダフィは「リビア国民はわたしがどのような人間か知っていて、わたしを愛し、導かれるままにわたしについてくる」と断言した。リビア国民は一致団結して、裏切り者や欧米の手先、そして世界各地のイスラム聖戦組織が送りこむ刺客に立ち向かうにちがいない、と考えていた。年老いたカダフィは、チュニジアのザイン・アル＝アービディーン・ベン・アリーやエジプトのホスニ・ムバラクといった、自分と同じ国家元首がふらつき、次に倒れるのをまのあたりにした。彼らは、足をすくわれ、国外亡命もしくは牢獄や刑場まで追いつめられた。カダフィは、とりまき連中が相も変わらず耳元でおべっかをささやくので聞きとりづらかったものの、群衆が叫び声を上げているのも知っていた。ときとして、ひそかな不安に胸が締めつけられることもあった…。もしかしたら…。いや、そんなことはあるまい！　ここリビアでは絶対に起こらない、わたしが支配するこの地では。失墜したアラブの元首たちは弱すぎた、優柔不断すぎた、または判断力がなさすぎたから、陰謀をあばけなかったのだ。わたしは違う。あんな連中とはできが違う。わたしには洞察力があるし、妥協はしないし、たたくべきときには躊躇（ちゅうちょ）なくたたく。

　当時のカダフィは、「熱血大佐」だったころと同じように燃えていたのだろうか？　おそらくは、怒りで燃えていただろう。少しのあいだ、彼は短時間ながら姿を見せ、しわがれた声でどもりながらテレビやラジオで不遜（ふそん）の輩（やから）をののしってみせ、これが、崩壊が不可避となった体制に引導を渡したかと思われた。しかし、けんか好きのカダフィは、偏執的な現実否定から破滅的なエネルギーを引き出した。王様は裸だったが、足の先から頭のてっぺんまで武装していた。そして、叛乱をつぶすことができる、といまだに信じていた。石油パイプラインが通じているゆえに戦略的要衝であるアジュダービヤーを奪い返したあと、カダフィはマイクに向かって「よし。いよいよだ。無信仰のならず者どもと、裏切り者どもを攻撃せよ！　やつらには寛容も情けも無用だ！」と叫んだ。

二〇一一年三月一九日に仏英米による空襲の猛攻がはじまると、カダフィの幻想はたたきつぶされた。四半世紀前、カダフィはレーガン大統領が命じた空襲に不意をつかれたようだった。今回は、友人だと思っていたニコラ・サルコジ仏大統領の「裏切り」に茫然自失した、といわれる。二〇〇七年一二月に、自分をパリに迎えて最大限のもてなしをおしまなかったあの大統領が…。少しのあいだ、カダフィは妥協する用意があるように見えた。彼の従兄弟で密使であったアフメド・カダフ・アッダムは「指導者［カダフィ］は、国連もふくめ、国家元首たちとの協議の任務をわたしに託した。彼は、政治の舞台から引き下がるつもりだった。ただし、爆撃が終わってから引退するつもりだった。この点が協議の障害となった。彼は、爆撃停止が先、という立場だった。欧米は、彼の降伏が先だ、と主張した。友人であるベネズエラ大統領ウゴ・チャベスを頼ってカラカスに逃げる案は、一度も真剣に検討されなかった。カダフィは亡命先で命をまっとうするより、死ぬことを選んだ」と主張している。

こうなった以上、戦闘プランを練る替わりに、カダフィは呪いの言葉を吐いた。大混乱のなか、カダフィは「わたしは、リビア国民もアラブのウンマ［共同体］もイスラム国家もアフリカも南米もあきらめることが許されない栄光そのものだ。ムアンマル・カダフィは歴史であり、自由であり、栄光であり、革命そのものなのだ！」と吠えた。すべてがぐらつき、すべてに罅が入ったが、砂漠のネロ皇帝は権力にしがみついた。彼はまだ群衆を動員し、緑色の旗が波のようにうねるのに合わせて彼の肖像画がゆれるデモ行進を組織することができた。彼のコントロール下にあるテレビ局が流すのは、アーカイブからひっぱり出してきた過去の映像であり、現状を反映してはいなかったが。八月、カダフィは自分のフランス語通訳をつとめていた外交官、モフタフ・ミスーリをよびだし、恨み辛みをつらねた、サルコジ仏大統領宛の手紙を仏訳させた。モフタフ・ミスーリはのちに「この手紙が出されることはなかった。彼は、すべてがおしまいだとわかっていなかった」と打ち明けることになる。

反カダフィ勢力のリビア国民評議会がトリポリをとり囲み、しだいにせまってきた。はさみ撃ちにされたトリポリは八月二二日に陥落する。破滅のふちに立たされたカダフィはその数日前、バブ・アル＝アジジヤ要塞を脱出し、港町スルトに逃げ延びた。一行は、すっかり縮んでしまった支配圏のなかをあてどもなくさまよった。それからまもなくして、リビア国民評議会のグラッドミサイルと、もっとおそろしいＮＡＴＯの戦闘機の脅威にさらされ、スルト中心部の「第二地区」に追いつめられた。都市とその壁が大嫌いだったカダフィは、忠実な軍団を従えて逃げ迷い、隠れ家を転々とした。意気消沈し、無口となったカダフィはコーランを読みふけり、手帳に細々と書きこみをし、うとうとしたかと思うと、狭い部屋のなかをぴりぴりしたようすで歩きまわった。外の世界との接触を断たれ、水不足、停電、食糧の枯渇に腹をたてた。身をひそめた場所で入手できる米やパスタで我慢しなくてはならなかったからだ。カダフィは、衛星電話を使って外の世界と接触しようと必死になった。

だが、通話時間は短かった。バッテリーの蓄電量が減ってきたので長話ができないこともあったが、どのように微弱な電波もキャッチしようと上空を飛んでいる敵の飛行機に、居場所を探知されないためでもあった。

死後の復讐

なんとしてでも罠（わな）から抜け出さねばならない。一〇月二〇日の明け方前に脱出をはかる、と決まった。だが、石油缶、弾薬ケース、けが人を約五〇台の四輪駆動に積みこんでいるあいだに時間はどんどんとすぎさった。もっと悪いことに、この幽霊軍団には、何処に向かうべきか、はっきりとしたあてはなかった。真南からの突破をはかっているときに空爆があって、隊列はくずれた。次に、プレデター・ドローンから発射されたミサイルが先頭車両をこなごなにした。命が助かった者たちは、反カダフィ勢力のカティバト（旅団）二隊の猛攻を受けた。午前も終わるころ、フランスのミラージュ二〇〇〇戦闘機から放たれたレーザー誘導爆弾ＧＢＵ12二発が戦闘の趨勢（すうせい）を決した。頭と足を破片でけがしたカダフィは、装甲ランドローバーからようやくのことで這い出した。そしてグロッキー気味のまま、よろよろと、だれもいない建築中の一軒家まで歩いた。しかし、この隠れ場所も攻撃され、残っていては危なくなった。足を引きずりながらでも、次に身を隠す場所を探すほかない。アスファルトが敷かれた斜面に二つの排水溝がうがたれていた。逃亡者カダフィは左側の排水溝に身をひそめた。

なんとも頼りない隠れ場所であった。電気工学を学んでいた学生が、カダフィの襟をつかんで排水溝からひっぱり上げた。その後は？　長時間、ゆっくりと獲物がいたぶられるようすは、何十もの携帯電話で撮影された。猟犬たちは獲物の分け前にありついた。激しい暴行が続いた。ピックアップトラックの前部によりかかったカダフィは、ふり下ろされる拳や銃の台尻から身を守ろうと腕をかざしながら、「おまえたちは、なぜわたしにそんなことをするのだ？」、「息子たちよ、おまえたちはだれなのか？　おまえたちは善と悪の違いがわからないのか？」と哀れな声でたずねた。墜（お）ちた暴君は膝をついた姿勢で、真っ赤な血の塊を吐いた。この瞬間、リヴォルヴァーが腫れ上がった顔に向けられるようすが画面に写っている。だが映像はここでとぎれる。断続的なスプラッタービデオの次のシーンが写し出すのは、コンクリートの床に寝かされている男だ。体は動きを止めている。肩はむき出しで。なかば閉じられた目に、もはや光は宿っていない。

まだ生きているのだろうか？　すでに死んでいるのだろうか？　ほぼ遺骸とよべるこの体は、小型バスの金属の床に投げ落とされた。二一日以降、遺骸はミスラタの大市場、スーク・アル＝アラブの食肉倉庫の冷蔵室に置かれた。灰色の毛布にくるまれ、汚いマットレスの上に寝かされて。鷲（わし）は溝に墜ちて捕まったのだ。誇り高い猛鳥の迷走飛行は、秋のある木曜日、誕生の地からほんのひとっ飛びのところにある、コンクリート製の排水溝出口で終わった。

どこから飛んできたにせよ、彼の苦しみを終わらせた銃弾は、自分たちがさんざんご機嫌をとって阿（おもね）っただけになおのことカダフィを憎んだ西側諸国が彼とのあいだに結んだ後ろ暗い妥協の実像が白日のもとにさらされるチャンスを吹き飛ばした。この独裁者の死とともに、パリ、ロンドン、ローマ、ワシントンは、後悔とシニズムと金儲け主義が入り交じる墓土の下に、「自由世界」の後ろめたさをも葬りさったのだ。そして、暴君から解放された新生リビアは血まみれの内戦状態におちいった。これこそ、カダフィの死の置き土産(みやげ)、途方もない失敗を演じたけたはずれの役者が死後に果たした復讐である。

〈原注〉

1　一九一一年にイタリア王国がオスマン帝国からトリポリタニアとキレナイカを譲渡させたことではじまったイタリアによるリビア占領は、その一〇年後以降、いずれもファシスト党員であるジュゼッペ・ヴォルピ、次いでロドルフォ・グラッツィアーニ将軍が総督となったことで、より好戦的および植民地主義的な性格をもつようになる。

2　アメリカで一九三〇年に結成された政治・宗教運動組織。もともとは黒人解放をドクトリンとしていたが、何十年もたつうちに脱線して黒人至上主義、反ユダヤ主義に染まってしまった。

〈参考文献〉

Mirella Bianco, *Kadhafi, messager du désert, biographie et entretiens*, Stock, 1974.
Hélène Bravin, *Kadhafi. Vie et mort d'un dictateur*, François Bourin, 2012.
Annick Cojean, *Les Proies. Dans le harem de Kadhafi*, Grasset, 2012.
Guy Georgy, *Kadhafi. Le berger des Syrtes*, Flammarion, 1996.

Patrick Haimzadeh, *Au cœur de la Libye de Kadhafi*, JC Lattès, 2011.

Vincent Hugeux, *Kadhafi*, Perrin, 2017.

Moammar el Kadhafi, *Le Livre vert,* Centre mondial d'études et de recherches sur le Livre vert, 1984.

__, *Escapade en enfer et autres nouvelles, présentées par Guy Georgy,* Favre, 1996.

Yasmina Khadra, *La Dernière Nuit du Raïs*, Julliard, 2015.

Alexandre Najjar, *Anatomie d'un tyran, Mouammar Kadhafi,* Actes Sud, 2011.

Roumania Ougartchinska et Rosario *Priore, Pour la peau de Kadhafi. Guerres, secrets, mensonges, l'autre histoire, 1969 2011*, Fayard, 2013.

Alison Pargeter, *Libya. The Rise and Fall of Qaddafi*, Yale University Press, 2012.

Dirk Vandewalle, *A History of Modern Libya*, Cambridge University Press, 2006.

17　エーリヒ・ホーネッカー

ドイツ民主共和国の偉大なる舵とり

パトリック・モロー

エーリヒ・ホーネッカー（一九一二―一九九四）は一九七一年以降、ソ連型の治安維持・計画経済モデルにもとづく「社会主義国家の建設」をめざし、ドイツ民主共和国（東ドイツ）を豪腕で統治した指導者だ。若いときから共産主義者だった彼が経済の失政で地位を追われると、一九八九年の平和革命によって体制は崩壊。ヤルタ協定によって構築された「赤いヨーロッパ」は一気にくずれさることになった。しかし『グッバイ、レーニン！』（ヴォルフガング・ベッカー監督、二〇〇三年）や『善き人のためのソナタ』（フロリアン・ヘンケルス・フォン・ドナースマルク監督、二〇〇六年）など、映画化によってふたたび関心が高まっているはいえ、一般人のホーネッカーとその体制についての知識は希薄だ。『善き人のためのソナタ』は東ドイツの全国民、とくに知識人に対して行なわれた国家保安省（シュタージ）による監視と弾圧とをみごとに描いている。『グッバイ、レーニン！』は一つの時代の終わりと、一部の人々がいだきつづけたその時代への郷愁を、悲喜こもごもに描いた作品である。抑圧と皮肉という、そこに描かれた二つの要素は、あまたの文献にもまして、この国の謎に包まれた指導者と切り離せない「東ドイツの時代」を言いあてている。

最後の証人

一九九三年、エーリヒ・エルンスト・パウル・ホーネッカーがチリのサンティアゴに亡命したとき、受け入れ準備はすっかり整っていた。二二歳の若いチリ人の個人秘書、ディエゴ・アギーレが通訳として待機していた。彼はホーネッカーのもっとも身近な協力者となり、一九九四年五月二九日の死にいたるまで、失脚した独裁者に二四時間つきっきりで同行した。

ディエゴ・アギーレはピノチェトがクーデターで政権をにぎったあとの一九七四年、四歳でベルリンに移住している。チリの有名な建築家だった父親は東ドイツの文化参事官となり、アギーレは東ベルリンのリヒテンベルク地区で育った。そして一九八七年に高校を卒業したあと、みずからの意思で母国に戻って数学を学んだ。

ホーネッカーの義理の息子にあたるレオナルド・ジャニェス・ベタンクールが、ホーネッカー一家とアギーレのあいだを仲介した。エーリヒとマルゴットの夫婦はスペイン語を片言しか話せず、通訳であるアギーレが頼りだった。アギーレの回顧録によると、苦々しい思いをいだいていたホーネッカーは多くの訪問者に長々と政治談議をくりかえし、毎日ドイツ語の新聞に目をとおしていたという。ラテンアメリカと「進歩的勢力」の動向に興味をもつホーネッカーのために、チリの新聞を訳してあげることもあった。

ホーネッカーと秘書のアギーレは多くのことを語りあったが、東西ドイツ統一の話だけはタブーだった。「エーリヒはそのことに一度もふれませんでした。マルゴットは政治家でした。彼女はたえず東西ドイツ統一を話題にしており、その際に彼女が使っていた言葉でわたしがまだ覚えているのは『裏切り』です」とアギーレは回想している。エーリヒ・ホーネッカーは転移がんにより死去するまで、東ドイツに構築された社会主義の卓越性を国際社会が認め、みずからの名誉が回復されることを願いつづけていた。アギーレによると、ホーネッカーはドイツに戻ることをまったく考えていなかった。死期が近いのは明らかだったが、故国での葬儀を望んではいなかった。彼の死後、孫にあたるロベルト・ジャニェス・ベタンクールは、ローザ・ルクセンブルクも眠るベルリンのフリードリヒスフェルデ中央墓地にある社会主義追悼碑に遺灰を埋葬しようとした。歴史の皮肉というべきか、これに反対し、阻止したのは、旧東独にルーツをもち、統一後の社会主義路道を模索していた民主社会党（PDS）の議員たちだった。

チリのサンティアゴにあるホーネッカーの家には、かつての盟友たちがひっきりなしに訪れた。ホーネッカー夫妻はチリ共産党によってひそかに保護されており、かつて東ドイツが援助した国や組織の多くの代表者の訪問を受けていた。しかしホーネッカーは、新進ジャーナリストのマルク・ピッテルカウの策略に引っかかる。ピッテルカウは民衆政党を再建するための助言を望む、ドイツの若い共産主義グループの代表といつわった。ホーネッカーはだまされ、とるべき政治行動についてたくさんの助言をあたえた。チリ共産党によって正体が暴露される前に、ピッテルカウは病に苦しむホーネッカー最後の写真を撮影するという当初の目的を達成する。この事件を題材にしたテレビ映画『ホーネッカーとの出会い』から、かつての独裁者があくまで自分の正しさを確信していたことがわかる。彼は一九八九年の平和革命を「社会主義建設過程の短い中断」と解釈し、その原因を陰謀と断じ、「われわれが困難な状況のなかで四〇年かけて築いてきたものは、今後の闘争においても生きつづけるだろう（…）。社会主義社会の崩壊という不条理そのものから、同時に新しい世界への道も開ける」と述べている。権力を失ったのちも、ホーネッカーは最後まで、政治家らしいおおげさで空疎な言葉を巧みにあやつりつづけた。

「わたしは共産主義者だったし、いまも共産主義者であり、これからも共産主義者である」（ホーネッカー、一九九二年）

時間をさかのぼってみよう。一九四五年五月のことである。ウルブリヒト・グループのメンバーだったハンス・マーレは、ベルリンで偶然ホーネッカーと出会い、仲間たちに引きあわせる。このグループのメンバーは、スターリンからドイツの再建を「主導」するようゆだねられた一〇人の共産党幹部たちだった。一九四五年五月一日にソ連から帰国した指導者のヴァルター・ウルブリヒトは、ソ連の支援を受けてただちにベルリンに臨時の拠点を設け、ドイツ共産党（ＫＰＤ）[1]を復活させる。

若きエーリヒは当時三三歳、長年の刑務所暮らしにもかかわらず元気はつらつとしていた。二五歳でゲシュタポに逮捕されたホーネッカーは、身長一メートル七〇センチで体重六八キロ。巻きぐせのあるくすんだ金髪で、整った顔立ちだった。スポーツマンで（とくに水泳とハンドボールが得意）、当時はまだメガネをかけていなかった。夏ごろまで役割をあたえられなかったのは、ある事件について説明を求められていたからだ。同じく投獄されていたほかの共産党員に内緒で脱獄したことは、あきらかに懲戒の対象だった。この件で抜擢が遅れたものの、出世の道が絶たれることはなかった。

その当時に書かれ、連邦公文書館に保存されている短い経歴によれば、当時のホーネッカーは次のように評価されていた。「ホーネッカー同志は党に忠誠を誓う古くからの仲間で、幼いころから組合運動に参加してきた。エネルギッシュなタイプで自信にあふれ、人を不快にすることなく自己主張できるすぐれた交渉者とみなされている。同志ホーネッカーは発想が豊かで、扇動や組織づくりがうまく、若者相手では（…）大いなる人望を得ていた。（…）つねに党の路線を支持し、道徳的に自分を成長させることができ、不都合な面はいっさいみられない」

ホーネッカーは共産主義者に囲まれて育ち、若いころからマルクス主義団体にくわわった。彼はこう回想している。「わたしが生まれた一九一二年に、社会民主党の候補が国会議員選挙で最高票を獲得しました。以来、その土地は『赤い村』とよばれるようになりました」。実際、第一次世界大戦後、彼の出身地ノインキルヒェンやヴィーベルスキルヒェンはザール地方の「左派プロレタリアの中心地」となっていた。それは域内のカトリック中産階級と一線を画す、共産主義の小宇宙のような場所だった。若きエーリヒは共産主義を信奉するプロレタリア家庭の出身だった。父親のヴィルヘルム・ホーネッカーは炭坑夫で、「ドイツ赤色救援会」[2]および、ドイツ社会民主党[3]に近い労働者体育スポーツ同盟のメンバーだった。母カロリーネも、赤色戦線戦士同盟という準軍事組織の下部組織として一九二五年に設立された「赤色婦人および少女同盟」に所属していた。ホーネッカーは父親のことを、

逮捕時のエーリヒ・ホーネッカー（1912–1994）。1935年12月撮影。

自分の人生に意味をあたえた仲間であり同志であると述べている。「当時、父はどうして金持ちが金持ちで、貧乏人は貧乏人なのか、戦争はどこから来たのか、だれがそうした戦争でもうけ、だれが苦しんでいるかを説明してくれました。わたしには納得できる説明でした。こうして明確な世界観を得たわたしは、平和と社会主義のために一生を捧げようと決意しました」

エーリヒは三人の兄弟姉妹と同じように、一九二二年にスパルタクス青年同盟の前身となる組織にはじめて出あう[4]。そして一九二八年一二月一日、ドイツ共産青年同盟（ＫＪＶＤ）ザール支部に加入した。精力的な活動にくわえ、個人的な魅力もあって、すぐに「広報担当」となり、一九二九年にはＫＪＶＤザール支部の幹部に選ばれた。同時にドイツ共産党の共産主義青年同盟の指導者となるべく、マルクス主義理論や若者との実践活動などについて、党内でさまざまな研修を受ける。一九三〇年には地元ヴィーベルスキルヒェンの分団長に選ばれる。本人の回想によると、一九三〇年、「伝説的な労働者」であったドイツ共産党議長、エルンスト・テールマンの「カリスマ性」に魅せられたという。そしてドイツ帝国の共産主義青年会議が開かれた際には、テールマンの護衛をつとめた。

ホーネッカー入党の正確な日付は不明で、一九二九年から一九三一年までの諸説がある。一九三〇年七月にはフィヒテナウにあるドイツ共産党の全国党学校の予備過程に入学している。当時はフリッツ・モルターという偽名を名のっていたが、これは非合法活動を旨とする共産党幹部にとってはふつうの習慣だった。

一九三〇年の夏にＫＪＶＤによって派遣され、モスクワにあるスターリン主義の幹部学校「国際レーニン学校」で一年間勉強したホーネッカーは、共産党幹部候補生として授業の「助手」をつとめることもあった。ここでは共産主義の古典やスターリンの著作を集中的に学んだほか、「ショック旅団」として二七人の学生とともにマグニトゴルスクにある製鉄所での作業にも従事した。一九三一年、そして一九四九年にもモスクワでスターリン本人と会っており、その瞬間の天にも昇る喜びは生涯忘れることがなかった。

帰国後、ホーネッカーはザール地方の共産主義青年同盟の政治部長に昇進し、一九三三年には中央委員会の長となった。

一九三三年一月にアドルフ・ヒトラーが政権をにぎると、ドイツ共産党は非合法化されたが、ザール地方はドイツ領に属していなかったため、[5]合法的に活動することができた。ホーネッカーは一九三四年に短期間、ドイツ国内で投獄されるが、すぐに釈放された。ザール地方に戻ると、第三帝国への再統合に反対する運動に参加したが、これは失敗に終わる。一九三五年一月一三日の住民投票で、ザール地方の有権者の九〇・七三パーセントが統一を選択したのである。ホーネッカーはほかの多くの共産党員とともにフランスに逃げ、そこでフランス共産党（ＰＣＦ）と緊密に連絡をとりあった。一九三五年八月二八日、ホーネッカーは印刷機をたずさえて、マルテン・ツァーデンという偽名でベルリンに潜入した。一二月にはゲシュタポに逮捕され、一九三七年までベルリンのレーアター通りにある刑務所に拘留され、六月に懲役一〇年の刑を言い渡された。そしてホーネッカーの「自発的」な自白により、ドイツ共産党の仲間であるブルーノ・バウムは一三年の刑を受けた。

ホーネッカーの自伝は、当然ながらこの不名誉な事実を省略し、弟ローベルト（一九三二年生まれ）が国家社会主義ドイツ労働党（ナチ党）に加入するという、家族の不名誉な行動を述べるにとどまっている。また父親がブランデンブルク刑務所長の助けを借り、息子が前線に送られるのを避けるため、「政権に忠誠を誓い、過去の過ちから心を入れ替えた一市民」への恩赦を二度にわたって願い出ていたことも、この自伝では「忘却」されている。

ホーネッカーはブランデンブルク＝ゲルデン刑務所で刑期を過ごした。屋根葺き職人として二年働いた経験から、一九四三年以後、激しさを増す連合軍の空爆で破壊されたベルリンの建物の屋根修繕にたびたびかり出された。一九四四年には、ベルリンのバーニム通りにある女性刑務所に移された。一九四五年三月、ホーネッカーとエーリヒ・ハンケ（ベルリンの共産党幹部）は空爆のすきをついて脱獄に成功。そして刑務所の看守だったシャルロッテ・グルントのアパートに身を隠した。しかしアパートが空爆で半壊したため、脱獄に気づかれないまま、ふたたび刑務所に舞いもどった。一九四五年四月二七日に赤軍によって刑務所から解放されると、ホーネッカーはすぐにベルリンに戻ることを決意。まだ三〇代のホーネッカーは投獄されていたことを自慢にし、模範的な活動家を気どることもできたが、事実は上述のとおり、それほど晴れがましいものではなかった。

脱獄は、ブランデンブルク刑務所にいた仲間たちの了解を得たものではなかった。ベルリンへの帰還もあまりにあっさり実現した。しかも結婚相手となったシャルロッテは、ナチ政権の餌食になった女性たちが処刑のため、定期的にプレッツェンゼー刑務所へ移送される通過点となっていた女子刑務所の看守で、ナチ党員だった。さらに解放された共産党員たちがベルリンに向けて行進した際も、ホーネッカーはくわわらなかった。これらは当然、一九四五年の「けん責」において問題視されたが、そうした記録は不思議なことに、ホーネッカーが再建されたドイツ共産党の党員資格を認められたときに抹消される。秘密警察である国家保安省（シュタージ）の大臣、エーリヒ・ミールケ[6]はこのことを知っていて、時が来ればこの剛腕党首にプレッシャーをかけようと、秘密事項を記した書類を金庫にしまっておいた。

権力への邁進

第二次世界大戦と一九四五年五月のナチ無条件降伏の後、連合国はドイツを四つの占領地に分割することを決定し、それぞれ米英仏、そして東部はソ連が統治することになった。また首都ベルリンは連合国管理理事会をとおして、四大列強が管理することになった。しかし、たちまち戦勝国のあいだに緊張が生じた。西側諸国は可能なかぎり迅速にドイツを再建し、自由市場経済にもとづく民主国家をつくりたいと望んでいた。一方でソヴィエト政府は、ソ連モデルにもとづき、ソ連に忠誠を誓う社会主義国にしたいと考えていた。一九四八年に二種類の通貨（西側はドイツマルク、東側はマルク、次いで東ドイツマルク）が導入されると、分裂は決定的となった。一九四九年一〇月七日、ドイツ民主共和国（東ドイツ）の建国が厳そかに宣言され、その後四〇年以上にわたって存続することになる。人口は一九五〇年には一八三八万八〇〇〇人だったものが、一九九〇年にはわずか一六〇二万八〇〇〇人まで減るが、これはドイツ連邦共和国（西ドイツ）への人口流出と、出産減少が重なった結果だった。国土は旧プロイセン領の大部分を占め、総面積は一〇万八三三三平方キロ、ポーランドとチェコスロヴァキア、そして姉妹国で敵国でもある西ドイツと国境を接していた。

在独ソ連軍政府（SMAD）は一九四五年に占領地の統治を開始した。当初、SPD（ドイツ社会民主党）、KPD（ドイツ共産党）、CDU（キリスト教民主同盟）、LDPD（自由党）の四政党が認可されたが、ソ連は当然、共産党を支援した。ヴァルター・ウルブリヒトと側近たちが、すべての重要ポストに配属された。こうしてモスクワの影響力が急速に強まっていった。

統一された強力な「労働者政党」を作るには、共産党が社会民主党と「連合」を組む必要があった。一九四六年四月、スターリンの命令によって両党は統合され、ドイツ社会主義統一党（SED）となった。

東ドイツの初代大統領はヴィルヘルム・ピーク[7]だが、実権をにぎっていたのはSEDの指導者ヴァルター・ウルブリヒトで、一九五〇年には国の最高権力者（党中央委員会書記長）に「指名」される。民主的な仮面をかなぐりすてて政府が最初に行なったことの一つは、すべての政党を国民戦線の名のもとに統一することであり、これによって当然ながら、国民戦線は有権者の得票の九五パーセントを占めることになった。

国内の政治的な抵抗運動はすべて違法と宣言され、ＳＥＤは国家と社会の支配権を完全に掌握し、ソヴィエト連邦に忠誠を誓うことになる。一九五一年、東ドイツは計画経済をめざして最初の五カ年計画を発表。消費・生産・価格は中央機関によって決定されることになった。経済の統制には農業改革と農地接収もふくまれ、農民は大規模な生産協同組合へと組みこまれることを余儀なくされた。このときから国民は一般消費材、とくに西側製品の供給不足に苦しむことになった。こうして西ドイツへの大規模な人口流出がはじまった。一九五三年六月一七日、労働規範（ノルマ）の強化に抗議するデモとストライキが起こる（東ベルリン暴動）。政府はソ連軍の助けを借りて、暴動を力によって鎮圧した。ホーネッカーはこのときの暴動から一つの教訓を引き出した。一九五二年に高らかに宣言した「社会主義の建設」は、国民の生活の質の向上と、現行のソ連型経済政策の修正によって実現しなければならないということである。

ホーネッカーはブランデンブルクの元囚人だったため、ドイツ共産党の「歴史的」モスクワ派に属しておらず、むしろこの集団に反感をいだいていた。しかしメンターであるヴァルター・ウルブリヒトに目をかけられたことで、権力への扉が開かれることになる。自由ドイツ青年団（ＦＤＪ）の議長に推され、三度の青年大会をベルリンで開催。一九五〇年五月二七日から三〇日にかけての大会では、七〇万以上の共産党員の若者が参加した。さらに一九五四年と一九六四年にも成功裏に大会を開催し、これがホーネッカーの出世を確実なものにした。

しかし東ベルリン暴動によって、ＳＥＤ指導部は危機に直面していた。ルドルフ・ヘルンシュタット[8]率いる政治局員の大半がウルブリヒトを引きずりおろそうとしたが、モスクワに拒否されて失敗に終わった。庇護者であるウルブリヒトを支持する側にまわったホーネッカーの選択は報われることになる。一九五五年五月二七日、自由ドイツ青年団の議長職を降り、研修のため一九五七年までモスクワに滞在することになったのである。ここでソ連指導部の最上層に人脈を築いたことが、のちに権力をにぎるときに役立つことになる。一九五六年二月一四日から二五日にかけて開かれ、フルシチョフの非スターリン化演説で有名なソ連共産党第二〇回大会にも立ち会った。生涯スターリンを尊敬していたホーネッカーは、この演説に納得できなかったが、表には出さず、一九五八年には政治局のメンバーに選ばれ、軍事や安全保障の問題を担当するようになった。

西ドイツへの移民の流出はますます激しくなり、逃亡する者を減らすため新たな旅券法が制定された。一九五六年には移民は犯罪となった。当時、内務大臣に相当する中央委員会の国防担当委員に就任したばかりのホーネッカーは、一九六一年八月の「ベルリンの壁」建設の正式な責任者であり、東西ドイツ国境での逃亡者に対して発砲することを命令した（一九八九年までに、壁を越えようとした約七〇〇人が死亡した）。

一九六三年と一九六四年には、とくに若者と文化政策の面で、短期間だが自由主義的な風潮が生まれた。さまざまな伝記によれば、ホーネッカーはこれに対して否定的な態度をとり、イデオロギー的に強硬化したとされる。その証拠としてあげられるのが一九六五年一二月の第一一回中央委員会総会で、ホーネッカーは多くの知識人や芸術家だけでなく、SEDの文化政策の責任者までが社会主義教育を怠り、「反体制勢力」の台頭をまねいたと非難している。こうしてSEDは、秘密警察（有名な国家保安省＝シュタージ）や情報提供者の網の目を張りめぐらせ、国民を管理する方向へと舵をきったのである。一九六二年、マルクス＝レーニン主義の思想を若者に浸透させるため、兵役が義務化された。東ドイツ軍は一九八九年時点で一五万五三一九の兵力をもつようになり、一九六八年のソ連によるチェコ革命［プラハの春］弾圧を助け、ワルシャワ条約機構の中核を担うことになった。

一九六〇年、東ドイツでは農工業の生産が大幅に停滞していた。暴動の再発を防ぐため、当局は化学および機械工業に集中的に投資を行なうことを決断した。しかし近代化の試みは、機構的問題が原因でうまくいかなかった。そこでホーネッカーは、既存の問題を解決するには「経済政策と社会政策の一致」が必要と宣言する。言い換えれば、自分が全権を掌握するということだった。

権力の階段を駆けのぼるホーネッカーは、事前にソ連邦最高会議幹部会議長、レオニード・ブレジネフの了解を得たうえで、政治局メンバーの署名を集めてウルブリヒトの解任動議を提出する。このことを知ったウルブリヒトは、裏切り者のホーネッカーを政治局から追放。ホーネッカーはソ連大使アブラシモフに助けを求めた。こうしてブレジネフが介入し、ウルブリヒトは一九七一年四月にホーネッカーを書記局に復帰させざるをえなくなった。こうなれば、もはやクーデターしかない。ソヴィエトのうしろだてを得たホーネッカーは、重装備の機動隊をウルブリヒトの夏の別荘に送りこんだ。機動隊はドアをふさぎ、ウルブリヒトの警備担当者の武装を解除し、電話回線を切断し、中央委員会にみずからの辞任を願い出る文書に署名させた。ホーネッカーは一九七一年五月三日に党中央委員会第一書記、一九七六年には書記長に任命された。

抱きあうブレジネフとホーネッカー（1981年）。

偉大なる舵とり

ホーネッカーのすぐれた伝記を執筆している歴史家のマルティン・ザブロウは、一九七一年から一九八九年にかけての時期をこう逆説的に要約している。「ホーネッカー時代は慣例遵守の官僚主義と、極端な規制強化を最優先した統治スタイルを特徴としている。しかしこのスタイルには自由化と抑圧、若者のような斬新さと老人のような頑迷さ、文化的開放と政治の硬直化、イデオロギー規範への盲従と階級の敵（たとえば社会民主党の重鎮ヘルベルト・ヴェナーや「キリスト教民主同盟／キリスト教社会同盟」の大物フランツ・ヨーゼフ・シュトラウスら）にも柔軟に対応する公平性とが、まったくのところごちゃまぜに入り混じっていた」。実際、政治家としてのホーネッカーはガチガチの保守派から出発し、それが一九六一年のベルリンの壁建設へとつながったのだが、「前任者ヴァルター・ウルブリヒトと真逆の方向をとり、改革政策によって社会主義の理想を前進させようとした」。

こうして工業の近代化よりも社会政策に重点が置かれることになった。一九九〇年までに三〇〇万戸の住宅を建設すること、保育施設の整備、中絶の権利、子どもが二人いる女性の週労働時間四〇時間制、表面的な完全雇用、平均給与の引き上げ（一九七〇年から一九八七年に七五五マルクから一二三三マルクへ）、消費財の輸入などが実施され、国民に自分たちは「福祉国家」に住んでいるのだと思いこませようとした。こうした政策の隠れた代償は、ソ連だけでなく西側にまで借款が増えていったことである。

外交面での成果としては、一九七一年に東西ドイツ間に「通過協定」が結ばれたことがあげられる。これによって西ドイツ国民が東ドイツを訪れることができるようになった。一九七二年の時点で、東ドイツは一三二か国と外交関係があり、翌年には国連への加盟も果たした。ヘルシンキで行なわれた欧州安全保障協力機構の交渉にも参加している。こうしたことの裏には、西側の結束を乱し、NATOの部分的軍縮を狙っていたソ連の後押しがあった。

国内では、あいかわらず国家保安省（MfS）が拡大を続けていた。一九八九年一〇月三一日には、一万三〇〇〇人以上の兵士をふくむ九万一五〇五人の協力者を擁し、情報提供者は二〇万人を超えた。政府は社会のあらゆるレベルで反体制派を攻撃した。シンガーソングライターのヴォルフ・ビーアマンは一九七六年に東独を追放され、公然とSEDの政策を批判する者はすべて監視・尋問・弾圧の対象となった。反体制的な出版物は発禁となり、西側のテレビ放送を視聴することは犯罪とされた。刑務所は満員となり、囚人は欧米の大企業の労働力として使われたり、西ドイツが保釈金を出すことで外貨獲得のために使われたりした。このことから、ホーネッカーは一九八一年以降、死刑を廃止した。

党書記長となったホーネッカーは、全権を掌握した。すべてをコントロールし、すべてを知ろうとした。唯一の世論調査機関を廃止する一方で、徹底して国家保安省の大臣と連絡をとり、世論の動向を知らせる報告書に目をとおした。とくに市民が不満や情報を伝えてくる投書には敏感だった。ホーネッカーはしばしばみずから人事に介入し、評判の悪い幹部は容赦なく更迭した。中央政府・地方政府をとわず、統治機構の失策はいっさい許さず、個々の案件に細かくこだわり、まるで口うるさい役人のようだった。

ホーネッカーは一九七一年に国防評議会議長、一九七六年一〇月二九日には人民議会[9]によって国家評議会議長に選出された。以降、彼はあらゆる事案を、中央委員会経済担当ギュンター・ミッタークと国家保安大臣エーリヒ・ミールケの補佐を得て、みずから裁定した。一九八九年の秋まで、ザブロウが伝記のなかで三人の男の「小戦略集団」とよぶものが東ドイツを指導し、高齢化する約五二〇人のエリート官僚・党幹部が三人を支えた。ザブロウによると、この三人組は「(第一次大戦時の参謀総長)ルーデンドルフやヒトラーもふくめ、近代ドイツのいかなる指導者ももちえなかったほどの権力」を行使したという。それゆえ、ホーネッカーを「自分の国の最高監視人である独裁者」とよぶことができる、とザブロウは考える。ホーネッカーに支配された政治局は、その命令を実行する集団へと急速に姿を変えていった。

崩壊

表向きは景気のいい話ばかりだったが、劣悪な労働環境や生活環境で国民の不満は高まっていった。東西分裂後に生まれた若者たちは、権力をにぎる高齢の幹部たちに職を奪われていた。少子化による人口動態上の危機もあり、あらゆる場所で社会的流動性が低下していた。大学進学もふくめ、自由な職業選択は制限された（「プチブルジョア分子」、すなわち非プロレタリア階級出身者の場合はなおさらだった）。社会闘争が激化し、一九八九年秋のベルリンの壁崩壊へと表面化していく。

東ドイツは多額の借金をかかえ、エネルギー面でもソ連に依存していたため、ソ連の支援がなければ生き残ることはできなかった。一九八一年にソ連が原油価格を引き上げざるをえなくなると、決定的な危機が訪れた。とくに投資にまわすための借金を返済できなくなった。こうして多くのプロジェクトが停止し、政府は不本意ながら借款返済について西ドイツと交渉に入らざるをえなくなった。一九八三年と一九八四年に西独バイエルン州のフランツ・ヨーゼフ・シュトラウス首相が何十億もの融資を提供したにもかかわらず、経済不振は加速していった。

一九八五年、ソ連のミハイル・ゴルバチョフ書記長が、ペレストロイカ（再構築）とグラスノスチ（情報公開）の政策を導入した。国家による経済統制をゆるめ、メディアの検閲も廃止した。ゴルバチョフはこの改革プログラムを東側諸国にも提示したが、すでに悪化していたホーネッカーとの関係はよくならなかった。ホーネッカーはゴルバチョフの開放政策を激しく非難し、西側との協調を深めていることを裏切りとみなした。そして東ドイツ内でゴルバチョフの本が広まったり、販売されたりすることを阻止しようとした（その努力はむだに終わったが）。

一九八九年七月七日と八日、ブカレストで開催されたワルシャワ条約機構の首脳会議で、ソ連は加盟する東側諸国の主権を制限するブレジネフ・ドクトリンを正式に放棄した。最終文書では、ワルシャワ条約機構加盟国間の関係は各国の「平等と独立」にもとづくとし、各国が「外部から干渉されることなく独自の政治方針・戦略・戦術」を選択する権利をもつとした。東ドイツはこれまで軍事・経済両面でうしろだてとなっていた「兄貴分」に見すてられ、孤立したのである。

ホーネッカーはこの会議を途中で切り上げざるをえなくなった。一九八九年七月七日、ルーマニア政府の病院に救急搬送され、ベルリンに移送されたのだ。八月一八日、胆嚢と結腸の一部を切除し、手術中に医師が腎臓がんを発見したが、本人には伝えなかった。高齢でやせおとろえたホーネッカーは、ようやく九月に政治局に復帰したが、すでに彼を政治から排除することが検討されていた。

ソ連で次々と大きな転換が起きていることから[10]、東ドイツ国民は同様の政治的変化が自分たちの国でも起こるのではないかと期待した。一方、ホーネッカーはソ連離れをますます強め、不条理なまでにみずからの政治経済路線を擁護しつづけた。

ホーネッカーがかたくなな態度を強めるなか、さらなる移民の波が起こった。一九八九年五月、何万もの人々がハンガリーやオーストリア経由で西ドイツに流れこんだ。一〇月七日、ベルリン近郊でマルティン・グーツァイトとマルクス・メッケルにより東ドイツ社会民主党が結成された。ライプツィヒでは六万一〇〇〇人が自由と民主主義、人権を求めて街頭にくりだし、その他の地域でもデモが行なわれた。平和革命が動き出しており、もはや流れを止められないことをSED幹部たちもさとった。強硬派は「中国式の解決」（天安門広場の虐殺）を望んだが、ホーネッカーがどう考えていたか、今となっては謎である。

一九八九年一〇月六日から七日にかけて、東ドイツ建国四〇周年の祝賀行事のためゴルバチョフがベルリンを訪れると、ホーネッカーの失脚が現実味をおびていった。ゴルバチョフに向かって、人々は「ゴルビー、ゴルビー、わたしたちを助けて」と歓呼した。ソ連最後の最高指導者はこのとき、ホーネッカーに「遅れてくる者は人生に罰せられる」と言ったとされるが、実際は「危機は人生に対処しない者にだけに訪れるのだと思いますよ」と語ったのである。警告の意味するところは明らかだったが、ホーネッカーはわからないふりをした。非公式の会見の席でホーネッカーは自国があげた成果を自画自賛したが、ゴルバチョフは東独が破産状態にあることを知っていた。

一〇月一〇日から一一日にかけて招集された緊急会議の終わりに、政治局はホーネッカーに経済の現状にかんする報告書を提出するよう求めた。その後の数日間、党中央委員会書記で最高会議のメンバーだったエゴン・クレンツは、老いた書記長を辞任させるための協議を重ねた。軍部とシュタージから事前に了解をとりつけ、ミハイル・ゴルバチョフと政治局メンバーのハリー・ティシュとの会談も設定した。ティッシュはクレムリンの主（あるじ）にクーデターが進行中であることを報告。ゴルバチョフが承認したことで、クレンツ一派は実行にふみきることができた。ソヴィエトにおうかがいを立てる旧癖は、なおも消えていなかったのである。

ホーネッカーは政治局の会議で「本日の議題として、ほかにも提案はありますか」とたずねる習慣があった。一九八九年一〇月一七日、閣僚評議会議長のヴィリー・シュトフがこの言葉をそのまま受けて、「ホーネッカー同志を書記長の任から解き、エゴン・クレンツを書記長に選出する」ことを最初の議題とするよう「提案」した。出席していた一七人は「後継者」を支持することを表明した。さらにギュンター・シャボフスキーが、ホーネッカーを国家評議会議長と国防評議会議長の職からも解任することを要求した。エーリヒ・ミールケはここぞとばかり、辞任しないなら自分がもっている「不名誉な記録」を開示すると脅した。

三時間の討論のすえ、全会一致で決定がくだされ、ホーネッカーはみずからの解任動議に賛成票を投じた。中央委員会も、しかるべく政治局の勧告に従った。エゴン・クレンツが全員の拍手をもって新たな書記長に選出された。一九八九年一〇月一八日正午、屈辱にまみれた男は席から立ち上がり、中央委員会の議場を出ていった。ホーネッカーが立ちさる際に送られたお決まりの盛大な拍手が、長い政治的没落のはじまりとなった。一〇月二〇日、妻マルゴット・ホーネッカーも教育大臣の辞任を余儀なくされた。

モスクワへの脱出

国家と党は、粛清された指導者が構築した政治・社会体制の清算にただちにとりかかった。国が根底からゆらごうとしているいま、なんとか体制を維持しようとはかったのである。一九八九年一二月三日、ホーネッカーはSEDを追放され、二日後には司法大臣が権力乱用と汚職の容疑でホーネッカーの訴追を開始した。三週間後、夫婦は政府高官の居住区域であるヴァンドリッツ地区の森のなかにある自宅を追い出された。この家を療養所として使うことになったと言い渡されたのである。一九九〇年一月六日には医療委員会による再検査の結果、ホーネッカーは腎臓がんを宣告された。一月二八日夕刻、手術を受けたばかりのホーネッカーは病室で逮捕された。翌日の夕刻にはベルリンのルンメスブルク刑務所に移送されたが、「服役に耐えない」との医師の意見で三〇日には釈放された。釈放後は治外法権を認められたソ連の陸軍病院に身をよせた。ゴルバチョフがコール首相に事前に通告し、一九九一年三月一三日に夫婦は崩壊前のソ連の軍用機に乗ってベーリッツからモスクワへと向かった。

一九九〇年九月一二日にモスクワで締結されたツープラスフォー条約[11]の批准により、一九九〇年一〇月三日に東西ドイツの統一が実現した。すべての権限を失ったSEDは、社会主義統一党／民主社会党（SED／PDS）と改名、次いで民主社会党（PDS）に改名した。党幹部はすべての役職を解かれ、国家の運営は民主主義政党が大勢を占める人民議会の手に移った。一〇月三日まで、キリスト教民主同盟のロタール・デメジエールが議長をつとめる連立閣僚会議が政権運営を担った。多くの政権幹部が逮捕され、起訴された。

一九九一年三月中旬になると、ドイツはモスクワに対し、複数の罪に問われているホーネッカーを引き渡すようにとの圧力を強めた。ロシアの新しい最高権力者になったボリス・エリツィンは一九九一年八月二九日、ゴルバチョフが書記長をつとめていたソ連共産党の活動を禁止した。一二月二五日、「ゴルビー」は瀕死のソヴィエト連邦の大統領職を辞任した。こうしてホーネッカーは最後のうしろだてを失ったが、これまで見てきたように、このうしろだてももはや頼りにならないものになっていた。一二月一一日、夫妻はモスクワのチリ大使館に逃げこむ。一九七三年のピノチェトによる軍事クーデターの際、ホーネッカーは多くのチリ人亡命者を受け入れており、その一人クロドミロ・アルメイダが大使となってモスクワに赴任していたためである。

一九九二年三月七日、チリ政府はヘルムート・コール西独首相の要請により、それまでの方針を転換してアルメイダ大使の任を解いた。七月二九日、病をかかえる老ホーネッカーは大使館を離れ、空路ベルリンへ移送され、ベルリン市内モアビットにある医療刑務所に収容された。

ホーネッカーは複数の罪状で告発された。一九六一年から一九八九年にかけての東西ドイツ国境における六八人の過失致死、社会主義国の国有財産をくいものにした背任罪などである。一九九二年一二月三日の法廷での被告抗弁では、ベルリンの壁での死者に対する政治的責任を認めたものの、自分には「法的および倫理的責任はいっさいない」と述べた。あいかわらず政治家らしい論理を展開し、ヨーロッパでの戦争勃発の危機に対して、東ドイツの平和を守らなければならなかったと、みずからの行動を正当化した。有罪が決定的となるなか、弁護団は審理の中断と逮捕状の差し止めを狙って嘆願書を提出したが、一九九二年一二月二一日に裁判所がこれを棄却。そこでホーネッカーは、がんの転移により病状が重いとして、ベルリン州憲法裁判所に基本的人権の侵害をあらためて訴え出た。裁判終了前に死ぬことが予想される被告人の訴追は、有罪・無罪の判定が不可能であり、それによって被告の尊厳を奪うというのがホーネッカーの主張だった。一九九三年一月一二日、裁判所は最終的にこの主張を受け入れた。ホーネッカーはわずか一六九日の拘留ののち釈放され、ただちにチリのサンティアゴへ飛び、マルゴットと再会した。

残された命は数か月にすぎなかった。病状は悪化し、最後の数週間は人工栄養の助けを借りた。最後まで意識ははっきりしていて、後悔の言葉はいっさい口にしなかった。

女性を愛した男

独裁者という顔の陰には、どんな男が隠れていたのだろうか。

若いころのホーネッカーは、学校ではコーラスや歴史、代数が好きで、書きとりが苦手だった。宗教の授業を嫌い、機関車の運転手を夢見ていた。「偉大な舵とり」というイメージは虚像である。入手可能な彼の映像はおもに一九八〇年代のもので、老けてやつれた男、分厚いレンズのメガネの奥に、意志の強さをうかがわせる眼差し。そんなイメージが残っている。保存されている東独の報道映像からは、若者と話の通じる精力的な男だったことも伝わってくる。ダンディで服装に大いに気を配り、着ているのは西側のものだったが、めだつ部分の製造ラヴェルはとりはずして「東ドイツ製」に差し替えていた。カンカン帽がお気に入りで、いつも感じよくよそおっていた。年齢とともに変貌し、男前も下がり、みずからが鳴り物入りでプレハヴを建設して近代的な装いをまとわせた、東ベルリンの街なみによく似たくすんだ男になった。

禁欲的な外見の鉄の男は、カサノヴァとしての本性を内に秘めていた。東ドイツ国内では、国家元首がアヴァンチュールを重ねているという噂でもちきりだった。自由ドイツ青年団（ＦＤＪ）中央評議会のメンバーだった側近が、ボスに代わって全国にちらばる隠し子たちに養育手当を支給していた。

最後の恋はプラトニックだった。一九九二年から一九九三年にかけて、モアビット刑務所でのことである。ホーネッカーは自分の支持者である女性に熱烈な手紙を何通も書き送り、それらは『親愛なるエーファ』という本に収録されている。二〇歳以上年下のエーファ・ルッペルトはホーネッカーと同じザール地方出身で、ヘッセン州の元高校教師。六度にわたり刑務所を訪れている。一連の手紙からは、厳しさと冷酷さで長年おそれられた鉄の男の、知られざる、いかにもロマンチストな一面がうかがえる。「親愛なるエーファ。わたしの体調が昨日より今日が悪いといっても、悲しんではいけない。君のことを考えていた。そんなに心配する必要はないよ。君の手紙は大切にとってあって、わたしのなかにたえず新しい力をあたえてくれる」。ホーネッカーは手紙のなかで、ルッペルトを「いとしいカンパニェッラ（同志）」とよび、彼女のほうも甘えたような口調で答えている。「わたしは手紙をとおしてあなたのそばにいたい。あなたも手紙をとおしてわたしのそばにいてくれるから」

おもしろいのは、記録に残る最初の女性関係も刑務所を舞台にしていたことだ。ブランデンブルク＝ゲルデン女性刑務所に収監されていたホーネッカーは、九歳年上で未亡人の看守と恋に落ちた。女性はナチ党員で、一九四五年三月にホーネッカーが脱獄したおりに命を救ってくれた。刑務所を短期間抜け出していたあいだ、彼女が秘密を守ってくれたからこそ気づかれずに房に舞いもどり、死刑をまぬがれることができたのだ。一九四六年、この女性シャルロッテとエーリヒは結婚したが、彼女は二年後にがんで亡くなっている。

ホーネッカーは、モスクワ訪問中の一九四七年夏、片腕であるエディット・バウマン（一九〇九―一九七三）と恋愛関係になった。一九四九年にバウマンは妊娠するが、二人が結婚して娘エリカが生まれたあとの一九五〇年、ホーネッカーは早くも妻を裏切った。相手は当時二二歳の若きピオネール（少年団）メンバー、マルゴット・ファイストだった。スターリン生誕七〇周年のためモスクワを訪れた際、二人は愛人関係になる。ホーネッカーは関係を隠そうとするが、妻に気づかれてしまう。二年後にスキャンダルが発覚した。マルゴット・ファイスは娘ゾニアを出産。父親はエーリヒだった。エディト・バウマンは離婚を申し出、愛人関係だった二人は一九五三年に結婚した。だが夫婦となっても平穏とはいかなかった。夫の不品行を知ったマルゴットは、自分も多くの愛人をつくって仕返しをした。

一九九〇年に行なわれた政治局メンバーの家宅捜索で、ホーネッカーを筆頭に多くの幹部がソフトポルノを楽しんでいたことが明らかになった。ホーネッカーはボンド映画やアクションもの、刑事ものの映画もお好みだった。休暇中や週末には一日に二本の映画を見ることも多かった。ポルノ映画は西側のセックスショップでシュタージの職員が購入したものだった。西独側の防諜機関はおもしろがって、購入された映画のタイトルを細かく記録していた。

護衛によれば、ホーネッカーは月・水・金と自宅でマッサージを受けていた。お気に入りのマッサージ師は「エリカ」といい、マルゴットの留守を狙ってやってきた。一九七〇年代なかば、この女性は見返りにリーベジッカー湖のスウェーデン風別荘やら、テレビ、レコードプレイヤー、ビデオデッキやら、さまざまな贈り物を受けた。こうした逸話は数えきれないほどあった。

ホーネッカーの身分証明書番号は「A 000 0001」という「あからさま」なものだった。共産党指導者の多くがそうであったように、多くの栄誉を受け、権力の座にあった間にメダルや勲章を一五〇ほど受け、東ドイツ最高位のカール・マルクス勲章は二万マルクの賞金とともに五度も受けている。また記録文書によれば、内務省から「人民の優秀警官」、国家保安省から「優秀職員」の表彰を受け、この二つをたいそう自慢にしていた。

ホーネッカーは権力を金儲けにも利用した。いくつかの「娯楽用住宅」を所有し、最初のものは「ドレヴィッツ物件」（マルヒョー市）とよばれ、おもに一家の休暇用に使われた。二番目はシェーネベックにある「グロース・デルのゲストハウス」で、クリスマスや新年、イースターの短い休暇で使われた。三番目の「ヴィルトファング物件」（狩猟用）はほぼ毎週末、そして週日の午後にも行なわれた狩りのためのものである。ショルフハイデにも二万七〇〇〇ヘクタールの土地を所有していたが、これはあのナチ幹部、ゲーリンクが所有していた土地である。専用車として乗用車が二一台、またオストゼーラント（「バルト諸国」）とよばれるヨットもあった。

女性が一番とすれば、ホーネッカーの第二の趣味は狩猟だった。所有していた拳銃とライフルは、高価なものだけで四二丁あった。儀典担当者だったフランツ・ヤスノフスキによれば、ホーネッカーは魚やジビエは食べず、ソーセージや煮こみ料理、ジャガイモなどの伝統的ドイツ料理が好きだったという。

ホーネッカーは情け容赦ない独裁者だった。その記憶はあまりにも鮮烈で、ある種の郷愁をおぼえさせるほどだ。マルクス・レーニン主義がプロレタリアートの希望の星だった一九二〇年代の共産主義理念の申し子だった（権力の座につくと、当初の信念を堅持しながら、そうした希望を裏切ることになるのだが）。死にいたるまで、世界は互いにあいいれない二つの陣営からなると信じ、ソヴィエト連邦は世界の未来であり、スターリンは父親であった。頭の切り替えができなかった彼は、自分を失脚させたのは裏切り行為と、ミハイル・ゴルバチョフを非難しつづけたが、彼のせいで政治生命を絶たれたのも事実だった。ドイツへの愛国心はナチの生々しい記憶ゆえに封印され、マルクス主義の信念のほうがつねにまさっていたから、ドイツ統一などとんでもないことだったのである。

一九九一年、ホーネッカーはベルリンでの裁判で見事な抗弁を展開し、こう述べている。「人生で一瞬でもわれわれの大義を疑ったことはありません。子どものころも、若いころも、それから政治活動をはじめてドイツ共産青年同盟（ＫＪＶＤ）で働き、ドイツ共産党に入ったあとも、一九三三年から一九三五年の反ファシスト抵抗運動でも、一九三七年から一九四五年にかけてファシストの刑務所にいたときも、一九三五年一二月にプリンツ・アルブレヒト通り［ゲシュタポ本部があった］に連行されたときも、一九三七年六月にナチの人民法廷で裁かれたときも、一九三五年末に第一ＳＳ装甲師団の兵舎につれていかれたときも、一年半の予防勾留のあいだずっと死刑と隣りあわせだったときも」

〈原注〉

1　ドイツ共産党（ＫＰＤ）は一九一八年から一九一九年にかけてのドイツ革命を背景に、一九一八年一二月に設立された。最初の指導者だったローザ・ルクセンブルクとカール・リープクネヒトは一九一九年一月に暗殺された。ドイツ共産党はコミンテルンとソヴィエト連邦の傘下に入り、その後スターリン主義に転じた。エルンスト・テールマン率いる同党は、西欧でもっとも強力な共産党となった。

2　ドイツ赤色救援会（Die Rote Hilfe Deutschlands, ＲＨＤ）は、一九二四年から一九三六年にかけて存在したドイツ共産党に近い政治的・法的援助機関。

3　ドイツ社会民主党（Sozialdemokratische Partei Deutschlands, ＳＰＤ）は一八九〇年以来この党名を名

のるドイツ最古の政党である。

4　スパルタクス青年同盟（Jung-Spartakus-Bund）は一四歳未満の若い共産主義者の組織である。

5　一九一八年の敗戦後、ザール地方はヴェルサイユ条約四五―五〇条の規定にしたがい、国際連盟の管理下に置かれた。一九二〇年からは国際連盟の委託を受け、フランスが一五年にわたってこの地域を統治した。委任統治の対象となった地域は面積一九一二平方キロ、人口七七万三〇人で、プロイセン王国のラインラント地方南部と、プファルツ地方西部で構成されていた。

6　エーリヒ・フリッツ・エミール・ミールケ（一九〇七―二〇〇〇）は、一九五七年から一九八九年に辞任するまで、東ドイツの国家保安大臣をつとめた。一九四六年以降、さまざまな治安機関を、広範な統制・監視・抑圧システムへと拡張した張本人の一人である。失脚後なんどか拘留され、一九九三年にベルリン地方裁判所から六年の刑を言い渡された。

7　ラインホルト・フリードリヒ・ヴィルヘルム・ピーク（一八七六―一九六〇）は、一九四九年から一九六〇年に死去するまで東ドイツの大統領をつとめた。

8　ルドルフ・ヘルンシュタット（一九〇三―一九六六）は東ドイツの日刊紙「ベルリナー・ツァイトゥング」の編集長で、社会主義統一党（SED）の機関紙「ノイエス・ドイチュラント」の創刊にも大きな役割を果たした。一九五〇年から一九五三年まで党中央委員会のメンバーであり、漸進的な自由化を主張した。ウルブリヒト打倒に失敗したあと、ヘルンシュタットをはじめとする反体制派は「党に敵対する派閥を形成」したかどで、一九五三年に政治局と中央委員会のメンバーからはずされた。同年、「ノイエス・ドイチュラント」編集長の座も失い、一九五四年にSEDから追放された。

9　一九四九年一〇月七日から一九九〇年一〇月二日まで、人民議会（Volkskammer）は東ドイツの立法府であり、名目上は東ドイツの最高憲法機関だった。

10　一九八八年、ゴルバチョフはソヴィエト最高会議幹部会議長に就任し、アンドレイ・グロムイコに代わって国家元首となった。一二月七日にはニューヨークの第四三回国連総会で演説し、一方的な軍縮を約束した。こうして彼はブレジネフ・ドクトリンと袂を分かった。このことがニュースで流れると、一九八九年、基本的に平和的な東欧革命の波がまきおこった。

11　「ドイツ最終規定条約」は東西ドイツと仏ソ英米四か国とのあいだで締結された条約で、一九九〇年九月一二日にモスクワで署名され、一九九一年三月一五日に正式に発効した。この条約によって戦後は終わり、ベルリンをふくむドイツ全土の占領に終止符が打たれた。

〈参考文献〉

Rüdiger Bergien, *Im « Generalstab der Partei ». Organisationskultur und Herrschaftspraxis in der SED-Zentrale (1946–1989) (Dans l'état-major du parti. Culture d'organisation et pratiques de pouvoir dans la centrale du SED, 1946–1989)*, Berlin, Ch. Links Verlag, 2017.

Alexander Burdumy, *Sozialpolitik und Repression in der DDR : Ost-Berlin 1971–1989 (Politique sociale et répression en RDA : Berlin-Est 1971–1989)*, Essen, Klartext Verlag, 2013.

Erich Honecker, *Aus meinem Leben (Ma vie)*, Berlin, Dietz, 14e éd., 1989.（ホネカー『私の歩んだ道――東ドイツ（DDR）とともに』、安井栄一訳、サイマル出版会、一九八一年）

—, *« Liebe Eva ». Erich Honeckers Gefängnisbriefe (« Chère Eva ». Les lettres de prison d'Erich Honecker)*,

Berlin, Das Neue Berlin Verlag, 2017.

——, *Letzte Aufzeichnungen (Dernières notices)*, Berlin, Éditions Ost, 2012.

Martin Sabrow, *Erich Honecker. Das Leben davor (Erich Honecker, la vie d'avant)*, Munich, C. H. Beck Verlag, 2016.

Klaus Schroeder, *Der SED-Staat. Geschichte und Strukturen der DDR 1949–1990 (L'État SED. Histoire et structures de la RDA 1949–1990)*, Cologne, Böhlau Verlag, 2013.

Frank Schumann (Hrsg.), *Letzte Aufzeichnungen. Für Margot (Derniers enregistrements. Pour Margot)*, Berlin, Éditions Ost, 2012.

Helmut Suter, *Honeckers letzter Hirsch. Jagd und Macht in der DDR (Le Dernier Chevreuil. Chasse et pouvoirs en RDA)*, Berlin, be. bra Verlag, 2018.

Stefan Wolle, *Der große Plan. Alltag und Herrschaft in der DDR 1949–1961 (Le Grand Plan. Vie quotidienne et pouvoirs en RDA 1949–1961)*, Berlin, Ch. Links Verlag, 2013.

——, *Die heile Welt der Diktatur. Alltag und Herrschaft in der DDR 1949–1989 (Le Monde intact de la dictature. Vie quotidienne et pouvoirs dans la RDA 1949–1989)*, 3 vol., Berlin, Ch. Links Verlag, 2013.

18 アウグスト・ピノチェト

リベラルな暴君

ミシェル・フォール

華々しいデビューを飾った、見慣れぬこの男はいったいだれなのだ？　ついこのあいだまではシビリアンコントロールを尊重する姿勢をくずしていなかったのに、選挙で選ばれたチリ大統領サルバドール・アジェンデに対する軍事クーデターに参加したこの将軍はだれなのだ？　多くのチリ国民にとってアウグスト・ピノチェトとは、びっくり箱から飛び出す鬼さながらに、――それまでは、用心深くめだたぬことを第一として、スキャンダルや悪目立ちとは無縁のキャリアを歩んでいたのに――突如としてドラマティックなニュースの主人公となった人物だった。このひかえめな軍人は一九七三年九月九日、〈社会党出身のアジェンデと彼が同盟を組む人民連合がたくらむ、チリでの共産主義体制確立の阻止〉を名目とする軍事クーデターを数か月前から準備していた海軍、空軍、憲兵隊の陰謀荷担者たちに、いわば後ずさりするようにして合流した。二日後の九月一一日に起きたクーデターは成功し、反乱軍が大統領官邸ラ・モネダを制圧するとアジェンデ大統領は自殺した。チリの四つの軍組織［陸軍、海軍、空軍、憲兵隊］の司令官で構成される軍事政権が成立し、ピノチェトはこれをたちまち掌握した。その後、人々はチリを語るときに、「軍事体制」ではなく「ピノチェト体制」を話題にすることになる。

アウグスト・ピノチェト・ウガルテは一九一五年一一月二五日、バルパライソで中産階級の家庭に生まれた。一九三三年、首都サンティアゴの陸軍学校に入学し、一九三七年一月に卒業して下士官となった。一九四三年に、影響力のある急進党上院議員の娘で、通っていた中学の美人コンテストで優勝した経験があるルシア・イリアルトと結婚した。ルシアは鬱気味で気難しい妻となるが、夫の野心を焚きつけつつ、五人の子どもを産む。ピノチェトは陸軍のなかで着実に出世を続け、ついに陸軍大将となった。一九七三年八月二三日、すなわちクーデターの一五日前に彼をこの栄（は）えあるポストに任命したのはサルバドール・アジェンデ大統領その人だった！

独裁は約一七年間続くことになる。矛盾だらけなので、一貫性らしきものを見つけようとしてもむずかしい独裁だ。反体制派をきわめて暴力的に弾圧するいっぽうで、チリの安寧、国民の団結と調和、国の将来や平和や繁栄にかんする――気休めの、とはいえおそらくは真摯（しんし）な――言説で、憎むべき行ないを包みこんだ。軍人たちは自分たちは民主主義者だと主張しつつ、法が支配する国に欠かせない制度や機構を一気に廃した。彼らは秩序と権威を愛したが、経済政策にかんして頼りにしたのは、思いきった規制撤廃へとチリを導くリベラルなエコノミストたちであった。

ピノチェトは、こうした支離滅裂をすべてとりこんだ政権運営を行なった。政治的しめつけと自由放任経済を、残忍で粗野な男たちと慈善事業を主催する上流婦人たちを共存させ、自身を権威の権化とするいっぽうで国家の権限を巧みに抑え、民主主義を殺しながらも憲法採択を国民の投票にかけ、ついには、自分の独裁を終わらせる国民投票を実施した。彼はおそらく、二〇世紀末においてもっとも嫌われた人物であるが、少なからぬチリ国民から母国の救世主とみなされている。チリを「新たなキューバ」となる運命から救っただけでなく、伝統に固執して保守的だったチリに思いがけなく近代的な新たな飛躍をもたらして、以前にはみられなかった安定と繁栄へと導いた功績をピノチェトに認める国民も数多く存在するのだ。

一九九〇年に民主主義が復活したあとも、ピノチェトは一九九八年まで陸軍総司令官として政界に睨みをきかせていた。その後、彼は終身上院議員となった。その数週間後、彼はロンドンに発ったが、スペインのバルタサール・ガルソン判事が出した国際逮捕手配書［チリ在住のスペイン人に対する弾圧が罪状とされた］にもとづいて逮捕された。約一五か月間、ロンドン郊外の邸宅で軟禁された後、ピノチェトは司法の場で罪を裁かれることなく、イギリス政府によって健康を理由として釈放された。チリに帰国したピノチェトは、彼の支持者たちによって凱旋将軍扱いされたが、やがて、不名誉な不正蓄財が明るみに出て捜査の対象となった。

チリと外国の判事複数の追求にあい――いずれもピノチェトを司法の場にひきずり出すことはできなかったが――、しだいに孤立したピノチェトは二〇〇六年一二月一〇日、家族に見守られ、サンティアゴの陸軍病院で亡くなった。享年九一歳。

慎重で上官たちに媚びへつらうことも多かったアウグスト・ピノチェトが豹変し、権力のすべての機構をわが手に集める巧妙ぶりを発揮したことには、とまどいをおぼえるほかない。一九世紀末からドイツ軍の指導を受けたためにプロイセンの影響を色濃く残したチリ軍の伝統にしたがい、軍人は政府に忠実であるべし、という信念を標榜していたピノチェトが唐突に、有能で容赦のないクーデター荷担者に変身したことを、どう理解したらよいのだろう。秩序、権威、縦の指揮系統を重んじる将軍がなぜ、自由や開かれた社会を信奉する若いエコノミストの一団に門戸を開いたのだろうか。政府への忠誠を重んじるクーデター荷担者、民主的な独裁者、リベラルな専制君主といった、ピノチェトにまつわる矛盾は、名状(めいじょう)しがたい偽善、混乱した精神に帰せられるべきものなのだろうか。それとも、意外なことに、ピノチェトは心から忠誠、民主主義、リベラリズムを奉じていたのだろうか?

以上の混沌から、三つの現実が浮かび上がる。暴力による政治、民主主義へのノスタルジー、リベラリズムの誘惑である。これは特異な三徴候であり、特異なだけにその分析は特段に刺激的なものとなる。

暴力

冷戦のまっただなかにあった一九七〇年、チリで大統領選挙が実施されてアジェンデが勝利した。ワシントンのリチャード・ニクソン大統領はチリ新大統領の「尻を蹴り上げる」ことを誓い、CIAにアジェンデの統治の邪魔をし、チリ経済を「締め上げる」使命を託した。ソ連のKGBは一九五〇年代からアジェンデに目をかけており、大統領をめざすのであれば支援すべき「優先的な連絡相手」として扱っていた。ピノチェトは厚遇してもとくに利点がない高官の一人とみなされていたので、C

アウグスト・ピノチェト（1915–2006）とクーデターの仲間、1973年9月。

ＩＡは長いこと彼を無視していた。ピノチェト軍事政権が終わったあとにはじめて民主的な手続きで選ばれた大統領パトリシオ・エイルウィンがある日のこと、権力の座にあったときに犯した人権侵害を後悔しているか、とピノチェトにたずねたところ、「わたしたちは戦争状態にあったのですよ、大統領閣下」との答えが返ってきた。どんな戦争だったのか？　チリの左翼に対する戦争？　しかし、この戦争は、クーデター後の数週間で敵の戦闘員が消えさったので短期間で目標を喪失した。軍事政権の犠牲者の大半は、一九七三年の最後の数か月のあいだに殺されるか、投獄されたのだ。

チリの右派と大多数の軍人にとってクーデターは、共産主義体制の誕生を阻止する必要性にこたえるものだった。アジェンデ大統領が「社会主義に向かうチリの道」と述べて、共産主義体制を予告していたではないか。一九五九年一月にフィデル・カストロがキューバで政権を奪って以来、南米の他国への共産主義の浸透は、さしせまった脅威とみなされていた。ゆえに、ピノチェトにとってチリはまちがいなく戦争状態にあった。そして、共産主義者は彼の敵だった。軍事クーデター首謀者の一人であった空軍総司令官グスタボ・レイグ将軍は、ある演説のなかで、国の身体である社会を汚染する「マルキシズムの癌を完全に摘出」せねばならない、しかも「その究極の結果が出るまで」やりとげねばならない、と述べた。この発言は、「除染された」国としてチリを復活させるために国内のマルキシストは全員殺せ、というよびかけだと解釈してしかるべきだ。ピノチェトらにとって九月一一日のクーデターは、これから長く続く独裁の第一回の戦いにすぎなかった。いわゆる通常の民主主義とは別物の民主主義——ピノチェトはこれを、「権威的で、保護された」民主主義と定義した——を確立し、当初に体制が手を染めた犯罪の免責を確保するのに必要なだけの期間は、独裁を続けねばならない。

ゆえに、ピノチェトの軍事体制の出発点にみられた暴力は事故ではなかった。戦略的な意図と、国家救済の思想にもとづいていたのだ。この暴力の実行に活用されたのは、秘密警察のDINA（国家情報局）と、「コンドル作戦」であった。コンドル作戦は、南米のコーノ・スール［南端部］の国家元首たちがいってみれば「国境なき独裁者団」を組織して、反体制派弾圧のために展開していた共同作戦であった。野蛮で荒っぽいこの暴力は、かならずといっていいほど拷問をともなった。チリ軍事独裁の犠牲者を、一九九一年のレティグ報告書は二二九八人の死者もしくは行方不明者とみなしており、二〇一一年のバレク委員会による二回目の報告書は二三二八人の死者もしくは行方不明者とカウントしている。この痛ましい数字にくわえ、約二〇万人が亡命を余儀なくされた。

この時代を知るための必読書である「ピノチェト体制」の著者であるチリの大知識人、カルロス・ウネエウスは、この体制を描写する言葉として「独裁」はあまりにも不明瞭だ、と考える。ウネエウスはピノチェト体制になんのシンパシーもおぼえていない。「［この体制］は、存続していた一七年間、警察国家であることを一度もやめておらず、国民を厳しく監視し、反政府組織を一貫して迫害してきた」からだ。だが、ウネエウスは「権威主義体制」とよぶほうが好ましいと主張する。なぜなら権威主義体制は民主制ではないが、全体主義ともよべないからだ。共産主義体制は――南米ではフィデル・カストロがキューバで敷いた体制が行なったように――、民間人の生活を完全なコントロール下に置こうとするが、権威主義体制はそのようなことを求めない。ハンナ・アーレントの定義によると、全体主義システムの目的は、「個人一人一人を、その生活のすべての面で恒常的に支配」することである。ピノチェト体制は、政治権力の権威的なメカニズムを有無をいわさず受け入れされたが、自分たちの権力にとって脅威にならぬかぎり、チリ社会が経済面や宗教面や社会活動面で自由に機能することをさまたげなかった。ゆえに、アーレントの定義には合致しない。

もし、ピノチェト独裁の初期があれほど暴力的でなかったとしたら、もし軍事政権があれほど長いあいだ、正当化の理由がなくなった反共の戦争状態を続けなかったとしたら、ウネエウスの分析に納得できるのだが。ほぼすべての囚人を拷問し、彼らを大量に殺し、彼らの死体や死体の残りを消しさったピノチェト体制の行為は通常では考えられぬほど残酷で野蛮であることを考えると、この体制の権威主義は相対的に「まとも」であったとは認めがたい。

その暴力性そのもの――野蛮な拷問、人権と人命の軽視――、民主主義の諸制度の撤廃、一九七八年まで維持されて一九八三年にふたたび出された戒厳令、国境を越えた弾圧の拡大ゆえに、ピノチェト体制は独裁の名に値する。そのリーダーは、モンテスキューが定義するように、「自分の意向のみを法として統治する」専制君主であった。

民主主義の模造

しかし、専制君主ピノチェトには両面性があった。ピノチェトはあきらかに最高権力が気に入ってしまい、これをだれかと分かちあうつもりなど毛頭なく、可能なかぎり長く独占しようと努めた。しかし、自身の絶対権力好み、側近たちが自分に接するときのうやうやしさ、自分に仕える数多い従卒や執事、自分が着るきらびやかな制服、外国を公式訪問するときに手にする現金入りの封筒、忠実で献身的で墓のように無口な護衛、訪問する各地で握手を求めて手を差しのべ、ときには電話番号を記した紙をそっと手渡す女性ファン、そうしたすべてに酔いしれていたものの、ピノチェトは法によって自分を正当化する――すくなくとも見かけだけでも――最良の方法を探ろうとした。ゆえに彼の独裁は、民主主義の諸制度を停止したにもかかわらず、民主主義の原則をサブリミナルなイメージのごとく希薄な形で保っていた。

一九七三年九月、アウグスト・ピノチェトは新憲法の起草を命じた。議長となった弁護士エンリケ・オルトゥサールの名前をとってオルトゥサール委員会とよばれる起草委員会が発足した。委員のなかには、一九七〇年九月の大統領選挙でアジェンデに僅差(きんさ)で敗れた保守派の元大統領ホルヘ・アレッサンドリと、頂点に立って軍事政権を掌握するようにピノチェトをうながすことになるカトリック原理主義者かつ立憲主義者のハイメ・グスマンがふくまれていた。同委員会に託された使命は、効力が一九七三年九月一一日までとされた一九二五年の憲法に替わる憲法案を練ることだった。その後の一九七六年一月、ピノチェトは、同委員会による憲法草案の仕上げをする、とのふれこみの「国家評議会」を発足させることになる。メンバーは元政治家や引退したエリート公務員であり、月に二回の会合をもち、意見を具申したが、だれもが無視しているようだった。

一九七四年三月一一日、軍事政権は憲法の第一草案である「チリ政府原則宣言」を発表した。この草案は「国の再建」を説き、「キリスト教にもとづいた人と社会の概念」を認め、その一環として「国家が否定することができない人間の尊厳とその自然権」を認知していた。そして、国家は「人につくすものであり、その逆ではない」と定めていた。さらに、国家は「人間社会の、法的にもっとも高位にある形態」であり、その究極の目的は「全般的な共通の利益」である、と記されていた。

ピノチェトは一九七七年九月九日、グスマンがスペインのフランコ派青年組織をモデルに創設した国民統一青年前線の集まりで演説し（チャカリヤス演説として有名となる）、自身の野心――そして両面性も――を明らかにした。このなかでピノチェトは「権威的で保護されている民主主義」を提唱した。権威的であるのは「判決を実行に移す力をもつ独立した司法を守りつつ、個人の権利を保証する法秩序を基本とするから」であり、保護されているのは「無邪気で無防備な従来のリベラル国家に置き換えて、人間の自由と尊厳およびわれら国民の基本的な価値観につくす新たな国家」をうち立てるためである、なぜなら「自由と民主主義は、これらを破壊することを公言する者たちに対して自衛しなければ、存続することはできない」からだ、とピノチェトは述べた。

ラジオおよびテレビでも流されたこの演説で、ピノチェトはまた、チリは「三つの段階」をふんで「通常の憲政」に回帰する、と予告した。第一段階は、一九七七年から一九八一年にかけての「回復」段階であり、この間に憲法が整備される。次は一九八一年から一九八五年までの「移行」段階であり、「政府から指名される、もしくは政府から白紙委任される立法議会」が設立される。一九八五年以降の最終段階では、「通常の憲政」がはじまり、軍政が民政へと移行する。

アメリカの政治学者ロバート・バロスは、独裁者としては前代未聞のこの姿勢を「専制の自主規制」とよんでいる。本人が何を言おうと、ピノチェトはクーデターへの参加を最後の最後になって決断し、さもないと自分は生き残れないという思いだけで九月九日に叛乱将官たちに合流したことは周知の事実である。ゆえに、彼は運命の悪戯（いたずら）で独裁者になった、といえよう。ただし、独裁者の地位につくと、短時間でこの役柄が気に入って本気で取り組むようになったが。彼が民主主義の基盤を築くという考えをこの段階でもっていたことは、独裁政治に対して躊躇いをもっていたことを意味する。国際社会から独裁者として指差されていることに対する絶望、そして矜持につき動かされ、自分の政治体制を新たな民主主義の母型としよう、と願ったのであろうか？　しかも、市場の「見えざる手」によって管理される自由経済を導入しようと考えた。真の動機が何であったにせよ、ピノチェトはそうした方向をめざした。

「銃剣の先端で書かれた」憲法

それまで無用の長物であった国家評議会は、一九七八年一〇月からようやく仕事をあたえられ、オルトゥサール委員会の草案を検討することになった。元大統領アレッサンドリの主導により、草案は民主主義への回帰を早めるために修正された。評議会は、移行期間を五年に短縮することを提案した。ピノチェトは拒否し、一六年は必要だと強硬に主張し、中ごろにあたる一九八八年に民意を問う国民投票を行なう、とした。彼はこうして、自身の独裁のはるか先の終焉の可否を国民の決定にまかせると決め、強圧的な力と民主的な合法性とのあいだでゆれうごく両義性をまたしても示した。

一九八〇年の憲法を社会党上院議員セルヒオ・ビタルは「銃剣の先端で書かれた」と評しているが、これが法治国家と民主主義——「権威的で保護された」民主主義であることは確かだが——の一定の原則を定めていることは確かだ。たとえば第四条は、「チリは民主主義共和国である」と定め、「チリ政府原則宣言」を踏襲して、人は国家の上に立つものであり、国家の究極の目的は公益である、との原則を打ち出している。ただし、「家族を敵視する概念」をかかげる、もしくは「階級闘争」にもとづくあらゆる運動や組織は許容されない。

この憲法により、大統領に大きな権限を認める政治体制が確立した。国家元首たる大統領には議会の解散権があたえられた。とはいえ、下院は存在することになり、それまで軍事政権に奪われていた立法権を行使できるようになった。上院も制定され、一部の上院議員は選挙で選ばれるのではなく指名されることになった。これにより、ピノチェトは独裁が終わった後に終身上院議員となり、不逮捕特権を享受できることになった。憲法は同時に、行政行為と衆議院が採択した法律を検閲する権限をもつ憲法評議会も制定した。軍隊は国の機関や組織の健全性を保証する存在とされ、司令官たちは罷免されないことになった（ここでも、ピノチェトは自身の将来を考えていた）。さらには、この憲法は、最高裁、会計検査院の役目を果たす国家総監、選挙の適法性を検証する選挙裁判所、といった一定数の機関の強化も可能とした。

一九八〇年九月一一日の国民投票は、この憲法を賛成票六七パーセント（反対票は三〇・二パーセント）で承認し、同時にピノチェトを任期八年のチリ大統領に指名した。投票の条件および集計は公正明大とはよべなかったが、それでも最初の難関はのりきった。

チリのジャーナリスト、ラケル・コレアとエリサベート・スベルカゾーに対して、ピノチェトは「わたしは民主主義者である、ただしわたしの流儀で」と述べている。彼は民主主義を「保護」していると自負していたが、彼が優先したのは、民主主義の重要な機関の一つである司法を機能不全にすることで、自分と軍人たちを民主主義から保護することであった。一九七八年四月一八日、恩赦法との名で知られている法令が公布された。この恩赦が対象としたのは、「一九七三年九月一一日から一九七八年三月一〇日までの戒厳令下において、犯人もしくは共犯、または上司として犯罪行為にかかわったすべての者」であった。この法律は同時に、「一九七三年九月一一日以降に軍事法廷で有罪を言い渡された者たち」にも恩赦をあたえることで、人権侵害を犯した軍人が刑事や民事の責任を問われたり、軍事法廷で裁かれたりするおそれをなくした。

リベラルな専制君主

ピノチェトの独裁の三つ目の特徴は、秩序、規律、垂直的な指令体系を重んじる軍事体制と、世界のフラット化の伝道師で民主主義の支持者であるリベラルな若いエコノミストのグループとの組みあわせである。

彼らはシカゴ・ボーイズとよばれた。アジェンデ政権の遺産である経済破綻を示す数字を前に軍人たちが頭をかかえているところに、シカゴ・ボーイズはエル・ラドリージョ（煉瓦）と題された経済計画をたずさえて登場した。自国経済を改革しようと熱意を燃やすこれら若いチリ人たちは、サンティアゴ・カトリック大学の卒業生であった。彼らは同大学の経済学部の学部長、セルヒオ・デ・カストロの薫陶を受けていた（デ・カストロは、やがてピノチェトの顧問に、次いで大臣となる）。一九五五年、サンティアゴ・カトリック大学経済学部は、通貨供給の抑制と、保護主義撤廃による市場の自由化を説くリベラルな教えのメッカであったシカゴ大学経済学部との交流を開始した。その結果、一九五〇年代終わりのチリでは、経済的リベラリズムの原則を支持するエコノミストの活発な一派が形成されていた。保守派の日刊紙エル・メルクリオ[1]は、新自由主義経済を世論に浸透させる有効なスポークスマンとなり、記事や社説でくりかえしシカゴ・ボーイズの主張を紹介した。

セルヒオ・デ・カストロがピノチェトに提案するエル・ラドリージョは、チリ経済の現状を批判し、「三〇年もしくは四〇年も前から」蓄積している問題を列挙した。いわく、低成長、極端な国家管理主義、生産的な雇用の欠乏、インフレ、農業の遅れ、極貧である。シカゴ・ボーイズは、こうした低成長が何十年も続いたことが「マルキシズムのデマゴギーに、つけいるすきをあたえてしまった」と結論づけた。

新自由主義経済時代を拓(ひら)くためにシカゴ・ボーイズが軍人たちに提案したのは、つまみ食いは許されないワンセットである、と彼らが考える一連の政策であった。すなわち、中央集権打破、貿易の自由化、資本市場の自由化、価格設定の自由、通貨供給量と税の抑制、予測や社会保障や所得再配分の政策の管理改良、市場とヒューマンキャピタルの機能改善、集団的消費サービスの規模拡大と効率化である。シカゴ・ボーイズは「われわれの提案の目的は、以下の実現である。多数派および少数派の市民に権利の享受を保証する、真に民主的な体制を構築して、高く安定した成長率を達成すること」と述べている。言い換えると、経済的自由主義の実現は、政治面での自由化を前提としていたのだ。

反革命

クーデターから三日後、ピノチェトはデ・カストロを政府に迎え、経済大臣フェルナンド・レニスの公式顧問、そして自身の非公式顧問とした。優秀なインテリであったレニスは、段階をふんで徐々に経済危機から脱するべきだとの考えに固執した。これに対してデ・カストロは「ビッグバン」を起こすべきだ、と主張した。一九七五年、ピノチェトはデ・カストロの考えを支持し、彼に経済大臣のポストを託した。

　独裁者とリベラルという、まことに不つりあいな組みあわせを疑問視することは当然だし、考察してしかるべきだ。なぜ、民主主義を希求（ききゅう）すると公言しているエコノミストたちは、上に立つ者の権威とその他の者の服従のみを信じていたクーデター荷担者たちに近づき、リベラルな経済政策プログラムを提案したのだろうか？　なぜ、軍事政権は、自分たちの条件反射的行動や伝統とは相いれないプログラムを練りあげた民間人と手をたずさえることを受け入れたのだろうか？「経済に無知な軍人たちは、自分たちと同じようにマルキシズムを嫌っている者たちが、すぐに実行に移せばいいようにお膳立てしてくれたプログラムを受けとって大喜びした」という話がさんざん語られてきた。経済音痴であったピノチェトは、「国の経済を建てなおすことで軍事政権内における自分の優位を確固たるものにするチャンスをシカゴ・ボーイズはもたらしてくれる」と考えたのだろう、と推測する者もいる。しかし、どちらもまちがっている。ピノチェトの世代は、一九五七年にチリにやってきた、コンサルタント会社クライン・サックスに所属するアメリカ人エコノミストたちが経済再建策として示したリベラルな提案に強い印象を受けていた（当時のチリ経済は、カルロス・イバニェス・デル・カンポ大統領がよかれと思って実施した政策が仇（あだ）となって息も絶えだえとなった）。この世代はまた、エル・メルクリオ紙とシカゴ・ボーイズが書いた論考を読んでいた。さらにいうと、クーデターの前にエル・ラドリージョの草案にはじめて目をとおし、感銘を受けたのは海軍の将校数名であった。ピノチェトの若いころからの友人で、その後に軍事政権のメンバーとなるホセ・メリノ海将も、そのうちの一人であった。メリノは、バルパライソに置かれた、入会者を厳選するクラブ、南太平洋航海協会の設立者であった。このクラブは一九六〇年代の終わりから、将校や、エル・メルクリオ紙を傘下にかかえるエドワーズ・グループの幹部たちの溜まり場となっていた。このクラブのおかげで、ずいぶんと以前からリベラルな考えをもつ陸海軍の軍人が存在していたのだ。ピノチェトもその一人であり、メリノはいわばそうした軍人たちに教えを告げる予言者であった。このメリノは、クーデターを起こした九月一一日の朝に出した声明のなかで、クーデターという言葉を使うことへの嫌悪感を表明した。「われわれの生き方、われわれの遵法（じゅんぽう）精神、われわれの公民としての強い信念」にそぐわない言葉である、というのが理由だった。メリノはまた、「われわれの目的は、あらゆる状況にあるチリ国民全員の幸福、すなわち国民とその子孫が明日の心配をすることなく平和に安寧に暮らすことのみである」と述べ、「幸福の追求」は正当な権利であるとの考えを示すことで、アメリカの独立宣言への敬意を間接的に表明した。ピノチェトはメリノのように美しい言葉をつらねることはなかったものの、その考えには同意していた。ピノチェトはエル・ラドリージョを、アジェンデが実施して大失敗に終わった社会主義政策とは正反対の答である、と認識していた。これこそ、国家がすべてに介入する中央集権的な経済をひっくり返すための政策プログラムだ、と思ったのだ。ナオミ・クライン［カナダのジャーナリスト、作家］がエル・ラドリージョを「反革命」とよぶのは正しい。ただし、クラインはこの言葉を賛辞ではなく非難として使っているが。

チリのシカゴ・ボーイズは、自分たちは政治家ではなく、経済の「テクニシャン」である、と主張した。彼らは、軍事政権の暴力や反体制派の悲劇的運命には目をつぶった。個人の自由を擁護する立場にあるはずの人々がなぜ？　唯一の説明――彼らの責任を不問とする理由とはならないが――は、自分たちの考えを実行に移す千載一遇のチャンスを逃したくないという思いがまさったから、というものだ。選挙の洗礼を受ける政治家のうちに、急激な景気後退ではじまる荒療治を選挙民に予告する勇気がある者などいるだろうか？　理論的には、その後に景気は回復することになっているとはいえ、確信はないのだ。だが、選挙とは無縁の独裁者には、何であろうと可能だ。ピノチェトが権力の座についた以上、国民がとやかく文句をつけることは不可能となった。ゆえに、一貫性のあるリベラリズムを、そこそこに発達した国に適用する、はじめての実証実験をさまたげることができる者は一人もいない。シカゴ・ボーイズは、ピノチェトのそれとは異なる工程表をもっていた。彼らは、だれにも邪魔されずに自分たちの計画を実行することを可能とする独裁を通じて、遠くない未来にリベラルな民主主義を実現するつもりだった。倫理的に問題がある、大胆な賭けであった。他方、このリベラルな実験はピノチェトにとって、自身の反共主義と、「権威的で、保護された民主主義」によって「チリを救う」という自分の考えと共生できるものであった。彼はまた、物価と給与の決定およびリソースの配分を市場原理にゆだねることを、組合や官僚機構といった、権力と国民のあいだに介在する組織を弱体化する理想的な手段だとみなしていた。こうして、夜になると邪悪なハイド氏に変身する紳士的なジギル博士のごとく、手を結んだピノチェトとシカゴ・ボーイズのどちらも、二つの顔をもっていた。ピノチェトは大胆な近代化を成功させた偉人として歴史に名を残すためにリベラリズムを利用することをもくろみ、リベラルなシカゴ・ボーイズたちはピノチェトの威を借りて、将来の自

正装したピノチェト、1985年9月。

由な社会の基盤を強引に築こうとしていた。

ファウスト博士と悪魔の契約を思わせる、この奇妙な同盟関係は、あきらかな成果をもたらした。リベラルな経済改革は、二つの世界レベルの危機——一九七五年の石油危機と、一九八〇年の金融危機——にもかかわらず、チリ経済の構造を根本的に変え、急速かつ持続的な経済成長をもたらした。

だが、自由には感染力があることが明らかになった。しめつけが多いチリの国内で、自由は経済分野の枠をはみ出し、市民社会に浸透し、若者を中心に、自分たちの権利を享受したいという強い願望を焚きつけた。ピノチェトは——おそらくは自分の行為が何をもたらすのかを自覚しながら——、権力の宴席に、リベラルなエネルギーによって彼の体制の基盤を切りくずすことになるエコノミストたちを招待したのである。

ジョ・ボイ・ア・デシール・ノー！

民主主義への回帰は一九八三年に、じつにチリらしい流儀ではじまった。すなわち、約束されていた「移行」期に突入した独裁の不安げな監督下で、慎重に、真剣かつ用心深くはじまった。弱体化した政党が力をとりもどすために連合を組むことが可能となって、政界再編がはじまった。もっとも有力な政党連合は、一九八三年八月に結成された民主同盟であり、左派の社会党、中道派のキリスト教民主党、右派だが独裁に批判的な新党の共和党の集まりであった。

キリスト教民主党の創設者の一人で、同党の党首であったパトリシオ・エイルウィンが積極的に動いた。一九八四年七月、エイルウィンは一九八〇年の憲法を既成事実として承認することを提案した。「移行」プロセスの枠組みにおいて、政府と憲法の文言を交渉することが目的であった。

一九八八年一〇月五日に国民投票が行なわれ、チリ国民は、ピノチェト大統領の任期をさらに八年延長することへの賛否を表明できることになった。賛成票が上まわれば、ピノチェトは一九九六年まで大統領の座にとどまることになる。反対票が上まわれば、ピノチェトは大統領職にあと一年とどまり、その後に議会選挙と大統領選挙が行なわれる。

今回は、不正防止のための制度がすべて整っていた。選挙人台帳が整備され、選挙裁判所が開設され、選挙運動も認められた。一九八八年の九月五日から一〇月一日まで、「賛成」もしくは「反対」をよびかけるプロパガンダがテレビ画面に流された。公平を担保するため、二つの陣営のテレビでのよびかけは毎回、一五分ずつと決められた。

権力側がテレビで流したビデオは、アジェンデ時代の悲惨な状況——品薄の商店の前にできた長い列——を映し出した。そうした白黒の陰鬱な映像が、過去への逆戻りの恐怖をあおり立てた。若手広告クリエーターたちが考案した「反対」キャンペーンは陽気でカラフルで、多くの場合はユーモラスで、「ラ・アレグリア・ジャ・ビエネ（喜びがいま、やってくる）」という楽観的なスローガンと、各節がジョ・ボイ・ア・デシール・ノー（「わたしは、ノーと言う」）で終わる歌が流れて、視聴者の心を駆りたてた。この浮き浮きとした気分は、一〇月五日から六日にかけての夜に投票結果が発表されると、さらに強まった。反対票五五・九九パーセント、賛成票四四・〇一パーセントでピノチェトの任期延長がしりぞけられたのだ。

ピノチェトは第一の反応として、自分の敗北を認めることは問題外だ、と自陣に伝えた。彼は同僚三人に「わたしは退場しない」と宣言し、「大混乱を起こそうとしている共産主義者どもを一掃する」ために軍の部隊を国中に展開するつもりだと告げ、「軍はこれを支持する」との文言をそえて自分に全権をあたえる文書に署名するよう求めた。この態度は、レイグに替わって空軍司令官となっていたマッテイを怒らせた。マッテイは当時のやりとりを、二〇〇三年に出版された「ミ・テスティモニオ［わたしの証言］」のなかで明かしている。この本によると、マッテイはピノチェトの手から全権委任状を奪いとって「びりびりに破き」、「われわれは敗れたが、不名誉な敗北ではない」とピノチェトに述べた。メリノ海軍司令官もマッテイ空軍司令官に賛同し、「憲法を尊重しないことは、すべての人から不名誉だと指弾される所業（しょぎょう）」との考えを表明した。三人目、すなわち一九八五年から憲兵隊総監をつとめていたロベルト・スタンへはためらったが、最後にはマッテイとメリノの側につき、国民投票の結果を尊重すべきだとの立場をとった。しかし、その場の雰囲気は非常に緊迫したものであり、同席していた参謀長が心筋梗塞を起こすほどであった。ピノチェトも最終的に、新たなクーデターを起こす計画を放棄した。夜中の二時三〇分、内務大臣のセルヒオ・フェルナンデスが選挙結果を発表し、ピノチェト任期延長への賛成票が反対票を下まわったことを認めた。この夜、軍は動かなかった。一〇月六日、何千人ものチリ国民が各地の都市の通りに飛び出して「喜び」を表明した。

一年後、バルパライソに置かれたブルータリズム建築様式の新国会議事堂のなかで行なわれたセレモニーにおいて、パトリシオ・エイルウィンはピノチェトの後継者として大統領に就任した。だがピノチェトはその後も一〇年間、陸軍最高司令官の地位にとどまって、民政に危害をくわえる潜在力を保持することになる。一九九八年、ピノチェトは終身上院議員となった。ロンドンでの拘束、秘密口座の存在の暴露が、彼の最晩年の汚点となった。

天上の主君

チリの司法当局はピノチェトの犯罪に注目し、最高裁は二〇〇〇年八月に彼の議員としての不逮捕特権を破棄した。ピノチェトは二〇〇一年、軍による弾圧の犠牲者の死にかんする責任を問われ、フアン・グスマン判事によってはじめて起訴された。次に二〇〇四年に、コンドル作戦における責任を問われた。高齢と健康状態の悪化を理由に、グスマンはピノチェトに自宅軟禁を課した。ピノチェトは最晩年の二年間を、太平洋沿岸のロス・ボルドスの自宅で鬱々（うつうつ）としてすごす。人間の裁きに対して彼は無力で、なにも彼を守ってくれなかった。彼の頭にあったのはもはや、神の裁きのことだけだった。残っていた最後の友人の一人が歴史の本を手土産（てみやげ）に訪問すると、自分には読書にあてる時間がもはや残されていない、と述べた。そして天を指さし、「いま、わたしは天上の主君のことを考えている」のだ、と説明した。

二〇〇六年一二月一〇日、ピノチェトは名誉を汚されたままで――とはいえ、家族に囲まれて自分のベッドで息を引きとった。最後の言葉は、手をにぎっていた妻にかけたものだった。瞑目する直前に「ルーシー」とささやいたのだ。享年九一歳。司法は称賛に値する努力を傾けたものの、ピノチェトを裁くことはついにできなかった。

〈原注〉

1　チリにおいてCIAが展開した秘密作戦にかんするアメリカ上院委員会の報告が明らかにしたところによると、CIAはサルバドール・アジェンデの政府を弱体化することを狙い、一九七一年九月に七〇万ドルを、一九七二年四月に九六万五〇〇〇ドルをメルクリオ紙に支払っている。

〈参考文献〉

書籍

Hernán Büchi Buc, *La transformación económica de Chile, Del estatismo a la libertad económica*, Santafé de Bogotá, Colombia, Editorial Norma, 1993.
Raquel Correa, Elizabeth Subercaseaux, *Ego Sum Pinochet*, Santiago, Zig Zag, 1989.
Claudia Farfán et Fernando Vega, *La Familia, historia privada de los Pinochet*, Santiago, Random House

Mondadori, 2009.

Mónica González, *La Conjura, los mil y un días del golpe*, Santiago, Editorial Catalonia Escuela de Periodismo UDP, 2012.

Carlos Huneeus, *El Regimen de Pinochet*, Santiago, Editorial Sudamericana, 2000.

Peter Kornbluh, *The Pinochet File : A Declassified Dossier on Atrocity and Accountability*, Washington, National Security Archive Book, 2003.

Alejandra Matus, *Doña Lucia, la biografia no autorizada,* Santiago, Ediciones B Chile, 2013.

José Piñera, *Pour un système de retraite qui marche ! La réforme chilienne*, Paris, L. C. éditions, 2013.

Gonzalo Vial Correa, *Pinochet, la Biografia*, Santiago, El Mercurio/Aguilar, 2002.

El Ladrillo, Bases de la politica economica del gobierno militar chileno, Santiago, Centro de Estudios Publicos, 1992. Sur le web : http:// www.memoriachilena.cl/archivos2/pdfs/mc0032306.pdf

報告書

Le rapport de la Commission Vérité et Réconciliation (dite Commission Rettig) peut être lu sous ce lien : https://web. archive.org/web/20091223174254/http://www.ddhh.gov.cl/ ddhh_rettig.html

Les différents rapports de la Commission Valech peuvent être lus sur le site de l'Instituto Nacional de Derechos Humanos du Chili (INDH) : https://www.indh.cl/

Le rapport du comité du Sénat américain sur les opérations secrètes de la CIA au Chili, présidé par le sénateur Frank Church : https://www.intelligence.senate.gov/sites/default/files/94chile.pdf

記事

John Lee Anderson, « The Dictator », *The New Yorker*, 19 octobre 1998.

Michel Faure, « Quand Pinochet tuait hors du Chili », *L'Express*, 30 septembre 1999.

Rolf Lüders, « La Misión Klein Saks, los Chicago Boys y la Política Económica », Santiago, *Pontificia Universidad Catolica de* Chile, 2012.

Javier Ortega, « La vida íntima y cotidiana de Pinochet en La Dehesa y Bucalemu », *La Tercera*, 2 décembre 2001.

Jorge Rojas y Carla Celis, « La historia de los pelados del '73 : Los soldados que asaltaron Santiago », *The Clinic*, 11 septembre 2013.

郵便はがき

料金受取人払郵便

新宿局承認

1993

343

差出有効期限
2021年9月
30日まで

切手をはら
ずにお出し
下さい

(受取人)
東京都新宿区
新宿一－二五－一三

原書房

読者係行

1608791343　7

図書注文書（当社刊行物のご注文にご利用下さい）

書　名	本体価格	申込数
		部
		部
		部

お名前　　注文日　年　月　日

ご連絡先電話番号　□自　宅　（　）
（必ずご記入ください）　□勤務先　（　）

ご指定書店（地区　）（お買つけの書店名をご記入下さい）	帳	
書店名　書店（　店）	合	

5750
独裁者が変えた世界史 下

愛読者カード　オリヴィエ・ゲズ 編

＊より良い出版の参考のために、以下のアンケートにご協力をお願いします。＊但し、今後あなたの個人情報（住所・氏名・電話・メールなど）を使って、原書房のご案内などを送って欲しくないという方は、右の□に×印を付けてください。 □

フリガナ
お名前　　　　　　　　男・女（　　歳）

ご住所　〒　　－

市　　町
郡　　村
TEL　（　　）
e-mail　　@

ご職業　1会社員　2自営業　3公務員　4教育関係
5学生　6主婦　7その他（　　　）

お買い求めのポイント
1テーマに興味があった　2内容がおもしろそうだった
3タイトル　4表紙デザイン　5著者　6帯の文句
7広告を見て（新聞名・雑誌名　　　）
8書評を読んで（新聞名・雑誌名　　　）
9その他（　　　）

お好きな本のジャンル
1ミステリー・エンターテインメント
2その他の小説・エッセイ　3ノンフィクション
4人文・歴史　その他（5天声人語　6軍事　7　　　）

ご購読新聞雑誌

本書への感想、また読んでみたい作家、テーマなどございましたらお聞かせください。

19　ポル・ポト
流血のカンボジア

ジャン＝ルイ・マルゴラン

　クメール・ルージュ*はその政権下で、カンボジア全人口の五分の一から四分の一（一五〇万人から二〇〇万人）を死に追いやった。二〇世紀の歴史に残る虐殺のなかでもクメール・ルージュの大量殺戮行為は、侵略者のしわざでもなければ、特定の民族の絶滅計画にもとづく行為でもなく、ほかに類を見ないものだった。一九六〇年代の終わりには共産主義集団としては影が薄かったクメール・ルージュが一九七五年四月に政権の座にのぼりつめたのは、次のような偶然が重なった結果である。まず彼らの政敵たちは無能なうえに、腐敗ぶりを隠そうともしていなかった。一方、隣国ベトナムの戦況は一九六四年から悪化し、国家元首シハヌーク殿下は政治的な中立を維持できなくなっていた。一九七〇年三月、みずからが任命した首相ロン・ノル将軍のクーデターによって倒されたシハヌークは、まったく思想の異なるクメール・ルージュにすりよっていく。また、残虐な内戦はアメリカ軍のおもに空爆による攻撃によってさらに激化したが、その間北ベトナムはカンボジアの兄弟党を支援すべく、大規模な軍事介入を実施した。そして、一九七三年アメリカがインドシナ紛争から手を引くと、クメール・ルージュとポル・ポトの巧みな戦術と不退転の決意が、彼らを政権へ押し上げた。プノンペンは一九七五年四月一七日に陥落し、住民は平和をとりもどして安堵する…どころか、一人残らずただちにプノンペンから退去を余儀なくされた。あらゆる都市は閉鎖され、国家も鎖国体制をとり、カンボジアは突然月よりも遠く、ふみこめない土地となってしまった。難をのがれた数少ない人たちの証言は、前代未聞の圧政による飢餓と流血の恐るべき実態を伝えた。クメール・ルージュは自国民を極限まで消耗させ、やがてたえまない粛清の連鎖による自己破壊行為が国の弱体化をまねいた。挑発を受けたベトナムが一九七八年のクリスマスに電撃的攻撃をしかけると、クメール・ルージュの軍隊はあっさり打ち破られることとなった。また同時にこの戦いは、最初の「共産政権同士の全面戦争」であり、中ソ対立がひき起こしたもっとも厳しい武力衝突となった。年明けの一月七日にプノンペンは陥落し、あるいは見方を変えれば解放された。この残虐な体制を生きのびた人たちが、ぼろ着をまとい飢えに苦しみ、道路をさまよう姿を、世界ははじめて目にして呆然としたのだった。長年の暴挙にほんろうされて国は疲弊しきっており、タイ国境周辺でのゲリラの抵抗もあって、暴力行為を封じこめるのにさらに一五年の年月がついやされた。

独裁者と彼が敷いた独裁体制を分けて考えることはむずかしい。しかしながら、毛沢東や金日成のように独裁者亡き後も独裁体制が維持される場合も、スターリンのように自分が築いたものではない独裁体制に君臨した場合も、独裁者個人の重みは本人の死後に明らかになるものだ。ポル・ポトの体

ポル・ポト（1925-1998）、1979年1月。

制はヒトラーを想起させる。どちらの体制も、それを作り上げ最後は破壊していった独裁者ぬきでは体制がまったく考えられないほどに、両者は一体化していたからである。カンボジアの人たちは、いまだに震える声で、かつて正式には民主カンプチア[1]（KD）とよばれた体制を「卑劣なポトの時代」と、またクメール・ルージュのことを「ポル・ポト」とよんでいるではないか。だがヒトラーとの違いは、ポル・ポトはその体制が崩壊した後も二〇年近く生きながらえ、しだいにその影響力を弱めながらも決して凄惨な支配をやめようとはしなかったことだ。

ただの凡人か、潜行する策士か

残虐な行為を働く人物がかならずしも極悪人ではないし、実際ポル・ポトも例外ではなかった。歴史のめぐりあわせが違っていたとしたら、彼は親しい人たちに、穏やかで感じがよく、才気走ったというよりは、どちらかというとひかえめな人物、という思い出を残したであろう。そして、彼の名前が人類の歴史にきざまれることもおそらくなかっただろう。いずれにしても、若いころのサロト・サル[2]（ポル・ポトの本名）にまつわる証言から浮かび上がるイメージは、以上のとおりであった。背が高く、長年権力の座にあっても体重はほとんど増えなかったが、堂々とした風貌には威厳があった。とりわけカンボジア人にしては色白で、そのため晩年になっても集合写真ですぐに見つけられるほどで、伝統的に肌の白さは貴族のしるしとされていたから高貴な雰囲気をただよわせていた。彼の名前は「白」を意味し、遠い先祖に中国系のルーツをもつとみられる（カンボジアではめずらしくない）が、彼の一族は完全にクメール人[3]に同化していた。アメリカ人ジャーナリスト、リチャード・ダッドマンは、政権末期のポル・ポトから招かれインタビューしたのだが、そのときポル・ポトは五〇歳をすぎていた。当時の記述では「かなりやせていて、カンボジア人によくあるずんぐりした体つきではなかった」。洗練された身のこなしは、おそらくごく若いときに、王宮の踊り手であり一時は王族の妾となっていた姉について長いあいだ宮廷ですごした影響があったものと思われる。話し方はゆっくりで、一語一語しぼり出すように発する言葉には重みがあった。多弁なシハヌークが、延々と聞かされる相手をうんざりさせたのとは対照的だった。ポル・ポトはいつも笑みを浮かべていたが、これは相手に対する敬意というよりは、警戒心を麻痺させる手段だった。冷静沈着で、めったに怒らない穏やかな性格は、クメール人が大事にする仏教的な内省から発するもので、それゆえ徳の高い者とみなされ、生涯彼にとって有利に働いた。学生のころから、彼は口論や乱闘にはくわわらなかった。ある私立学校のフランス語の教師になってからのことを、当時教え子だった小説家のソト・ポリンは思い起こす。「それは誠実な方で…、生徒たちは感じのいい先生が大好きでした」。ほかの女生徒は「とても身だしなみがよくて…とても穏やかで…。出会ってすぐに、すごくすてきで、恋人になれたなら、とさえ思いました」と語る。この、人の心を引きつけてやまない魅力をもってしても、異性関係には恵まれなかった。私生活では特権階級の令嬢との初恋は実らず、最初の妻（政治的な同志でもあった）はしだいに精神を病んでいった。一九八五年、六〇歳にして二二歳の若い料理人と再婚し、翌年最初の子をもうけた。

一九七九年にベトナム軍との対決に敗れると、ポル・ポトはふたたびゲリラとなってジャングルに潜伏することになる。自己憐憫にひたって彼が涙ながらに話をすると、いつも聴衆はもらい泣きするのだった。だがこれはじつのところ、彼のもっと暗くて誇大妄想的な性格を隠すための巧みな演技だったのではないか。過去には義兄弟であり、民主カンプチアの外相をつとめたイエン・サリは、のちに政治的に袂を分かってから、こう証言している。「ポル・ポトは自分のことをあらゆる面で人よりすぐれていると思っている。軍事や経済はもちろん、衛生、歌の作曲、音楽や舞踊、料理、ファッション（ママ）、なんでもだ。人をだますのも超一流。ポル・ポトは地球上のあらゆる生き物のなかで自分が一番だと思っている。この世の神なんだよ」。ひとたび権力の座につくと、あらゆる場面で彼の人間的な感情の欠如が露呈した。たとえば自分の家族を探し出して保護しようとはまったくせず、兄のチャイはプノンペンから強制退去させられる途中で死亡した。もっとも古くから行動をともにした政治的同志たち（そのうちの何人かはともに学び、またはパリでの留学生仲間だった）の嘆願にもいっさい耳をかさず、彼らのほとんどはトゥールスレン中央収容所［クメール・ルージュがプノンペンの元高校を政治犯の尋問センターに転用した施設。およそ一万四〇〇〇人が収容され、プノンペン解放時に生きて出られたのはわずか八人だったとされる。」で拷問を受け殺された。彼はたびたび敵対者を、子どももふくめその家族ごと全員虐殺するように命じた。

いずれにしても、彼の生い立ちのなかには、この極端にかたよった性格の「原点となるトラウマ」は見つからない。父のロトは、伝統的に米の輸出国であるカンボジアの中央部にあるコンポントム近郊に、二五ヘクタールの水田を所有していた。これは平均的農家の一〇倍の広さである。ロトは落ちついた物静かな人物で、子どもにも愛情をそそいだ。サルはカンボジアがフランスの保護領だった時期のちょうど中ほどの一九二五年に生まれた。［一九五〇年代のフランスの植民地記録では一九二八年生まれとされている。］きょうだい三人は幼くして亡くなり、育った六人きょうだいの下から二番目だった。学校へ行きだしたのは遅く、進学もゆっくりだったが、当時のカンボジアの水準では質の高い教育を受けた。まず、九歳でプノンペンの僧院で仏教僧としての勉強をはじめ、一〇歳でカトリック系のミッシュ学院に入学する。後宮ですごした時間が長かったため、一九四三年に一八歳でようやく小学校を卒業した。フランス語による教育を行なう唯一の高等中学校であるシソワット学院に兄は合格したが、彼は不合格となり、コンポンチャムに設立されたばかりのプレア・シハヌーク中学校に入学し、一九四七年に卒業した。成績はつねに平凡で、ようやくある技術学校に進学した。一九四九年になんとか免状をもらったときにはすでに二四歳になっていた！　それからたいへんな苦労のすえ、無線技術を学ぶための奨学金を手にし、パリへ渡った。だが、もっとも簡単な免状さえとれず（しだいに彼の関心が勉学より政治の世界に向くようになったことも理由の一つであるが）、一九五二年に奨学金は打ち切られ、帰国せざるをえなかった。だがここまでの経過を見ると、サルは運のよい人だったともいえる。なぜなら、つねに周囲から支援を受け、金銭の援助もあり、住まいの心配もなく、強制的に働かされることもなかった。そのような環境を享受しながら、まともな成果を得ることができなかったのは驚きだが、その原因は本人の能力不足につきる。同様に、彼が一九五六年に、ようやく取得できた免状を使ってプノンペンの私立中学校でフランス語、歴史、地理、公民を教える教員の資格を得られたことも、まことに運がよかった。おそらく、結婚したばかりの妻、キュー・ポナリーの後押しがあったのだろう。彼女はカンボジアの女子で二番目にバカロレアを取得した才女で、シソワット学院で文学の教員をしていた。いやはや、のちに彼があれほどまでに糾弾した封建的植民地体制が、この時点では彼に対してとても有利に働いたのである。

いったいどんなめぐりあわせで、この平凡な青年が二〇年足らずのうちに残虐きわまる暴君に姿を変え、この国は、トラックで大量の死体を運び出してもだれもなんとも思わない社会になってしまったのか。まず、当時のカンボジアでは最高学府まで修了した者が少なく、ライバルがあまりいなかったと考えられる。最低限の免状でも成功の手段となり、極左勢力内でもおおいに役だったのである。クメール・ルージュ内で学歴なしで出世したのは、権力をにぎったポル・ポトの軍事部門での片腕となり、盟友および後援者としてほぼ最後までよりそった恐るべきモクだけだった。また、サルにはめだった華がなく、うわべはやさしかったので、人々はその魅力に引きこまれて警戒心を解いてしまい、人のいい補佐役という人物像がしだいにできあがっていった。おまけに汚職とは無縁で、節制に努め、丹念な仕事をする、といった点も彼の評価を高めた。パリにいたころ、少人数のカンボジア人共産主義サークルができたが、そこでは彼はフー・ユオンやキュー・サムファンら博士課程の学生たちの前でめだたないようにふるまった。そのかわりフランス共産党に入党して経験を積んだ。カンボジアに帰国後まもなく、一九五三年八月以降はカンボジア国内でベトミン［ベトナムで一九四一年に結成され、武装蜂起して植民地からの独立を求めて戦った組織。一九五一年にはベトナム共産党の指導でカンボジアでもベトミンが組織化された（クメール・ベトミン）］の地下組織にくわわり、インドシナ共産党の党員となったが、この党は実際にはベトナム共産党に完全に支配されていた。やがてサルは、一九五四年五月に締結されたジュネーヴ協定によってハノイに樹立された共産党政権と、つかず離れずの関係を構築するように腐心した。「兄」であるベトナム共産党から長期間、必要な支援を受けつづけられるよう信頼関係を結ぶ一方で、ホー・チ・ミンや彼の後継者たちの覇権主義とは一線を画し、カンボジア共産主義の自立を守るために、ある程度の距離を置く必要もあったからだ。一九六二年にカンボジア共産党とよぶべき組織の総書記をつとめていたトゥー・サムートが、おそらくはシハヌークの秘密警察によって暗殺されると、後任としてサロト・サルがすんなり書記「代行」に選出され、その後この最高位をゆずることはなかった。党の階級では先に昇進していたヌオン・チアは、サルと篤い友情で結ばれ、不動の「ナンバー・ツー」[4]として終生サルを支えた。

　なんといってもサルのとっておきの切り札は、その巧みな潜伏・攪乱術だったが、それはベトナム共産党から学んだところが多かった。ベトナム共産党は一九四五年に、ベトナム国民やフランス人ら多くの人に、ベトミンという大きな愛国的「統一戦線」組織の内部で共産党が解党したように信じこませた。これを見ていたサルは、さらに一歩上を行く。一九六六年、小さな政党だったカンプチア人民革命党を秘密裡に、ベトナム共産党にも知られることなく、カンプチア共産党（ＰＣＫ）に変えてしまった。これで、カンボジア共産党がベトナム共産党と同等の格付けを得たことになり、ベトナム共産党の支配を拒絶する象徴的な意味あいがこめられていた。さらにとりわけ異常なことに、カンプチア共産党の存在とその指導的役割を一九七七年九月二七日までカンボジア国民にも全世界にも公表しなかった。実権をにぎってから二年半のあいだ、権力の行使には謎に包まれた機関（「革命機関」を意味するオンカー・パデワット、通称オンカー）があたった。指導者たちの名前はあきらかに偽名が使われ、本名は明かされなかった。ポル・ポト体制の最後まで、「ゴム園労働者」である「首相」ポル・ポトが、じつは本名サロト・サル、別名チューク同志とよばれた人物であることは否定された（チューク同志は、内戦のあいだに死んだことになっていた）。地下組織に潜入したほかの指導者、フー・ニム、フー・ユオンやキュー・サムファンは、「シハヌークの秘密警察に殺された」ことにされていた。シハヌークは一九七三年にこの死んだはずの「三人の亡霊」に会って驚いたものの、それ以降同盟関係を結んだ。キュー・サムファンは一九七六年「国家元首」と紹介されたが、じつは、民主カンプチアの唯一の中枢であるカンプチア共産党の幹部でもなかった。ヌオン・チアはこういうやり方を解説している。「『解放』後の現在でも、われわれの行動は秘密が鉄則です。たとえば、同志の幹部への選出は秘密裡に行なわれます。上司がどこで生活しているかは秘密です。会議の日時は明かされません…。これはわれわれの行動原理でもあり、また敵の侵入を防ぐ方策でもあるのです。階級闘争や帝国主義が存在するかぎり、秘密主義は絶対にゆずれないものです。秘密の行動によってのみ、状況を支配することができるのです[5]」

権力の座につくとサルはポル・ポトという新たな偽名を使い、しだいに現実の否定にふけるようになり、いわば自分の嘘で固めた迷路にはまりこんでいった。執行部内で出世を果たした彼は大勢の群衆の前より内輪の集まりのなかにいるほうが性に合っていて、一九六三年からは世間とは隔絶した生活を送った。密林の野営地とか、一九七五年以降はなかば無人化したプノンペンのなかで極秘の住居（今日まで当時の居所は不明のまま）を転々としたのである。彼の被害妄想的な気質はとくにこの時期に病的にまで悪化したように見える。最高権力者でありながらすべてに疑心暗鬼で、彼のもとに来た者は全員が身体検査をされた。彼の料理人は毒を盛ろうとしているのではないかと嫌疑をかけられ、電気技師は停電の「罪」で処刑された。強大な地区リーダーで、大臣もつとめたボン・ベトは、一九七八年一一月二日にカンプチア共産党の第五回大会で党のナンバー・ファイブに抜擢されたが、その翌日にトゥールスレン中央収容所に送られ命を落とした。彼のような側近中の側近であっても、なんの前ぶれもなくポル・ポトに粛清されたのだ。イエン・サリによれば、「ポル・ポトは怒りを外に表わすことは決してなかった。表情はいつも穏やかだったし、乱暴な話し方になったことも一度もない。（…）だから人々はそのおちついたほほえみにまどわされ、そのあげくに連行され処刑されたのだ」。一九七八年八月にスウェーデンのテレビ局ジャーナリストが行なったインタビューがある。この驚くべきやりとりに、彼の陰険な猜疑心がはっきり現れている。「閣下におたずねしますが、この三年半のあいだに民主カンプチアが実現したことのなかでもっとも重要なのはなんだったでしょうか？」「もっとも重要なことは、あらゆる陰謀や干渉、サボタージュ、クーデターの計画、それから有象無象の敵対勢力からの襲撃行為を押さえこんだことです」。恐怖政治を敷いて周囲を萎縮させたことが、一九七八年一二月二五日にベトナム軍の侵攻がはじまったときに、ポル・ポトが深刻な戦況を過小評価する事態をまねいた。虚勢を張って無敵のカンボジア革命を自画自賛し、ベトナムの混乱と狼狽ぶりを言いつのったのだが、事実はまったく逆であった。ポル・ポトは一月七日の朝、ヘリコプターで命からがら脱出した。自軍の一部と、中国が大金を投じて送ってくれた戦略武器の備蓄、そしてS-21［トゥールスレン中央収容所のこと］の「完全統制業務」を記録した膨大な文書を放棄して。この文書こそ、今日ポル・ポト体制を理解するうえでもっとも重要な手がかりとなっている。タイ、中国、アメリカは連携体制で、カンプチア共産党が西部の国境地帯で体勢を立てなおし、数万規模の軍隊を編成することを容認したが、ポル・ポトの勢力はしだいに弱体化し、地域一帯を支配し、行政を執行し政治活動をすることがむずかしくなり、一九九七年に過去に国防相までつとめたソン・センとその家族[6]を粛清した後で、ついに生き残った部下から「裁判」にかけられる屈辱の結末を迎えた。

二四時間で作り上げる共産主義体制

ポル・ポトを駆りたてたものはなんだったのか。たんなる権力欲だけなら、彼に逆らってもいない仲間や同郷人をあそこまで粛清する必要もなかったし、リスクをおかしてまで非常に危険な政策を打ち出すこともなかっただろう。都市住民の疎開から、人口がカンボジアの六倍あり軍事的にもはるかにまさっていたベトナムへの攻撃まで一気につき進み、それと同時に経済と日常生活の集産化を世界のどこよりも迅速に、かつ完全になしとげてしまったのだ。今日、イスラム原理主義者以外の人はとかく忘れがちだが、イデオロギーがときには実利よりはるかに重要になることもある。サロト・サルには若いころから「純粋無垢」への強い執着があったとしばしば指摘される。サルが一九五二年に出した最初の論文には、「生粋のクメール人」と署名された。一九七〇年三月二三日、ロン・ノル将軍体制へのレジスタンス統一戦線綱領へのよびかけのなかで、サルを示す言葉は「純粋人民労働者」であった。そして権力を掌握すると（過去を書き換える権力も手に入れたわけだが）、ますますこの路線に邁進する。「党の歴史は純粋で完璧であるべきだ」。純粋、完璧…。プノンペンやパリといった首都での暮らしが長かった彼は、当代の民族学者、ピエール・クラストルやジェームズ・C・スコット［クラストルはフランスの、スコットはアメリカの民族学者で、無政府主義研究で知られる］にならって、「最初の」国民である「クメール・ルー」（高地クメール族）に純粋性を見いだした。サルは一九六三年当時、弾圧をのがれて彼らの共同体に潜伏していたが、彼らは実際にはクメール民族とは違う少数民族であった。またサルの護衛には、一九七五年以降も長年、少数民族の一つであるジャライ族[7]があたった。この部族は質素で身分の上下がなく、自給自足の経済を営んでおり、共同体の意識が高いその社会はサルにとって一つの理想に思えた。それに対してクメール人は、中国人やベトナム人に比べても、家族ごとにもっと個人主義的な行動をとるように感じた。サルは権力を行使するとき以外は、森のなかから出てこなかった。唯一の例外は、北ベトナムや中国の党幹部を訪問しに数か月の旅行に出かけたときだけだった。その一方で彼はクメール人にたいへん人気のあるヒンドゥー教の叙事詩（ラーマーヤナ、マハーバーラタ）に描かれる人物像、つまり悪い王子によって密林に追いやられた者が、そこで瞑想と苦行によって功徳、パワーと超自然の能力を獲得し、ついに水田と都市に帰ってすべての敵を征服する、というイメージを利用した。

森に潜伏しているあいだに、サルはマルクス・レーニン主義の初歩の勉強を終え、クメール語とは大きく異なるベトナム語まで習得して、ぬけ目なくベトナム共産党から必要な庇護と厚意を勝ちとったわけだが、一方では徐々に自主独立路線を歩みつつあった。インドシナ戦争のあいだに結成された共産党「クメール・ベトミン」がハノイに完全に従属していたのとは違って[8]、サルは早くから、伝統的に反ベトナム色の強いカンボジア・ナショナリズムを旗印に掲げた。ベトナム共産党は共産主義ではカンボジアよりはるかに先を行っているという自覚に立って、カンボジアに進むべき道筋を示す「兄貴分」としてふるまっただけに、両党の関係破綻は決定的なものになった。一九七五年にカンプチア共産党のとった極端な政策は、はっきりとベトナムからの解放を意図していた。たった一撃で生徒が先生を飛び越して（そして、象徴的なことだが、プノンペンはサイゴンより二週間早く「解放された」）、共産主義の大先輩であるソ連も中国も到達しえなかった路線へ勇敢にふみだそうとしていた。官僚制の重みに身動きのとれない「修正主義者」モスクワ、「大躍進政策」も文化大革命も成就できぬまま毛沢東が死期を迎えつつあった北京を尻目に、任務を引き継いだのは弱小ながらわが民主カンプチアである。「大平等」主義、いかなる障害も突破する積極的政策、また、たらふく食べ、よりよい住まいや仕事を選び、わが子を慈しむといったちっぽけな喜びに満足している「封建ブルジョワジー」を、憎しみをばねに撃破する純粋革命の信念を唱えた。一九世紀の進歩主義者はフランス人であり、二〇世紀はロシア人だったように、二一世紀の進歩主義者といえばクメール人になるはずだった。

しかしそのためには、失敗すればすべてを失う覚悟でつっ走る必要があった。忘れられがちだが、クメール・ルージュの全盛期には、すでに世界の共産主義は衰退に向かっていた。クメール・ルージュが天下をとったとき、ほかの共産主義国家の後塵を拝しただけでなく、これらの国が政権をとった時代とは大きく違って、「資本主義の矛盾は解決不能であるから、時間は共産主義の味方だ」とみなすことはもはや不可能になっていたのである。驚いたことに、植民地を失ったからといって西側諸国の飛躍的発展にはなんのブレーキもかからず（むしろ、繁栄に向かった！）、その結果世界中の共産党は、衰退とまではいかないにしても精彩を欠くことになった。一方で「帝国主義陣営」に比べ「共産主義陣営」は中国派とソ連派に二分される様相を見せ、中国でもソ連でも、体制内の制度疲労の兆候が見えてきた。追い打ちをかけるように、東アジアでは、資本主義が興隆してきた。「高度成長」を続ける日本に続くのは、「アジア四小龍」（韓国、台湾、香港、シンガポール）で、これらの国は、左翼の政党や組合の口を封じながら急成長をとげていた。カンボジアとは長い国境線で接しているタイも、うらやむべき繁栄をとげている。以上の情勢からポル・ポトが論理的に導いた結論は、権力をにぎったら大至急事を進め、二四時間以内に共産主義の基盤を作り上げなければ、永久にその可能性はなくなる、ということだった。一刻の猶予も、いっさいの妥協もなく、やる気のない者や態度の定まらない者に容赦なく、カンプチア共産党の内部であっても躊躇なくやる。すべてをひっくり返して政敵を狼狽させ麻痺させて、世界中の共産党員がつねに夢見てきた鋼鉄のように純正で堅固ですばらしい秩序をいち早く構築する必要がある。この信念のもとに一九七五年九月より、都市の住民を強制移住させ、すでに印刷された紙幣も流通させない決定をした。新制カンプチアは都市もなく貨幣もなく、個人の資産も、宗教も、政治にかんする以外の祝典も廃止、ほぼ完全に交通手段も電気も断ちきられ、新聞（幹部の機関誌をのぞいて）もなく、教育機関は廃止された。クメール語の著作は「封建的」で外国語の著作は「帝国主義的」だから排除されるべき、という理由で。教員もカンプチア共産党で養成された者以外は全員が解雇された。時代錯誤のユートピアの絵空事を捏造したポル・ポトが勝利したかに見えた。一九七五年になかば鎖国状態だった小国で共産主義を確立するためには、強硬手段に訴えるしか方法がなかった。ポル・ポトは政治の時空に力ずくで変化を起こそうとした。それに対して社会物理学の法則は、国民の耐えがたい辛苦とポル・ポトのたくらみの徹底的な挫折のはてに、復讐に転じることになる。

大量虐殺の動機

おそらく共産主義体制下で行なわれた唯一のジェノサイド[9]であるカンボジアにおける大量殺戮の謎にふれることなく本章を閉じることは、許されるまい。その動機は今見てきたように、複雑な社会を改造するために、あまりにも短期間に断行された過激で一方的な政策だった。当のカンボジア社会は当然ながらのり気ではなかったので、限度を知らない弾圧がくわえられた。机上の空論を実社会で実現しようとすれば人的災害が避けられないことは、一九一七年のロシア革命を見ても明らかだ。カンボジアのように、机上の空論が、社会だけでなく、人間性のすべてを奪って個人までも押しつぶすとき、おそろしい結果がついてくる。たとえば、一九七六年にキュー・サムファンが海外から帰国した留学生に伝えた言葉を紹介しよう。「（…）精神的な私有財産、これがいちばん危険だ。「自分の」ものであると考えるすべてのものがふくまれる。自分とかかわりのあるすべてのもの、両親、家族、妻などだ。「これはわたしのもの」といえるすべてのものが個人の精神的な財産である。「わたしが」とか「わたしの」と考えてはならない。「わたしの妻が」と言うのは悪いことで、「わたしたちの家族が」と言わねばならない。カンボジアの国民はわたしたちの大きな家族なのだ。(…)わたしたちはオンカーの子どもであり、オンカーの人間であり、オンカーの妻なのだ。あなたたちの頭のなかの知識や概念、それらも精神的な私有財産である。真の革命家になるためには、(…)そういう精神を一掃しなければならない。(…)物質的および精神的なすべての私有財産を解体しつくしてはじめて、人々は平等になるだろう。私有財産を認めているかぎり、この人の財産はちょっと多い、この人のはちょっと少ない、となって平等は保てない。でもなにももたなければ、彼もゼロ、君もゼロ、で真の平等がなりたつのだ」。この理屈から、もっとも人間的な感情が反革命的な個人主義と断罪され、重い罪に問われるようになっていく。病気や障害者の隣人を助けた人が、オンカーの専権任務をおかしたと処罰されたこともあった。夫婦の愛情表現は禁止され、愛情はもっぱらオンカーにだけ向けられるべきであって、結婚に求められる役割は生殖のみだとされた。婚外の男女関係については、しばしば死罪が課せられた。そしてこの理不尽な暴虐のなかで、逆に、侮辱や暴力は、たとえば親から子にふるった場合でも重罪に問われた。オンカーが暴力を独占したいがためだった。

これをつきつめれば、個人は一介の道具としてしか扱われなくなる。当時をふりかえって多くの証言者が伝えた、クメール・ルージュ幹部の冷淡な決まり文句がある。「おまえを消しても損にならない、おまえを生かしておいても得にならない」。まさにここから、すべての苦役がはじまった。家族全員を何度も強制移住させ、その移住先はマラリアが蔓延し健康に悪く、しかも耕作が困難な土地だった。国民は低栄養状態に置かれ、それでも食用に果実や小動物を捕る権利さえ奪われた。食料は従順な者と反抗的な者や弱者を差別する手段に使われた。病院は死に場所となりはてた。使役、とくに大がかりな灌漑工事にかり出された国民は疲弊した。そしてもちろん、何十万もの人が、血筋や、ほんのささいな行動を理由に、全体主義国家の機械に入りこんで動きを悪くする砂粒とみなされ、粛清された。ついには人間の遺灰を畑の肥料として使い（しかもそれを自慢した）、すくなくともトゥールスレン中央収容所では生きている収監者の血をすべて抜きとり、死にいたらしめることまでやった。強制移住者たちに手本として示されたのは牛であった。従順で口論も不平もなく働き、主人に忠実であるからという理由で。動物のほうが人間の過酷な状況よりまだましな扱いを受けていた。家畜に暴力をふるうことは厳しく罰せられたが、人間はごくささいなことでひっぱたかれ、拷問されて殺されていった。

　ポル・ポトがとりつかれていた純粋性の追求が、もう一つの原動力となった。貨幣のかわりに物々交換を奨励しただけでなく、都市部からの立ち退きも進めた。都市部の住民はあらゆる権利を剥奪されて「新人民」となった。都市部には三つの欠点があるとポル・ポトは考えた。まず内戦終結までクメール・ルージュに抵抗したこと、第二に一九七五年四月の時点で郡部よりはるかに外国の影響、とくに一八六〇年代よりフランスの保護領になったため西洋の影響を強く受けていたこと、そして第三に、市場経済の砦であることだった。ほかの東南アジア諸国と同様、カンボジアでも、市場経済の担い手は、都市に集中している中国人、ベトナム人、チャム族を筆頭とする異民族である傾向が強かっただけに、市場経済はことさらに目の敵にされた。ベトナム人は別として、彼ら異民族は出自を理由に迫害されることはなかったが、廃止したい社会経済モデルを実践する存在として弾圧された。そのため中国人（カンボジア人とほとんど同化していたため、むしろ中国系カンボジア人）のじつに三八パーセント、チャム族の四〇パーセントが粛清された。

純粋性を追求したクメール・ルージュは、あっというまに民族主義へとつき進んだ。まず政策面では、一九七五年時点で滞在していた外国人はほとんど全員国外追放になり、ほとんどの大使館は閉鎖された。カンボジアに来ていたベトナム人は大量に強制送還となった。やがてベトナムに対して領土返還をめぐる話がもちあがった。サイゴンが一八世紀までプレイノコール［「森の街」を意味するクメール語］とよばれていたことから、カンプチア・クロム（ほぼメコン・デルタ地帯一帯をさす。クメールの少数民族が暮らしていた）は母国カンボジアに帰属すべきだとの主張である。一九七七年一二月三一日にベトナムとの外交関係が断絶すると、ベトナムせん滅への妄想は際限なくなった。ポル・ポトはプノンペン放送を通じてこう宣言した。「人数でいけば、われわれひとり一人が三〇人のベトナム人を殺す必要がある…。言い方を変えれば、同胞一人がその命とひきかえに三〇人の敵をやっつける。したがって六〇〇〇万のベトナム軍に対して二〇〇万の兵士が必要だ」。その間にも、数万人のカンボジア人が「クメールの身体にベトナムの精神を宿しており」、強力な隣国ベトナムの手先だとされ殺された。

極端な民族主義はまた経済にも大きな影を落とした。内戦前のカンボジアは相当量の米の輸出国だったが、ポル・ポト体制になると中国とのわずかな貿易（穀物と森林資源を輸出し、武器と機械類を輸入）以外は国を閉ざし、実質的に自給自足体制をとった。キュー・サムファンが一九五九年にカンボジア経済をテーマに執筆した博士論文で「国際社会の統合がカンボジア経済の後進性の根本的な原因である」と断言したときから、孤立政策は正当化されてきた。この主張はそれほど目新しいものではなかった。というのも当時、時代の潮流となっていたのはラテンアメリカのマルクス主義経済学者（アルゼンチンのラウル・プレビッシュら）が唱えた「従属理論」で、非常に保護主義的で、原材料価格の引き上げに資すると目された「内発的発展」を提唱していたからだ。ただしカンボジアでは、この理論の実践が、ほかの国に例を見ないほど過激に行なわれた。他国からの経済支援自体、国の独立を脅かすという理由でいっさい禁じられた。ただし、中国からはきわめて秘密裡に援助を受けていた。韓国や台湾が経済を開放してささやかな繁栄に向かっていたとき、カンボジアはよりいっそう鎖国化を進め、その結果は明らかだった…

過激な暴力の要因としてより大きかったのは、権力をにぎったときのクメール・ルージュの弱さであった。一九六八年一月から小規模な「蜂起」がはじまったため、一九七〇年三月に内戦に突入するまでに、すでに二年間もこぜりあいをくりかえしていたにもかかわらず、クメール・ルージュのゲリラ兵はわずかに二〇〇〇から三〇〇〇人しかいなかった。発足当時のカンプチア共産党員もそれから大幅に増えたとはいえず、人口七〇〇万の国においては貧弱だった。そこから軍隊を増員し、勝利をおさめた時点ではおそらく一〇万人の規模に達していたものと思われる。非常に短期間に権力の座に昇格しても、クメール・ルージュが依然として小さなセクトにとどまってい[11]たことは共産圏ではほかに例を見ない。そのために重大な弊害がいくつも生じた。とくに都市部での連絡員の不足、多くが文盲である人々を兵士に養成し質を向上することのむずかしさ、幹部の数がわずかで、しかもきちんとした教育を受けていないこと（ポル・ポトはマルクス主義の正典を読むのはよけいなことだと考え、クメール語に翻訳もさせなかった）、党内の分裂、それもイデオロギーの違いよりは、地域や家族間の亀裂にもとづくものだった。カンボジアで昔から慣行となってきたクサエ（「ひも」の意）とよばれる血縁や姻戚関係をもとに築かれた強力な派閥がクメール・ルージュの組織にもはびこって、党内の結束をゆがめる結果となった。

ご承知のとおり、暴力は弱者の攻撃手段である。弱者は恐怖心に訴えることによってしか他者を納得させ尊敬させることができないからである。中国でもベトナムでも、弾圧の前に、金も人材もかかるが民衆の再教育による意識改革に訴えた。カンボジアも同様の計画を立てたが、再教育は党員と幹部に限定され、教育の方法もちぐはぐで一貫性がなかった。結局、恐怖心をあおるしか方法がなく、党内の内紛は急速に流血の抗争へ発展した。勝利をつかむ前の一九七四年初頭に、カンプチア共産党中央委員会の重要な幹部だったプラシットが処刑された。党の各階層の幹部も、とくに一九七七年から七八年にかけて多くが殺害された。中央とのコミュニケーション手段の不足により、事実上、自治が行なわれていた一部の地域では、とくに残虐な「粛清」が行なわれ、北西部では一九七七年、東部では一九七八年に多くの血が流された。じきに全国民が、猜疑心の強い各地の小リーダーの専制に従うことを強要されるようになった。彼らの多くは貧しい小作の青年で、大人や「特権階級」に仕返しをしたい思いにかられていた。自分たちが生殺与奪の権利をにぎり、そうした権利を行使し、無制限に濫用するよう中央組織から奨励されている、と考えていた。

最後の要因として、民主カンプチアの諸制度の完全な解体をあげることができる。ポル・ポトの絶対独裁制は一種の無政府状態の共同社会でもあった。もはやオンカーの命令のみで法律もなく、刑法もなく（すべての再犯者は極刑に処せられた）、裁判所、国会や選挙もなく、政府すらなく（各省庁は完全に有名無実の存在）、残った行政機能は党と軍とに完全に一体化していた。こうして、かろうじて法治国家の体をなしていたカンボジアは、絶対的専制によって「蹂躙」されていった。

ジャーナリストとの最後の会見は1998年1月だった［写真は別時期のものと思われる］。　© Patrick de Noirmont/Pool/AFP

二〇年たっても、悔悟はいっさいなし

一九七九年一月七日に権力の座からひきずり下ろされたポル・ポトは終生、みずからがひき起こし、最後はみずからものみこまれた大惨事の総括を行なうことはなかった。一九八一年に幹部向けのセミナーで口にした「悔恨」は、ここにいたるまで偽善の手本である。「彼は多くの住民が彼を憎み、虐殺への責任があると考えていることを知っていると言った。数多くの人が死んだことも知っていると言った。これらの言葉を発したとき、とてもとり乱して、涙にくれていた。路線が極左にいきすぎ、状況を正しい方向に導くことができなかった責任は自分にあると言った。一家の主が子どもたちの行ないに気づかないように、自分は人々を信用しすぎたと言った。(…)自分の耳に入ってきたのは真実ではなかった、すべてはうまくいっているが、だれそれは裏切り者だ、などと聞かされたのだが、結局のところ、言いにきたそいつらこそが裏切り者だったのだと。最大の問題は、ベトナム側に教育された幹部たちだと主張した[12]」。一九八六年に組織の幹部たちの前で長い演説をしたとき、ポル・ポトはもっと素直に本心を出して自画自賛した。「民主カンプチアは歴史上のどんな英雄よりはるかにすぐれている。カンボジア二千年あまりの歴史のなかで、民主カンプチアの美徳、深遠な性格、価値こそは最上であるということができる[13]」

こうした状況下で一九八一年一二月にカンプチア共産党がみずから解党を宣言したことは、国民のあいだに反ベトナム運動の気運を高め、それをとおしてふたたびクメール・ルージュに権力をとりもどそうとする戦術の一環であったと考えられよう。それと同時に、亡命中のシハヌーク殿下および反共産主義の民族主義者と樹立しようとする「連合政府[14]」(その軍事力はクメール・ルージュが圧倒的に掌握しているのだが)への国際社会(国連もふくめて)の認知を高めようとした。一九八五年九月にポル・ポトは、クメール・ルージュ軍総司令官の職を公式に辞したが、これもみずからの支配を模索した結果であると考えられ、辞職後も絶大な権力を行使してきた。だが一九九六年八月、イエン・サリのような幹部までふくめてはじめて大量の離脱が起きた。このころになると党の大義はもはや救いがたく、国王の恩赦が魅力的に思われたのである。翌年七月に、年老いた暴君は、自分の「側近」から「裁判」にかけられ、素の姿がさらされることになった。そして一九九八年四月、ついに身柄が裁判のためプノンペン政府に渡されるその前夜、ポル・ポトは軟禁状態のまま死亡した。おそらく自殺と思われる。一九九七年一〇月、ポル・ポトの晩年にインタビューした唯一のジャーナリスト、オーストラリア人のネイト・セイヤーにこう答えている。「わたしを見てごらんなさい。乱暴な人間に見えますか。わたしは良心の呵責とは無縁です」

〈原注〉（＊は訳注）

1 「カンボジア」をクメール語の発音どおりに表記したもので、一九七五年から一九九三年までの正式な国名。

2 東アジアの多くの言語と同じく、クメール語では名前は苗字の後に表わされる。サロトが苗字で、サルは名。

3 クメールはカンボジア人の多数を占める民族と、その言語を意味する。国民のおよそ二〇―二五パーセント（確実な数字が示されたことは一度もない）が少数民族で、内訳は、国境沿いの山岳地帯に住む土着民と、後から渡ってきた、おもに都市部に住む移民（とくに中国系、ベトナム系）である。イスラム教徒のチャム族はその中間で、ほとんどが郡部に住んでいる。彼らはベトナム中央部に築かれ、一七世紀にベトナム族によって滅ぼされたチャンパ王国の生き残りである。少数民族は、程度の差はあれ、どの民族もその多くがクメール人と結婚し、クメール人の習慣や信条を受け継いだ。したがって「クメール・ルージュ」は「カンボジア人ルージュ」とよばれるべきだろう。「クメール・ルージュ」と名づけたのはシハヌーク殿下で、当時対決していたカンボジアの共産党をさしてこうよんだ。

4 クメール・ルージュ幹部のうち、彼ともう一人（キュー・サムファァン）は、プノンペンの国際特別法廷

［クメール・ルージュ政権によって行なわれた残虐行為を裁くため、国連の関与のもと、設立された法廷。二〇〇六年から運営を開始。］で［二〇一一年］終身刑を宣告された。

5　ヌオン・チア「カンプチア共産党声明」。Journal of Communist Studies, vol.3, n°1, 一九八七年三月号に掲載。

6　国境のとある村で憎しみに燃える「人民」の前で何時間かの尋問を受けた後、ポル・ポトは終身刑を言い渡されたが、指定居住地への軟禁へ変更された。彼の副官二人は処刑された。

7　ジョライ族ともよばれ、ベトナムとカンボジア北東部の高地に暮らす「山岳民族」のなかでは最大の人口をもつ。

8　ハノイから帰国した彼らはその場ですべて処刑され、そうした行為はすでに一九七五年以前から行なわれることもあった。

9　ジェノサイドとは、ある集団をせん滅する目的でその構成員になんらかのレッテルを貼り、その集団を抹殺して目的をとげることである。ターゲットにされる者たちはかならずしも民族で差別されるとはかぎらない。クメール・ルージュは都市からたちのかせた人々に厳しい生活を強いたため、すくなくともその三分の一が四年以内に命を落とした。まさにジェノサイドといえる。ポル・ポト体制の前に公務員だった人は、ごく下級であっても、それだけで殺された。僧侶や軍人のほとんども犠牲となった。彼らの家族や子どもたちも多くの場合処刑をまぬがれず、その結果全人口の六分の一から五分の一が殺された。一九三〇年代のソ連下のウクライナ人や、一九六〇年代から七〇年代にかけて中国でのチベット人が、おそろしい試練を経験し非常に多くの死者を出した。これらをジェノサイドとよぶ研究者は多い。しかし、カンボジアは標的にする犠牲者を徹底的に選別した点と、死亡率がはるかに高かった点で、群をぬいている。

10　すぐれたドキュメンタリー映画『S-21』のなかで、リチー・パンの問いかけに対して当時の看守たちが証言した内容。

11　たしかに、一九四五年の時点でポーランドやルーマニアの共産党も党員数は少なかった。だが両国の共産党は、当時これらの国を占領していたソ連赤軍の全面的な庇護のもとに、権力をにぎった。したがって両国の自主独立の歩みは遅く、しかもモスクワに依存した形でしかなしとげられなかった。一方カンボジアは、ベトナムの指導を断わり、同盟国中国にも従属することはなかった。

12　デイヴィッド・P・チャンドラー氏が引用した参加者の供述による。

13　アンコール王国以前にさかのぼるカンボジア最初の国家は、六世紀に作られたチェンラである。

14　この連合政府は一九八二年六月に正式に発足した。アメリカ、タイはじめ東南アジアの反共諸国と中国の支持をとりつけたものの、中国は依然としてクメール・ルージュへの大量の兵器の供給国だった。いずれは、一〇万規模のベトナム兵に依存するプノンペン政府（現首相のフン・センはすでに当時から在籍していた）を支配することになるだろうと大方は見ていた。

＊　カンボジアで共産主義を唱え、一九六〇年代から九〇年代にかけて活動した政治勢力。一九六三年にポル・ポトが党首についたため、ポル・ポト派ともいわれる。カンボジアは一九七〇年から内戦状態にあったが、クメール・ルージュが一九七五年四月に首都プノンペンを制圧し、三年半にわたって実権をにぎった。その間、国民は粛清や虐殺、飢えや病気に苦しんだ。一九七九年一月、ヘン・サムリン政権が樹立され、クメール・ルージュはタイ国境周辺部まで追いやられたが、一九九八年四月にポル・ポトが死亡するまで影響力をもちつづけた。

〈参考文献〉

Elizabeth Becker, *Les Larmes du Cambodge – l'histoire d'un autogénocide*, Presses de la Cité, 1986.

David P. Chandler, *Pol Pot : Frère Numéro Un*, Plon, 1993.（デービッド・P・チャンドラー『ポル・ポト伝』、山田寛訳、めこん、一九九四年）

—, *S 21 ou le crime impuni des Khmers rouges*, Autrement, 2001, avec une préface de François Bizot et une postface de Jean Louis Margolin.（デーヴィッド・チャンドラー『ポル・ポト死の監獄S21――クメール・ルージュと大量虐殺』、山田寛訳、白揚社、二〇〇二年）

Thierry Cruvellier, *Le Maître des aveux*, Gallimard, 2011.

Solomon Kane, *Dictionnaire des Khmers rouges*, Bangkok, IRASEC, 2007.

Khieu Samphân, *L'Économie du Cambodge et ses problèmes d'industrialisation*, thèse de l'université de Paris, faculté de droit et des sciences économiques, 1959.

Ben Kiernan, *Le Génocide au Cambodge – 1975–1979 : race, idéologie et pouvoir*, Gallimard, 1998.

Henri Locard, *Le Goulag khmer rouge*, Note de l'université Lyon-2, 1995.

Jean Louis Margolin, « Cambodge : au pays du crime déconcertant », in Stéphane Courtois *et alii*, *Le Livre noir du communisme : crimes, terreur, répression*, Robert Laffont, coll. « Bouquins », 1998, p. 679–749.（ステファヌ・クルトワ／ジャン＝ルイ・パネ／ジャン＝ルイ・マルゴラン『共産主義黒書――犯罪・テロル・抑圧（コミンテルン・アジア篇）』、高橋武智訳、恵雅堂出版、二〇〇六年）

Laurence Picq, *Le Piège khmer rouge*, Buchet Chastel, 2013.

Philip Short, *Pol Pot : Anatomie d'un cauchemar*, Denoël, 2007.（フィリップ・ショート『ポル・ポト――あ

る悪夢の歴史』、山縣浩生訳、白水社、二〇〇八年）

Marek Sliwinski, *Le Génocide Khmer rouge : une analyse démographique*, L'Harmattan, 1995.

Michael Vickery, *Cambodia 1975–1982*, Boston, South End, 1984.

Pin Yathay, *L'Utopie meurtrière : un rescapé du génocide cambodgien témoigne*, Bruxelles, Complexe, 1989.

20 ホメイニー

神に仕えて

クリスティアン・デストゥルモ

「六七歳のわたしが、独裁者というキャリアをはじめるとでも思っているのかね？」。一九五八年、ド・ゴール将軍は政権に復帰する数日前に、オルセー宮で開かれた名高い記者会見の席でそう問いかけた。

一九七九年二月一日、白い髭と黒いターバンの男が、エールフランス航空機の急なタラップを客室乗務員（じつはフランスの情報機関ＳＤＥＣＥの職員）に支えられ、サンダルを履いた足で慎重に降りてきた。そのボーイング七四七機は、たったいまテヘランに着陸した。この人物は、先述の記者会見のときのド・ゴールよりもほぼ一〇歳年長だった。パリを出発する前日には、フランス政府の「もてなし」に感謝し、フランス国民が、「すべての見識あるイラン人が望んでいる、良心の自由と民主化への道のための闘争を、関心をもって見守ってくれた」ことに感謝した。

滑走路には、ついにこの人物の姿を見ることができると、熱狂した群衆がひしめいていた。大胆な連中は、彼のマントにふれられるところまで近よった。「アッラーは偉大なり」とともに「おお、ホメイニー、われらの指導者（イマーム）よ」という声が響きわたった。西側諸国は仰天した。この地味で時代遅れな外見の宗教家、祈祷に没頭し、コーランを読みふけってばかりいるこの神秘主義者が、イランのような大国の命運をにぎり、モハンマド・レザー・シャー・パフラヴィーの後継者になると宣言するなど信じられるわけがない。このシャーは多くの過ちを犯し、尊大でぜいたくを好んだにもかかわらず、自国を近代化の道へと牽引してきた。イランはもはや前近代に後戻りできないように思われた。老人といってもよいこの男が独裁者になるだろう、と予言する者はいたが、それは中傷なのだろうと多くは考えた。そんなことは信じがたかった。

たしかに見たところ繊細そうではあるが、この男は自身とその運命に対する全面的な自信があり、そのうえ、人々を動かすのは何なのかを知りつくしていた。また、この男は狡猾で、シーア派教徒の伝統にしたがって、もう長いあいだうまく本心を隠してきた。そして、人を不安にすると同時に引きつけてやまない、黒い瞳の持主だった。

西側諸国はその後、シーア派とスンナ派の区別をはじめとしてさまざまな形のイスラムがあることを学び、これからの数十年間に大きな影響をあたえ、そして日常的な語彙になっていくであろう新しい用語を覚えなければならなくなる。たとえばファトワー（イスラム教指導者による勧告）、アーヤトッラー（シーア派指導者の尊称）、イマーム（イスラム社会の指導者）などだ。さらに、イスラム共和国とはなにかを理解し、自分たちがまのあたりにしているのは「文明の衝突」か否かを判断し、イラン革命の国外への広がりを助ける新兵器である自爆テロというものを知り、大勢のチャドル姿の女性に慣れる必要にせまられることになる。それからの一〇年間、イランは世界の中心のひとつとなる。アーヤトッラー・ホメイニーは国際世論などまったく意に介さず、神の名のもとに全世界に挑んでいるかのようだ。

民主主義大国はしばしば圧制者と共存してきた。ニカラグアの独裁者であるソモサについて語る、ローズヴェルトの次のひとことで明らかなように。「ろくでもない男かもしれないが、それでもわれわれの側のろくでなしだ」。なぜなら、冷戦時代には役に立つ味方となることもあったからだ。ホメイニーは圧力には無関心な、まったく新しいタイプの独裁者だった。ホメイニーが恐怖をかきたてる存在であるがゆえに、人は彼に魅入られると同時におぞましく思う。つまり、手なずけることができない人物なのだ。

ホメインからテヘランへ

テヘランに到着したルーホッラー・ホメイニーは、その日に一五年の亡命生活を終えた。亡命先はまずはトルコとイラクで、次に向かったフランスではパリ郊外にある無名の小さな町ノーフル＝ル＝シャトーですごした。ホメイニーは一九〇二年九月二四日、比較的乾燥した地域にあり、テヘランから三〇〇キロ離れたイラン中部の町ホメインで生まれた。本来の姓はムーサヴィーで、偉大な指導者（アーヤトッラー）は生まれた町の名を名のるという慣習にしたがって、後年ホメイニーとなった。

端正な顔立ちをした少年で、早熟なリーダーでもあった。「子どものころでさえ、父はいつもごっ

ルーホッラー・ホメイニー（1902–1989）が25歳のころ。

こ遊びでシャー（皇帝）の役をしたがった」と、息子のアフマドはのちに述べている。比較的裕福な家庭だったが、特筆すべきは、預言者ムハンマドの娘の血筋だと主張する家系だったことだ。だからルーホッラー・ホメイニーはムハンマドの直系子孫「サイード」として、神学校入学以降は、ふつうのシーア派聖職者がかぶることになっている白いターバンのかわりに黒いターバンを着用した。

一九〇三年三月、家族は悲劇にみまわれた。父のモスタファが不審な状況下で殺害されたのだ。ルーホッラーはまだ六か月だったが、この出来事はその後長く影を落とした。それでも優秀な生徒のまま、国内随一の宗教研究の町ゴムにある学院に入学する。こうして地方の町を離れ、首都テヘランとの距離を縮めていった。

イスラム教シーア派には厳密な聖職者の組織が存在する。ヒエラルキーの最上位には、マルジャとよばれる、信徒たちの模範と認められた個人がひとり、あるいは複数おり、その権威は信徒だけでなくほかの聖職者にも認められ、その言動は模範とされる。しかしカトリック教会とは異なり、この個人の選抜には明確な手続きがなく、野心的な者に有利なのだ。優秀な学生で、とくにイスラム法の分野にひいでていたホメイニーは、こうして三三歳という若さでホジャット・ウル・イスラム（神のあかし）という称号を得た。

ホメイニーの生い立ちのもうひとつの側面はあまり知られていない。この国の人々は皆そうだが、ペルシアの詩、なかでもウマル・ハイヤームやハーフェズといった詩人たちの愛の詩に傾倒していたこと、そしてなかでもその後研究を深めていく、イスラム神秘主義との出あいだ。二〇世紀シーア派聖職者たちの、あまりの衰退と退廃に衝撃を受けた内向的な青年ホメイニーは、当時からすでに熟練の策略家だった。そして、時流を変えるには自分一人では無力だと見てとると、内面化と神秘主義、そしてイブン・アラビーの完全人間論の探求に逃避した。イブン・アラビーはアンダルシアで生まれ、一二四〇年にダマスカスで没した偉大な神学者で、アラビア語で詩を書いた。のちの権力征服は、この内面的神秘主義の探究と切り離せないものとなる。

モハンマド・レザー・シャー・パフラヴィーの父、レザー・シャー［パフラヴィー朝初代皇帝］は、トルコの近代化を推進したムスタファ・ケマル・アタテュルクの熱烈な崇拝者で、ムッラー（シーア派の法学者）たちを「ペテン師」よばわりするなど、彼らへの軽蔑を隠さなかった。一九三〇年代にそのレザー・シャーがイラン社会の世俗化を強引に進めたとき、ルーホッラー・ホメイニーはついに行動に出ることを決意した。シャーは、男性には帽子の着用を強制し、聖職者の大半に西洋式の服装と短髪を求め、女性にはヴェールの着用を禁じた。あごひげと、なにより黒いターバンを誇りにしていたホメイニーはシャーの命令に従うことをこばみ、命令に唯々諾々と従う聖職者たちの卑屈さを激しく非難し、非合法に近い生き方を選んだ。それでも慎重さを忘れなかった。なぜなら、まだ抗議の声を上げるときではなく、レジスタンスはしばらく心のなかにとどめておかなければならなかったからだ。このとき、ホメイニーが実践したのはタキーヤとよばれるシーア派の伝統だ。信仰を守るために真の信仰を否定したり隠したりすることが必要となった場合、このタキーヤによってそれが認められている。たとえばゴムで、イマームのモスクの一部が道路建設のために当局にとり壊されたときも、ホメイニーは抗議活動を拒否し、ある指導者（アーヤトッラー）の叱責を受けるはめになった。ホメイニーは、多数派のスンナ派に抑圧されることが多かった少数派のシーア派の伝統に従っているのだと主張し、こう抗弁した。「内に秘めること、それがわたしのやり方です。先人たちがそうしてきたように」

一九四一年の夏、連合国はソ連への供給路を開くためにイランを侵略した。そしてドイツとの共謀を理由にレザー・シャーを失脚させ、息子のモハンマド・レザーを後継者にした。このことはイラン国民にとって大きなトラウマとなり、聖職者たちは、なにものもおそれないかのような「侵略者」アメリカ人の態度に衝撃を受けた。このとき、若いシャーは宗教関係者に多くの約束をあたえた。そのため、一九五三年に近代的民族主義者モサッデクによって帝位を追われたモハンマド・シャーが、ＣＩＡの支援で権力の座に戻ったとき、それをひそかに後押ししたのが指導者（アーヤトッラー）たちだったのだ。

ゆえに、それに続く数年間は比較的穏やかだったが、ホメイニー自身はなにも変わらなかった。聖職者の消極的な態度に大いに失望し、独裁色を強めていく権力との妥協を非難した。そして、宗教家には社会で演じるべき役割があり、それはおそらく国を導くことだという確信は、ほかの聖職者たちとは逆にますます強くなった。

「政治」の世界へ

学識豊かで宗教問題の権威であるという、ホメイニーの評判は年々高まっていった。ホメイニーも、このことこそ自分が政治指導者としての正当性を築く基礎となる、と確信していた。ゴムでは倫理学と神学と哲学を教え、国じゅうから集まった学生たちを魅了した。そして、疑問点や議論の的になっている問題について意見を求められた。だが、法学者（ムッラー）が社会で果たすべき役割や、シャーの決定に抗弁する力をつける必要性について、みずからの考えを説くことがしだいに増えていった。シャーの転覆を唱えるのは時期尚早だと考え、まずはシーア派聖職者内部の堕落に対する闘いにとりかかった。その生活は依然として模範となる質素なものだったが、所有する土地から得られる個人的収入には事欠かない、全体的に幸せな生活だった。しかし、彼はすでにいくつかの「スケープゴート」をもっていた。そのひとつが、一九世紀にペルシアで生まれた一神教バハーイー教の信者たちだ。体制に対しては慎重にふるまうホメイニーも、彼らには嫌悪感をあらわにしてみせた。なぜなら、バハーイー教の信者はイスラエルと近い関係にあるとみられていたからだ。こうして、イランでのペプシコーラの流通を請け負ったのがバハーイー教関係者であることがわかると、ペプシ商品を飲むイスラム教徒は「地獄の劫火で焼かれる」と宣言した。これが命とりになって、ペプシ・ブランドはコカ・コーラにとって代わられていく。

ホメイニーは「政治的」指導者（ムッラー）に変貌をとげた。自分の支持者が急速に増え、シャーへの反対を表明するようにとのよびかけが効力をもつようになったことを確信した。一九六三年六月、ついに逮捕され、投獄されたが、指導者（アーヤトッラー）たちのとりなしで釈放された。それからはＣＩＡの支援で設置されたシャーの情報機関、サヴァクの厳しい監視下におかれることになった。数か月のちに解放されると、躊躇なく挑発的な説教を行なった。しかし、体制ももう黙ってはいない。ふたたび逮捕されてトルコに追放された。アタテュルクが建国したトルコでは世俗化が進んでいた。ホメイニーはそれを心底嫌い、すべての悪の根源とさえ考えることもあった。

一九六五年一〇月、シャーの許可を得たホメイニーはイラクのナジャフに移った。六三歳になっていた。体制は、この歳では研究と教育と著作に専念するにちがいないと考えた。だが、その期待とは裏腹に、これで息を吹き返した彼は、ふたたび体制の圧政と不信仰を告発しはじめたのだ。

イランでは、軍隊とサヴァクに支えられ、さらに国外からはアメリカの支援を受けるシャーが、ホメイニーの批判はもっともだと思わせるようなふるまいを見せていた。一九七一年に行なわれた、ペルシア帝国の栄光を称えるペルセポリス祭の豪華絢爛な祝宴が、国民とのあいだにどれほどの距離があったかを象徴している。経済危機にあえぐ国民は爆発寸前だった。一九七八年一月六日、ホメイニーは政府の文書のなかでイギリスの手先であるとの告発を受けた。この国ではよくある中傷だ。酒飲みで、隠れ同性愛者だというものもあった。ところがこの中傷は逆効果となって、反政府勢力をホメイニーを中心に結束させた。デモがたえず行なわれるようになり、取り締まりはいっそう厳しくなっていった。一九七八年九年、テヘラン南部でホメイニー支持派のデモ参加者数百名が殺害された。そして、シャーは戦法を誤った。イラクの体制に対し、ホメイニーをイラクから追放するよう圧力をかけたのだ。そして、一〇月六日に彼はフランスに到着した。パリでは、この老賢人の威厳に魅了された一部の報道関係者と知識人の共感を得られたおかげで、電話、録音テープ、通信網など、あらゆる現代技術を自由に使えるようになり、本国への凱旋の準備や用意に活用した。

凱旋

ノーフル＝ル＝シャトーでは、ホメイニーはいつも人々に囲まれていた。そのなかに、のちに大統領となるバニーサドルのような非聖職者もいたおかげで、西側諸国の世論は安心感を得られた。穏やかでおちついた印象とそのつつましい暮らしぶりは、人々を引きつけずにはおかなかった。シャーの転覆をよびかけてはいたが、自分のほんとうの狙いを表に見せることはなかった。イランの公式プロパガンダに外国の手先だと非難されながらも、ホメイニーは後継となる体制の概念について明言することはなかった。隠すことといつわることは違う。また、反体制派は統制がとれていないこと、民衆のなかから起こった運動であることもわかっていた。ホメイニーの考えは、共産党やさまざまな左派運動、さらに近代的な民族主義の理念とは異なっていた。彼の権威と正当性のよりどころであった聖職者階級も、革命においてムッラーが果たすべき役割については内部で意見が分かれていた。ホメイニーの死後、息子が次のように語っている。父の最大の成功はイスラム共和国の基礎を築いたことではなく、変化についていけない保守的で反動的な聖職者たちに勝利したことだ、と。

当面は比較的プラグマティックであったが、ホメイニーは不屈の意志に導かれていた。地上にいる人間は神の意志に従うだけで満足してはならない。自分自身を鍛える努力、宗教、自己規律、学習によって、神の意志のために働く「完全な」人間という地位に到達しようと努めなければならない。このように、ホメイニーの政治家としての道はその内面の軌道と同じ線上にあるのだ。

ひとたびシャーが失脚すると、革命は次の支配権獲得の争いに引き裂かれた。数百という革命委員会が国内のあちらこちらに出現した。しかし、たいていが急進的なメンバーの集まりで、マルクス主義——なかでもイスラム的傾向のマルクス主義——など、さまざまなイデオロギーを掲げていた。これでは国の一体性が脅かされる。最初の政治的決断は首相の指名だった。指名されたのは、イスラム主義穏健派のメフディー・バーザルカーンだった。彼は、新憲法を承認する憲法制定委員会の委員を選出する国民投票を行なった。

一見すると民主制を尊重しているようにみえる。だから、反シャーを主張する「リベラルな」反対派は、ホメイニーを支持した。彼が真の民主主義、専制に対する法の優位、そして人権の尊重を確立するだろうと考えたからだ。ホメイニーはパリで記者たちを前に、イスラム共和国は真の意味での民主主義共和国であると語っていた。しかし、西洋式の民主主義となることはありえない、と釘を刺すこともあった。なぜなら、政府はつねにシャリーア（イスラム法）と矛盾しない手段を選ばなければならないからだ。そのうえで、ときおり、自身の思想のもうひとつの基本概念を示した。それがヴェラーヤテ・ファギーフ、「法学者による統治」だ。一九六九年にはすでに、その構想について説明している。つまり、「もっとも学識豊かな者」の使命はただ法の同定と定義づけを行なうことだけではなく、法の適用にも責任をもつことになる、というのだった。

人に選ばれたのではなく、神から正当性をあたえられた最高指導者がいて、その者は学識豊かな宗教人で、しかもだれからも尊敬される神学者であるべきだ、という考えがホメイニーの思想の中核をなしていく。だが当面は、自身が演じるつもりであるほんとうの役割をあまり詳しく定義しないよう気を配った。この概念を人々に、なかでも聖職者に認めさせることがどれほどむずかしいか、彼にはよくわかっていた。世俗的体制から神権体制への移行が、たったの数日間で行なわれるわけはなかった。

しかし、事態は急を要した。おそらく自分にはもう長い時間は残されていないと、ホメイニーにはわかっていたからだ。イスラム革命の現実が急速に姿を現わしていった。一九七九年二月から、シャーの旧体制下の政治家たちが性急な裁判だけで処刑されるようになった。これらの処刑は西側諸国だけでなく、暫定政府の一部の人々をも驚かせた。だがホメイニーにとっては完全に正当な措置だった。抑圧の時代のあとで、国民の復讐心を満足させなければならなかったのだ。

一九七九年、憲法の採択を待つあいだに、ホメイニーの承認を得た急進派たちが弾圧手段を整備した。こうしてホメイニーはある手段を完全に手中におさめる。それが、イスラム共和党とその戦闘部門、ヒズボラ（レバノンのヒズボラとは異なるので注意）だ。その殺し屋たちは、ホメイニーの方針に逆らう者をかたっぱしから攻撃した。軍隊はホメイニーに帰順したものの、彼は警戒を解かなかった。ゆえに、軍と均衡する武力としてイラン革命防衛隊が創設された。この革命防衛隊は、金融と、大きな配信力をもつメディアの一部を支配するようになり、短期間で体制の支柱の一本となってゆく。この転換の年のあいだも、新体制に反対する武装勢力が依然として強い力をもっていたのは本当だ。だから、ホメイニーの支持者たちが暗殺された。聖職者のあいだにあってホメイニーの主要な支持者であり、「旅の仲間」だったモルテザ・モタハリもその一人だった。このことはホメイニーに大きな衝撃をあたえ、葬儀では涙にくれる姿が目撃された。

権力の強引な強化段階がすぎると国民投票のときが来た。問いの答えは投票前からわかっていた。選択肢は君主制か共和制のどちらかしかないからだ。ほんとうに問題なのはこの共和国の性格であり、それについては激しい議論がかわされた。必要なのは民主主義共和国か、それとも「イスラム民主主義」共和国なのか。ホメイニーはこのときも比較的ひかえめで、本心は隠したままだった。またもタキーヤだ。しかし、一九七九年三月一日、ホメイニーは警告を発した。「われわれは自由をとりもどしたかもしれないが、帝国主義とユダヤ人国家建設運動（シオン主義）の根は残っている。（…）もうすぐ国民投票が行なわれる。わたしはイスラム民主主義共和国に投票し、国民にも同じことを期待する」。ただし、反対意見の者も自由に投票する権利がある、とつけくわえた。国民投票は三月初めに行なわれ、投票率はきわめて高く、投票者の九七パーセントがイスラム共和国に賛成票を投じた。だがそのイスラム共和国の定義については、ホメイニーとその側近は注意深く明言を避けた。

この勝利ののちホメイニーは政治と距離をおき、ゴムの町に戻った。魂胆があってのことだ。そしてそこで九か月をすごす。自分の使命をまっとうしたいま、ホメイニーは研究と教育と祈りの生活に戻りたいのだ、と多くの人の目には映っただろう。それはたんなる策動だったのだろうか。いずれにせよ、ゴムはすぐに事実上の政治の中心地となった。人がひっきりなしに訪れ、助言を得ようとテヘランからもやってきた。そしてホメイニーは、全国の人々がつねに自分の姿を目にすることができるようにと、ビデオでも写真でも撮影させた。

しかし、反対派の攻撃もまだ収束したわけではなく、テロ行為は続いた。それでもホメイニーは新憲法の草案作成の続行を決めた。だが、それまで憲法議会が担っていた草案作成は、選ばれた専門家だけの非常にかぎられたメンバーで構成される評議会に担当させることにした。メンバーは聖職者がほとんどを占めた。一般大衆にはまだ知られていない、ヴェラーヤテ・ファギーフ（法学者による統治）の原則を説くキャンペーンが行なわれた。大きな懸念は、基本的原則がシャーの独裁への回帰と解釈されないか、ということだった。たしかに、ホメイニーの正当性を疑うものはほとんどいなかったが、彼は自身の構想とイスラム革命がいつまでも存続することをなによりも望んでいた。国内では、穏健派がいよいよ脇に押しやられ、自由なメディアは抑圧されていった。

ヴェラーヤテ・ファギーフの概念は広まり、ムハンマド・シャリアトマダリをはじめとする高位のアーヤトッラーたちが反対したにもかかわらず、大きな抵抗もなく浸透していった。ホメイニーは終身最高指導者を名のり、「ウンマ（イスラム教信者の共同体）のイマーム」として世間に認められた。新憲法には「最高権限は神とその代理の摂政であるヴァリーエ・ファギーフ（最高指導者）にある」と明記された。指導者は戦争と和平の宣言、軍の司令官の指名を行ない、選出された大統領を承認し、また国の重要な役職につく人物を選ぶことができる。さらに、革命防衛隊の総司令官を指名するのも最高指導者だ。そうとはいえ、理論上は有権者にも発言権があり、国会は重要な役割を担い、原則として権力の分立が存在する。だが、ヴァリ（法学者）がすべてにおいて拒否権をもっている。すなわちその権力は莫大なものだ。つまりはほぼ独裁なのだった。

憲法はホメイニーの考えに沿って制定された。現実には、彼は異論をさしはさませなかった。だれかが苦情を訴えても、いつも巧みに議論をかわした。そして、高齢者と経験あるマルジャ（シーア派の最高権威）に人々が捧げるべき尊敬を盾にして、正面から答えることをこばんだ。マルジャは人々の模範であり、人々はその行ないをまねなければならないのだ。そしてホメイニーは、わざと憔悴した声で「疲れた」と言うか、あるいは少し高圧的な口調で「もうその話は聞きたくない」と、素っ気なく言うのだった。議論はそこで終わりだ。彼の権威は彼だけのものなのだ。

著名なイタリア人ジャーナリストのオリアナ・ファラチは、一九七九年一〇月にホメイニーのインタビューを行なった。ファラチ自身はフェミニストで、チャドルの着用についてなど舌鋒鋭く質問を浴びせかけたにもかかわらず、彼の「大いなる尊厳と物腰の気高さには感銘を受けた」と語った。「じつをいうと、カリスマ性とよばれるものを感じたのは、生まれてはじめてでした」と、打ち明けている。

それでは、この体制はヨーロッパ型の独裁なのだろうか。ホメイニーの個人崇拝は高まったが、イランの国会は活動を続けており、国民は心の底から議会に愛着をもっている。聖職者のなかでさえ、体制の性格、ムッラーの役割、そしてヴェラーヤテ・ファギーフについては議論が存在していた。すなわち、たしかに独裁ではあるが、全体主義体制ではない。しかし、シャリアトマダリが「法学者による統治」に反対であるとの立場を明確に表明すると、ホメイニーは非情にもその支持者たちを執拗に追いまわし、シャリアトマダリを国内で追放処分にし、永久に表舞台から消しさった。

偏執病

ある重大事件が起き、このイスラム共和国がもつ独裁的性格、国際法や通常の文明国間のものごとのルールに対する敬意の欠如を象徴するもの、と国際世論の目に映った。それは、一九七九年一一月四日に起こった、アメリカ大使館の占拠とその職員の人質事件だ。癌治療を名目とするシャーのアメリカ入国に対する抗議のために、学生たちが暴挙に出たのだった。

ゴムにとどまっていた最高指導者ホメイニーも虚をつかれた。イブラヒム・ヤズディ外相が訪ねると、「彼らはどんな連中で、なぜこんなことをしたのか」とたずね、「彼らを退出させよ」と命じた。熟練の策士であるホメイニーは、大衆と世論を観察したうえで、革命が不安定であること、そして世界最強国との直接対決は危険であることを知っていた。しかし、数時間後には人質事件の実行犯たちの全面的支持にまわり、さらに、それまで新体制を慎重に見守っていたアメリカを、イランの大敵であると非難する。革命を方向づけたりいきすぎを修正したりして、ときには調停役として影響をあたえることもできる指導者だと思われていたにもかかわらず、ホメイニーは全面的に反米姿勢を打ち出した。おそらく、学生たちの動きを制御できずに自身が追い落とされることをおそれたのだろう。

一九七九年一二月三日、新憲法が施行された。イラン国民は半年間に二度の国民投票を行なった。法学者による統治の基本的原則がその一つで承認されたが、棄権率も高かった。しかし、穏健派の希望が完全に消えたわけではなかった。その証拠に、一九八〇年一月には非聖職者のバニーサドルが共和国大統領に選ばれた。彼はイスラム共和国を中道に位置づけ、狂信的な人々を排除しようとした。アメリカ大使館人質事件でアメリカ政府との仲介役を行なうという、大統領ならではの役割をめぐって起こった混乱によって不利な立場に立たされた。そしてまたもや、すべてはホメイニーの態度しだいとなったのだ。

次の難局はすぐにやってきた。ホメイニーが自身の権力の強化にのりだそうとした矢先の一九八〇年九月二二日、イラクの独裁者サッダーム・フセインがイラン南部に侵攻したのだ。ホメイニーはイスラム共和国が崩壊するのではないかとおそれた。しかし、反対派の処刑がひき続き行なわれていた一方で、このイラクとの戦争が革命防衛隊を前線で輝かせ、ホメイニーが国全体でその影響力を強化し、元サヴァクのメンバーの助けもかりて、生き残っていた反革命運動を鎮圧するチャンスとなった。ホメイニーはゴムを後にし、首都テヘラン近くに移った。一九八一年六月二八日、ホメイニーの親戚でもあるベヘシュティがイスラム共和党本部爆弾テロで死亡した。ホメイニーは大きな衝撃を受け、この友人の葬儀ではまたも涙にくれる姿がみられた。反体制武装組織であるモジャーヘディーネ・ハルグ出身者をふくむ、無数の反対派が投獄され、何百人もが処刑された。

イラクとの戦争はその後何年も続く。イランは激しく抵抗し、国民も大きな犠牲をはらったが、結果としていきづまる。西側諸国とイスラエルが、いずれも戦勝国になることのないように画策したのだ。国は疲弊し、歴史家のピエール・ラズーによるとイラン人死亡者はおよそ五〇万人に上ったという。この状況を無視できなくなったホメイニーは、現実的に対処し、停戦および国際的に認められた国境からの両国軍の撤退を求める、国連の安全保障理事会決議五九八号の受諾に同意した。一九八八年七月一八日、イランの指導者たちは隣国イラクとの戦争の終結を宣言した。イランは崩壊寸前だったが、その精神的指導者であるホメイニーは、戦争のあいだに国の団結を維持することに成功し、交渉の提案を断わって自国民におよぼす自身の影響力を見せつけた。その結果、体制は強化された。戦争が新しい指導者たちを中心に国を団結させ、革命防衛隊にはその支配の地固め、および社会のすみずみまでとどく拡大をもたらしたのだ。

老いがしのびより、健康もおとろえはじめていたにもかかわらず、ホメイニーがイランの政治と宗教を全面的に支配していたことは最後のエピソードが物語っている。これが彼にとって最後の大仕事、見方によっては究極の悪行となる。一九八九年一月にジョージ・H・W・ブッシュがアメリカ合衆国大統領に就任し、アメリカとの関係はすぐに協調方向に転じた。ホメイニーの側近のうちでも穏健派とされる一人、ハーシェミー・ラフサンジャーニーは、西側諸国に対してより協調的な、開かれた政治をめざそうとした。そして、憲法は改正されるべきだ、イラクとの戦争はじつは誤りだった、とまで発言した。ホメイニーは自身の権威を侵そうとするこの発言に激怒し、反発した。しかし、ラフサンジャーニーはなんといっても同志だ。直接対決するようなことは避け、一九八九年二月一四日、名高いファトワー（イスラム教指導者による勧告・裁断）をラジオを通じて発した。それは、サルマン・ラシュディーの小説『悪魔の詩』に対するファトワーで、著者のみならず、この作品の発売に多少なりとも協力した人々すべてに、有罪判決をくだすものだった。西洋の人々はこのとき、絶対権力の専制を象徴するようになるファトワーという言葉を知った。サルマ

1979年２月、革命後の新政府発表の場でのホメイニーとラフサンジャーニー。

ン・ラシュディーをさらし者にして衆目を集めることで、ホメイニーは故意に西洋との和解の希望を打ちくだいた。ヨーロッパから来ていた外交官はイランをのがれ帰国した。判決を批判したあるムスリム聖職者がベルギーで殺害され、日本では、革命防衛隊の一員である殺し屋によって、日本人翻訳者が処刑された。ホメイニーにとっては、革命の輸出をあきらめるなど論外だった。このファトワーは、多くの人々にとって彼の独裁の容赦ない象徴として永遠に記憶にとどまる。

一九八九年六月三日、ホメイニーは癌で死去した。テヘランで行なわれた壮大な葬儀は大混乱となったが、大勢の参列者を集めた。これはシーア派そのものの弔いであり、イランにとって不確実性の時代がはじまった。ホメイニーがおしすすめようとしていた神の法による独裁は、あまりにも彼の人間性とたぐいまれなカリスマ性に結びついていた。議会民主制と神権政治が結びついた稀有な形である、イラン・イスラム共和国の実験は続く。そして、イラン国民は自分たちの国はまたとない道を歩んでいると確信している。革命のいきすぎはあったとはいえ、西側諸国、なかでもアメリカに立ち向かったホメイニーは、イスラム世界の分裂にもかかわらず、多くのイスラム教徒にある種の誇りをとりもどさせた。しかし、最終的に、ホメイニーは神の支配を決定的に強固なものにすることはできなかった。それこそ、彼が奉仕しようと生涯努めたものだったのだが。世俗の世界では、人々の人間の声を完全に封じこめるのは、たやすいことではないのだ。

〈参考文献〉

Michael Axworthy, *Revolutionary Iran*, Londres, Allen Lane, 2013.

Con Coughlin, *Khomeini's Ghost*, Londres, Macmillan, 2009.

Nikki Keddie, *Modern Iran*, Yale University Press, 2006.

Baqer Moin, *Khomeini, Life of the Ayatollah*, Londres, I. B. Tauris, 2009.

Christian et Pierre Pahlavi, *Le Marécage des ayatollahs*, Perrin, coll. « Tempus », 2017.

Pierre Razoux, *La Guerre Iran–Irak*, Perrin, 2013.

Yann Richard, *L'Islam chiite*, Fayard, 1991.

21 サッダーム・フセイン

バグダードのごろつき

ジェレミー・アンドレ

一九七〇年代初頭よりイラクを手中におさめていたサッダーム・フセインは、みずから伝説を作り出していた。すなわち、近代化されたアラブの首長、野心家、戦士、アメリカ帝国主義とイスラエルの敵、きわめて強力な警察国家のもとにある国民の父、などなど。その裏では、このイラク・バアス党［第二次世界大戦前後に結成された、西洋思想の影響を受け、汎アラブ主義・アラブ社会主義を掲げる政党］の指導者は、恐怖による統治と、同国人の殺戮と、もっとも破滅的であった決定——イラン・イラク戦争、クウェート併合、こりない化学兵器の使用——を止めることをできず、そのことは、イラク人民に高い代償という結果をもたらした。彼の没落は、あの二〇〇一年九月一一日のテロ［アメリカ、WTCビルなどへの航空機突入破壊攻撃］によってひき起こされたのだが、それには彼はいっさい加担してはいなかったのだ！　フェイク情報にもとづく二〇〇三年のアメリカによる侵攻は、二一世紀の原罪の形である。

フランスの友として

サッダーム・フセインの公人としての人生は、とてつもない幻想をふりまきながらはじまった。それまではまったく無名であった彼は、一九七二年の春、とつぜん国際的表舞台に姿をあらわした。六月一日、イラクは、BP、シェル、エッソ、モービル、それにのちのトタールとなるフランス石油会社からなる西欧企業連合の所有下にあったイラクの石油会社を国有化した。当時のフセインは、アフマド・ハサン・アル＝バクル大統領（一九一四―一九八二）の副大統領でしかなかったが、国有化を全面的に管轄した。二週間後の六月一四日、フセインがオルリー空港［シャルル・ドゴール空港ができるまでのパリを代表する国際空港］に到着すると、フランスの報道機関は、「イラクのナンバー・ツー」が個別協定締結を交渉するために訪仏した、と告げた。当時のフランス政府は、ロンドンやワシントンと共同歩調をとることを拒んでいた。フセインは、駐機場で、共和国衛兵隊（ギャルド・レピュブリケーヌ）と当時の首相であるジャック・シャバン＝デルマスの表敬を受けた。テレビに映ったのは、完璧に刈りそろえた短髪と細く整えた口髭――やがて年とともに太くなるが――の、一八六センチメートルはあるがっしりした風采の男で、カスタムメイドのダークカラーのダブルスーツは彼の堂々たる体格に似あっていた。その魅力的なほほえみと力強いまなざしは、彼にすぐれた知性の雰囲気をまとわせていた。それは随行の、初老で太っていて、飾り緒と勲章で飾り立てられた軍服が窮屈そうな、いかにも昔風のイラク軍将校とは、きわだった対照をなしていた。「背が高く、エレガントで、スポーツマンらしい身ぶり、そして自分というものをわきまえたサッダーム・フセイン氏は、これらの点において、フランス語でよぶところの「若き狼」〔野心的な青年〕にふさわしい」とル・モンド紙はもちあげた。

これが、フランスと、このイラクのつわものとの短い蜜月のはじまりであった。パリときたら、まるで「理想の婿さん」でも見つけたようなつもりで、フセインのことを、誕生まもない産油国を率いるテクノクラートか、一九七三年と一九七九年の石油危機の時期における掌中の玉か、さらにはフランス産業と掃いてすてるほど契約してくれる金の卵（石油に染まった黒い卵とよぶべきかもしれない）を生む牝鶏（めんどり）だと信じたのだった。そのうえ、彼は「専門家よりもはるかに」担当案件に精通した男であり、この点は彼の敵も認めている。彼は受けとった報告をみずから子細に検討し、科学者や技術者を閉口させるほどの質問を浴びせた。そのくせ、法学士号しかもっていなかったのだった！　さらにこの男は実用主義者ぶりを発揮し、一九七五年三月六日のイランとの「アルジェ協定」〔イラン・イラク間の国境画定〕調印によって、またもやはじまるかと思われた血で血を洗う争いを避けたので、どの点から見ても好ましい人物だという評価を得た。イランのシャー〔国王のこと〕の体制は、一九六〇年代初めからイラク北方の山岳地帯で中央政府を悩ましていたクルド人ゲリラの「ペシュメルガ」（クルド語で「決死隊」の意味）戦闘部隊を支援するために、それ以前から何年も介入していたのだった。フセインは啓蒙専制君主ぶりも発揮し、フセインはユネスコの世界非識字者一掃キャンペーンを支持したことにより、クロペスカ賞を受賞した――フセインが決めた「知識の日」に参加しないイラク国民は投獄されるおそれがあるという強引なやり方ではあったが、効果はあった。そしてフランスは、イラクとのあいだに契約を次々と結んだ。一九七四年一二月には、メリユー研究所〔マル

サッダーム・フセイン（1937–2006）、1960年ごろ。　© AFP

セル・メリユーによってリヨンに一八九七年に設立された生物学・ワクチン研究所で、現在も企業として存続している］とともにイラクに薬学試験所を設立した――家畜のための獣医ワクチン開発を名目にかかげていたが、フセインにはすでに生物兵器開発の下心があった。一九七五年九月、やる気に満ちたフランス新首相ジャック・シラクは、自分と同じように国家元首に次ぐ地位についているフセインを盛大に迎え、両名はミラージュF1戦闘機の歴史的売却契約にサインし、イラクの民生用原子炉の整備契約に（三〇億ドル）も締結し、さらに南仏での一日を、闘牛見物と、カダラッシュ［フランス南東部にあるド・ゴール大統領肝いりの原子力研究センター］の訪問ですごした。両国は、ウィンウィンの関係となったのだ。一九七八年には、イラクはフランス経済が必要とする四分の一の石油量を供給した。この新来の顧客のおかげで、サッダームの国の豊かさは上昇した。その石油からの収入は、一九六八年の年間所得の四億七六〇〇万ドルから、一二年後には二六〇億ドルに跳ね上がった。バグダードは現代的首都に生まれ変わった。ティグリス・ユーフラテス川の谷間は、高速道路と、フランスが支配人の万年筆もふくめてなにからなにまで整えてイラク側に引き渡した工場でおおわれた。

貴種にあらず

サッダーム・フセインの実像は明らかではない。左手の甲にある三点の小さな刺青は、おそらく、彼の生まれ地域、バグダードの北にあるティクリートのスンナ派アラブ部族の典型的な印であろう。サッダームは、イラクについてまったく無知な、おめでたい西洋の人が考えたような若き「テクノクラート」ではなかった。イラク人の目からすれば、この刺青は、彼が貧しい部族階層の生まれであり、メソポタミアの千古の歴史をもつ都市の教養ある家庭の出自ではなかったということを、ありありと示していた。彼は実質的に教育を受けていないに等しく、広く信じられていることとも反対に、軍人でもなかった――みじめにもバグダードの士官学校の入学試験に失敗していたのだった。二〇世紀におけるこれだけの知名人にしてはまれなことに、彼の伝記については大きな謎の部分が残っている。その生い立ちは、ながいことプロパガンダによるでっち上げか、それとも敵による捏造のどちらかでおおわれていた。イギリスのデイリー・テレグラフの記者であるコン・コフリン[1]〔一九五五―〕。国際記者として活躍。現在、デイリー・テレグラフの外信部長〕の綿密な調査による『サッダーム、恐怖の王者』と題した本がはじめて出版されたのは二〇〇二年だったが、この本は幸いにもサッダーム伝説の大部分について真実と虚偽とを明らかにすることができた。当時は、まだそれが可能だったのだ。まずは生年月日である。公表されていた日付は一九三七年四月二八日だが、権力への出世階段を昇っていた時期に箔をつけるために、実際より二歳ほど早くさばを読んでいたらしい。ごく最近までのイラクの農村の子どもたちと同様に、おそらく出生届は出されていなかった。彼の母であるスブハはシングル・マザーだった。彼女は荒壁で作られた家々からなる、アル＝アウジャというみじめな小集落で、サッダームを生んだ。そこはティグリス川の蛇行した地点で、ティクリートの南方八キロメートルほどのところだった。父については、フセイン・アル＝マジードという名前しか知られていない。その父は、サッダームが生まれる前かその直後に死んでおり、そのことはもっともとんでもない噂を生んだ。つまり、スブハは売春婦で、父フセインは盗賊だったというのである。アラブの伝統的社会のなかでは、父なし児ほど身の置きどころのないものはいないし、ましてやアル＝ナシール部族のなかでも悪評高いアル＝ベジャット氏族に属しているとあれば、なにをかいわんやであった。わずかな強みは、彼の名前「サッダーム」であり、それはアラビア語では「一刻者」という意味だった。子どものサッダームはみじめな階層のなかで育ち、義父「イブラーヒーム・ハサンという牧羊者」は彼を殴りつけ、盗みの手下にした。

とはいえ、サッダームには庇護者もあった。それは、彼の母方の叔父であるハイラッラー・タルファーフ（一九一〇―一九九三）であった。彼は一九四七年に出獄したが、その投獄の原因は、六年前に、親ナチの総理大臣［当時のイラクはイギリス影響下の王国］だったラシード・アリー・アル＝ケーラーニ（一八九二―一九六五）のイギリスへの反乱を支持したからであった。ハイラッラーは超民族主義者であり、たいして知識のたくわえもないその頭のなかはイラン人への憎悪と、イスラエル建国とともに地域に蔓延しだした反ユダヤ主義で満ち満ちていた。一九四〇年代の終わりから、サッダームは教師となったこの叔父のもとに置かれ、いささか遅くはあったが、初等教育をほどこされた。いくつかの大雑把な事実を除き、彼の子ども時代に関しては、公式の伝記やサッダームの胡散臭げな打ち明け話や土地のうわさを出所（でどころ）とする、真偽も定かでない逸話が数えきれぬほど存在する。通りを徘徊していると、私生児であるということから隣人たちに蔑視された、ほかの子どもからの攻撃を鉄パイプで防いだ、一頭の馬だけを唯一の友としていた、教師たちにたてついたなどのエピソードである。以上は、フセインが実際に体験した青春時代の話というよりは、むしろ面白おかしく仕立てられた伝承であろう。一九五五年の秋、修了証を懐にしたサッダームはバグダードに上京した。そこでは、ハイラッラーが小学校校長の地位を得ていた。そこで青年サッダームは、高等学校［フランス語でリセ、日本の旧制高校に相当］に入学した。そこでは彼は、若者の準軍事組織である「アル・フトゥーワ」［フトゥーワはイスラームにすべてを捧げる高貴な精神をさす］にしばしば出入りした。アル・フトゥーワは一九三〇年代に結成された、ヒトラー・ユーゲントの影響を受けた戦闘組織だった。こうしてサッダームは、デモの現場で共産党の青年団とやりあうことで、最初の戦闘経験を積んだ。くわえて、彼の一家は早くからバアス党（「復興の意」）と縁があった。この世俗主義政党は一九四七年にダマスカスで設立され、社会主義と汎アラブ主義の両立をはかり、一九五〇年代のなかばには、イラク支部を設置したところだった。ハイラッラー・タルファーフの友人であるアフマド・ハサン・アル＝バクル将軍は、自身もまたティクリートの出身であり、当時のイラク・バアス党の主要人物の一人となっていた。一時的だったが、共産主義者と国家主義者の連帯を実現したアル＝バクルは、アブドルカリーム・カーシム将軍（一九一四―一九六三）が率いた一九五八年七月一四日の革命に参加していた。この革命で、イラク王室のメンバーは全員虐殺された。かくしてイラクは、不安定な激動のサイクルのなかに入り、この国の指導者の一人がよぶところの「クーデター工場」以外のなにものでもなくなっていったのであった。

暗殺

サッダームの家族は、当初は恩人であるアル＝バクルの出世による庇護を受けていた。叔父ハイラッラーは、バグダード市の教育庁長官に任命された。だがしかし、ティクリートのとある共産主義者の活動家、サードゥーン・アル＝ティクリーティーが、一〇年前にハイラッラーが投獄されていたことを当局に通知し、叔父は解職された。その復讐のために、彼は甥のサッダームをティクリートに送った。目撃者によれば、サッダームは一九五八年一〇月二四日に、サードゥーンの背後から頭に弾を撃ちこんで暗殺したといわれている。サッダームとハイラッラーはただちに拘置されたが、半年後には証拠不十分で釈放された。同房にいたあるバアス党員は、まるでふたりが二面の「壁」のようだったと言っている。まったく無言で、だれのことも信用せず、胸襟も開かなかったと。彼らが釈放されたころ、バアス党員は政府から追放されており、まさにアブドルカリーム・カーシム暗殺を計画中だった。その作戦を率いていたのは医学生のアブドル＝カリーム・アル＝シェイクリー（一九三七―一九八〇）［イラクの初代外相であり永世駐米大使であったが、のちにサッダームの護衛隊に殺害された］で、やがてサッダームのもっとも近い同志となった。この前科者サッダームに暗殺者はまったくお似あいの役どころで、彼は一九五九年一〇月七日に、カーシム首相の車に機関銃を乱射する任務のチームにくわわっていた。これは、その後に成立する独裁政権公認の聖人伝のなかで、若きフセインを主人公とする英雄叙事詩として語られる。一九八〇年には、このエピソードは、六時間もの長尺の映画の題材となり、その題名は『この長き日々』、編集は、ジェームズ・ボンドシリーズの初代の監督である、テレンス・ヤングだった。サッダームは実際には二次的な役割しか演じておらず、しかもおそらくは、早く撃ちはじめすぎたために、作戦そのものを危機にさらしたのであった。運転手は殺されたが、カーシム首相は肩と腕とを負傷しただけですんだ。みずからも傷を負ったサッダームは、ダマスカスへ逃亡し、そこで数か月をすごした後、バアス党によってカイロに派遣され、そこで高等学校の課程を修了したのである。エジプト国家の庇護を受けて、一九六一年には法学研究の道に入った。また翌年の初めには、叔父ハイラッラーの娘で、婚約していた従姉妹のサージダ（一九三七年生まれ）と、イラクに戻ったときに結婚している。彼はまた、カイロのアメリカ大使館にもしばしば出入りしてCIAと結びつきを持ったが、それはCIAが共産主義者への対抗勢力としてバアス党の台頭を支持していたからだった。一九六三年二月八日、カーシム首相は二人組の将軍、国家主義者のアブドッサラーム・アーリフ（一九二一－一九六六）［第二代イラク共和国大統領］と、バアス党員でハイラッラーの友人兼庇護者だったアフマド・ハサン・アル＝バクルが主導したクーデターで打倒され、殺害された。一九五九年［カーシム首相暗殺未遂事件］の共謀者たちは、大歓声とともにバグダードに迎えられた。

それ以降、バアス党は冷酷な共産主義者狩りを開始し、市街戦では一五〇〇人から五〇〇〇人にわたる死者が出た。これに続き、一四九人が処刑され、数百人、いや数千人が行方不明となった。秘密収容所で拷問され、裁判にかけられることなく殺された。サッダームはその裏で弾圧の糸を引き、それ以後はバアス党の正式党員として、アル＝バクル大統領の護衛をつとめた。だが一九六三年一一月より、アブドッサラーム・アーリフはバアス党員を政権より遠ざけ、敵対勢力として非合法化する。若きフセインは、一九六四年六月に長男ウダイを設けていたが、準軍事組織のジハーズ・ハニーヌ

（アラビア語で「憧れの装置」という意味）［ナチのＳＳに範をとったともいわれる］を監督し、一九六四年九月から、アーリフ大統領の暗殺を計画しはじめた。一か月後、まだ行動にも移さない前に、サッダームはバグダード郊外で逮捕された。だがおそらくは高位の有力者の口利きがあったためだろうか、拷問も、またそれによる死もまぬかれた。そして一九六六年七月二三日に、アブドル＝カリーム・アル＝シェイクリーとともに脱走した。サッダームはずっと流れ者として逃げ隠れし、毎晩泊りどころを変え、いずれも共産主義者から盗んだかぶと虫形のフォルクスワーゲンか、おんぼろベンツで移動した。また、法学の勉強を終え、いつも武装してキャンパスを徘徊し、大勢の用心棒に囲まれていた。一九六七年の年末、彼の率いる自警団は、学生のストライキを鎮圧した。六日間戦争［一九六七年六月五日に起こった第三次中東戦争］の痛烈な敗北の後、その年の六月にはサッダームはＣＩＡおよびイギリスとの絆を強め、ヘリコプター事故で一九六六年に死亡したアブドッサラーム・アーリフの兄のアブドッラフマーン・アーリフ大統領（一九一六―二〇〇七）［第三代イラク共和国大統領］の政権転覆への支援を要求した。一九六八年の初めには、イラク・バアス党はシリアの宗家にあたるバアス党と決定的に断絶した。シリア・バアス党が二年前に共産主義者と和解していたからだった。それにひき続く七月一七日、サッダーム・フセインは、またもや起きたクーデターで、大統領宮殿を包囲する部隊の先頭にいた戦車のハッチから姿を現わした。バアス党は高級将官たちと同盟を結んでこのクーデターを仕組んだのだが、七月三〇日以降に彼らの排除を請け負ったのはサッダームであった。短期間首相をつとめたアブドゥッ＝ラッザーク・ナーイフも排除の対象となった。ナーイフは、いまや大統領となったアル＝バクルとの昼食の席で、不意打ちをくらった。バクルの手下であるフセインは、彼に銃を向けた。「お慈悲だ、四人の子どもがおるんだ！」。ナーイフは懇願した。「怖がらなくてもいい。あんたがおとなしくさえしていれば、子どもにはなにも起こりませんぜ」と、サッダームはいけしゃあしゃあと答えたものだ。ナーイフはモロッコに追放された――だが一九七八年、ロンドンで暗殺される。

若き狼

ハイラッラーはバグダード市長に任命された。シェイクリーは外相に、サッダームはバアス党が国家を支配するために創設した制度である革命司令部総理格の、アル＝バクルの副大統領となった。じつに逆説的だが、腹の底から反共産主義者であったイラク・バアス党はスターリン的な傾向を強めていった。新たなイラクの支配者となったバアス党は、一九六九年一月二七日に、バグダードの中心部にある解放広場で、公開処刑を実施した。九人のユダヤ系イラク人をふくむ一四名の「スパイ」が、イスラエルに通じていたとされ、衆人環視で処刑されたのだ。最初の三年、サッダームは黒幕として、彼の権勢への道を邪魔しそうな人間を、ひとり、またひとりと葬っていった。このころ、彼がめったと表面に出ないことをいぶかしむあるバアス党員に、サッダームは「ジャッカルの世話を引き受けていたのさ」と言葉少なに答えた。スターリン式に、彼はバアス党のテロ組織を体系的に構築した。たとえば秘密警察のアムン・アル＝アムン、党高級情報会議のジハーズ・アル＝ムハバラット・アル・アンマ、略称ムハバラット、それに全軍情報機関のイスティフバラットなどがあった。そしてサッダームはそれぞれの機関の長に、自分の家族や、若かりしころ彼とともにバグダードを恐怖におとしいれたならず者仲間をすえた。このシステムは、ただちに何千人という死者を出した。また、数多くのクーデターの試みを挫折に追いこんだ。その手はじめは一九七〇年の一月二〇日のことで、イランのシャー［モハンマド・レザー・シャー・パフラヴィー。いわゆるパーレビ国王。在位一九四一―一九七九］が背後にいた。また二度目は一九七三年六月三〇日で、彼の右腕の一人が糸を引いたものだった。一九七一年の九月には、サッダームはあえてクルド族叛乱の指導者であるムスタファ・バルザニ（一九〇三―一九七九）の暗殺をくわだてた。イラクは、シーア派の聖職者たちを、バルザニとの交渉者として派遣した。フセインの子分たちは、爆薬を仕かけたテープレコーダーを持ちこんだが、爆発は密使のうちの二人を殺しただけで、肝心の標的ははずしてしまった。激怒したバルザニは「イラクはサッダーム・フセインに支配された警察国家で、その男は偏執狂である」と述べた。フセインの本質をはじめて見ぬいたのは、バルザニということになる。あの最初からの武装同志だったアブドル＝カリーム・アル＝シェイクリーですら、排除の例外ではなかった。国連大使に任命されて体よく権力から遠ざけられた彼は、一九八〇年、バグダードに帰国した際に暗殺された。

アル＝バクル大統領は、すぐに手も足も出なくなった。体制のプロパガンダは、副大統領の個人崇拝に力を入れた。現代アラブの若き指導者で、完璧な家族をもち、バーベキュー、狩猟、赤ワインの愛好家であり、妻はパートタイムで教諭として働いている――その実、彼女は大統領専用機でパリとニューヨークに買いものに出かけていた――という人物像が宣伝された。一九七〇年代の末、バアス党員は一〇〇万人を超す数にふくらみ（人口一二〇〇万人のうち）、そのうち一五万人はフセインの主要な民兵組織である人民軍に入っていた。そうしてイラクは、パレスチナ過激派テロリスト集団を

ロケット弾発射筒（RPG）をかまえる独裁者。イラン・イラク戦争（1980–1988）のさなか。　© INA/AFP

支えるごろつき国家として、すでに国際社会に登場しはじめていた。この国の核開発計画は（民生使用にとどめるとの誓約にもかかわらず）、爆弾製造を目的としているのではないかと疑われていた。とはいえ、サッダームの真の姿を世界中に明らかにしたのは、アル＝バクルの排除であった。強迫のもとに、一九七九年七月一七日、「副大統領」はその指導者たる大統領を、「健康上の理由」から辞職に追いこんだ。その五日後、新大統領はバグダードのアル＝フルド会議場で、党指導者の特別集会を開催した。それは大じかけな粛清劇で、一から十まで撮影された。無頓着にキューバ葉巻をくゆらせたサッダームは、五五人の陰謀家を名ざして、シリアの大統領であるハーフィズ・アル＝アサドの工作員であると告発した。ひとり、またひとりと、その者たちはバアス党のスローガン、「統一、自由、社会主義」を叫びながら、逮捕が待つ議場の外へと出ていった。二二名は続く数日のうちに、生き残ることを許された逮捕仲間の手で処刑された。サッダームは集会を不吉な常套句でしめくくった。「われらは、売国奴(ばいこくど)らには、スターリンのような手はかけない。われらはバアス式で行なうのだ！」

侵略者

イラクの最高指導者となった新大統領は、その翌年、祖国を最初の破局に追いこんだ。イスラム革命［一九七九年に宗教指導者ホメイニ師の帰国によって成功したイランの政治・宗教革命］でイランは混乱していると信じていたサッダームは、イランを比較的容易に屈服させ、ティグリスとユーフラテスのデルタ地帯であるシャットゥルアラブ川［ティグリス川とユーフラテス川が合流してペルシア湾にそそぐ、長さ二〇〇キロメートルの国境の川］の左岸の主権をイランに認めたアルジェ合意の見直しも強請することができるとふんだ。それとは別に、サッダームはまた、シーア派の扇動も怖れていた。かれらはイラクの人口の多数派を占めており、同じ宗派であるイランの支援も受けていたのである。一九八〇年四月、大アヤトラ［シーア派の最高学識者であるとともに最高指導者］であるムハンマド・バーキル・サドル[2]（一九三五―一九八〇）が、サッダームの副首相であるターリク・アジーズ（一九三六―二〇一五）の暗殺をくわだてた［実際はイスラーム・ダアワ党員のしわざ］。その復讐として、サドルとその妹［活動家であった］は逮捕され、絞首された［サドルは世俗主義に反対するイスラーム・ダアワ党の理論的指導者で、ホメイニとも近く、兄妹は拷問のすえに惨殺されたといわれる］。イラクの独裁者は、これを待ち受けていた戦争突入への格好の口実とした。一九八〇年九月二二日、シャットゥルアラブ川侵入の前段として、イラク空軍はイラン領内深くに奇襲をかけた。サッダームは、できるだけ早く敵を屈服させて交渉に持ちこむことを狙っていた。ところが彼が忘れていたのは、両軍とも戦力はほぼ同等であり、敵の領土には三九〇〇万人の人口があって、それは自国の三倍だということだった。民族主義とイスラム主義とが、侵略者に対して、大衆を動員することになった。第一の目的は、要衝の地である、バスラ下流のホッラムシャフル奪取だったが、これはただちに、イラクにきわめて高い代価を支払わせることになった［一九八〇年一〇月二四日に陥落させたが、一九八二年五月二四日に敗退した］。そして、一九八一年五月には、イランの反撃はロードローラーの様相を呈した。それは、革命防衛隊［イラン国軍とは別に置かれた独立の軍事機構］、および少年兵、さらにはムッラー［シーア派の律法学者］によって、もしも「殉教者」として死ねば天国へ行けると説得された狂信的若者の志願者たちによるものだった。イラクにとっては、すべての戦線における敗色がつらなりあってきた。一九八一年六月七日にはイスラエルによる爆撃がアル＝トゥワイタの原子力施設を粉砕し、「アラブの核爆弾を保有する」というサッダームの野望を打ちのめした。ついで一九八二年五月には、ホッラムシャフルがイランに再奪取され、二万二〇〇〇人が捕虜となった――サッダーム自身、たった二か月前には、逆攻勢の波に飲まれかけている戦線を視察中、あやうく捕えられるところだった。戦闘は、終わりのない塹壕戦にはまりこんでいた。

イラクでは、恐怖政治とプロパガンダとが、いっそう強まった。新たな内務部局であるアル＝アムン・アル＝カス、すなわち「特別治安組織」が設置され、拷問をますます日常化した。サッダームは自分の安全のためにトーチカを作らせ、もはや制服しか着こもうとせず、自分を初期のカリフたち[3]になぞらえ、「聖油を塗られた者」、「導者」、「民衆の代表」とよばせた。ある博物館では彼をテーマとする常設展が開催され、新聞は彼を特集した号外を出し、テレビでは彼を称える歌が流れ、その肖像はいたるところに飾られた。「イラクの人口は二六〇〇万だ。国民は一三〇〇万人、そうして一三〇〇万枚のサッダームの絵」とは、当時流れたジョークである。経済は崩壊していた。一九八二年三月には、一人の大臣が、アル＝バクルの手に権力を戻すことを、閣議の場で思いきって要求した。「それについては、別室で話しあおうではないか」大統領は悠然と答えた。二人が部屋を出たとたんに銃声が鳴りひびき、戻ってきたサッダームは、なにごともなかったかのように会議を続けた。そうして彼は、前任者のために「安楽死」用の医師団を送りこんだ。続く数か月のあいだには、三〇〇人以上の士官が、総司令官の戦術に、大胆にも異議を唱えた罪で処刑された。フセインによるイラク国軍の再掌握は、一九八四年の共和国親衛隊設立のときに頂点に達した。これはまさにフセインの私兵部隊であり、給与も装備も十分で、ほぼ一四万人の兵士で構成されていた。同年、イランはペルシア湾のマジュヌーン諸島を奪取し、絶体絶命になったイラクはマスタードガス［皮膚に作用する化学兵器］とタブン剤［神経ガスの化学兵器］で反撃した――が、それは敵の進撃続行をくいとめることはできず、その二年後、イラク最南端部のファオ半島も陥落した。この敗報にもかかわらず、サッダームの一族は全面的にバグダードを支配していた。側近たちはマフィア同然であり、スカンディナヴィアの娼婦をよびつけ、何百台もの自動車のコレクションをならべて、ナイトクラブで夜な夜なすごしていた。ついに一九八八年、アメリカの軍事顧問団が戦場に到着したことで情勢が変化した。その一方、フセイン体制は内部の敵であるシーア派とクルド族を相手に猛威をふるった。一九八八年の三月には、アンファル（アラビア語で「戦利品」の意味。規範名としてクルアーンの章名のひとつにある）作戦の一環として、アリー・ハサン・アル＝マジード将軍（一九四一―二〇一〇）が、体制中最低最悪の所業を行なった。クルド族の町でイラン国境近くのハラブジャを、マスタードガスで爆撃し、およそ五〇〇〇人の民間人が犠牲になったのだ。これにより、彼には「ケミカル・アリー」のあだ名がつけられた。一方イランは、ペルシア湾沿岸で多数の敗北を重ねて限界に達し、ついに一九八八年七月一八日に、停戦を受諾した［八月二〇日に発効］。それは開戦前の状態を追認するものだった。八年間で五〇万から一〇〇万人にのぼる大量の死者を出したが、ふりだしに戻っただけだった！

嫌われ者

和平は、バグダードにおいて、「勝利の手」という、サッダームのこぶしをモデルにした手がにぎる二本の剣の巨大建築によって祝福された。また、レンガの壁で古代バビロニアの町も復元された。そのレンガには、かつてのメソポタミアの王が行なったように、大統領の名が刻印されていた。しかし、このイラクの大統領にとって、喜びの時期は短かった。その家族は不貞によって引き裂かれてしまった。サッダームの妻サージダは夫の火遊びには目をつむっていたが、長期にわたる、そして事実上の公的な愛人関係の存在は許さなかった。お相手は、国営航空会社の経営者の妻だった。復讐のため、イラクのファーストレディーは長男のウダイをけしかけた。彼は大統領のボディガードの一人を殺して亡命したが、すぐに赦免された「このボディガードがサッダームに新たな愛人（フセインは一九八六年に前述の女性を離婚させて自分の妻とした）を紹介したと、母子はにらんでいた」。主張が認められないサージダは、そこでサッダームの国防大臣であり、自分の兄弟でもあるアドナンに頼った。サッダームとアドナンは幼なじみで従兄弟同士でもあった。一九八九年、二人は激しい口論をした。その後ほどなく、アドナンの乗るヘリコプターが、独裁者の命により爆発物を仕かけられて、飛行中に爆発した。この「奇妙な平和状態」のあいだに、イラクの経済は持ちなおしてきた。それなのにフセインは、またもやすべてを台無しにした。イランとの長い戦いのあいだ、彼はほかのアラブ諸国があまり支援をしてくれなかったことを恨んでいた。そこで彼は、ほかの産油国、とくにクウェートが過剰生産をして相場を引き下げているとけちをつけた。一九九〇年八月二日、サッダームは突如この隣の小さな王国に侵入して、広大な油田を横領しようとした。アメリカからのゴーサインを得ようとして、彼はその一週間前に、バグダード駐在のアメリカ大使であるエイプリル・グラスピーと会談していた。「わたしどもは、アラブ諸国間の紛争にはなんらの意見も持ちませんし、貴国とクウェートの国境問題についても同様です」と、大使は外交官に必要な資質である慎重さをもって答えたのだが、まさかイラク人がその無内容の返答を、隣国征服への暗黙の了承だと読み違えるとは、想像もしていなかった。アメリカ大統領ジョージ・H・W・ブッシュはただちにサウジアラビア領内に部隊の展開を命じ、最後通牒をつきつけて、国連安全保障理事会の指揮下にある多国籍軍を招集した。一九九一年一月一七日、多国籍軍はイラクに対する、五週間にわたる集中的爆撃を発動した。ついで二月の終わり、四日間の陸上攻撃は、イラクの占領をまったく無効にした。この「湾岸戦争」によって、「世界で四番目の軍隊［すなわち当時のイラクの戦力のこと］」は、実際のところは儀仗隊でしかなく、現代の戦争にはまるで適さなくて、無能な指揮官たちに率いられ、西側の軍勢に対しては無力であることが明らかになった。「勇敢なイラク人たちよ、なんじらは全世界に立ち向かい、なんじらは勝利した。なんじらは勝利者である。勝利の甘さをかみしめよ」と敗軍の将フセインは、非理性的そのものの演説のなかで咆吼した。シーア派とクルド人は体制打倒をはかろうと、この機会に飛びついた。だがブッシュは介入せず、人民を独裁者のなすがままに放置した。サッダームは、残った兵力を、内部の敵に向けて解き放った。四月の末には二〇〇万人のクルド人がイランとの国境地帯に逃げ延び、その間にも毎日一〇〇〇人が餓死していった。イラク領の北側に飛行禁止区域を設けるための国際連合安全保障理事会決議六八八号が、虐殺を終わらせた。

禁輸下に置かれ、化学兵器解体のための査察を強制しようとする国際社会との力相撲でグロッギーになったイラクには、もはや復興の力は残っていなかった。一九九六年に受諾された対食糧石油協定（半年ごとに一六〇億ドル分の石油を引き渡すかわりに食糧と医薬品を受けとる）では、人道的危機

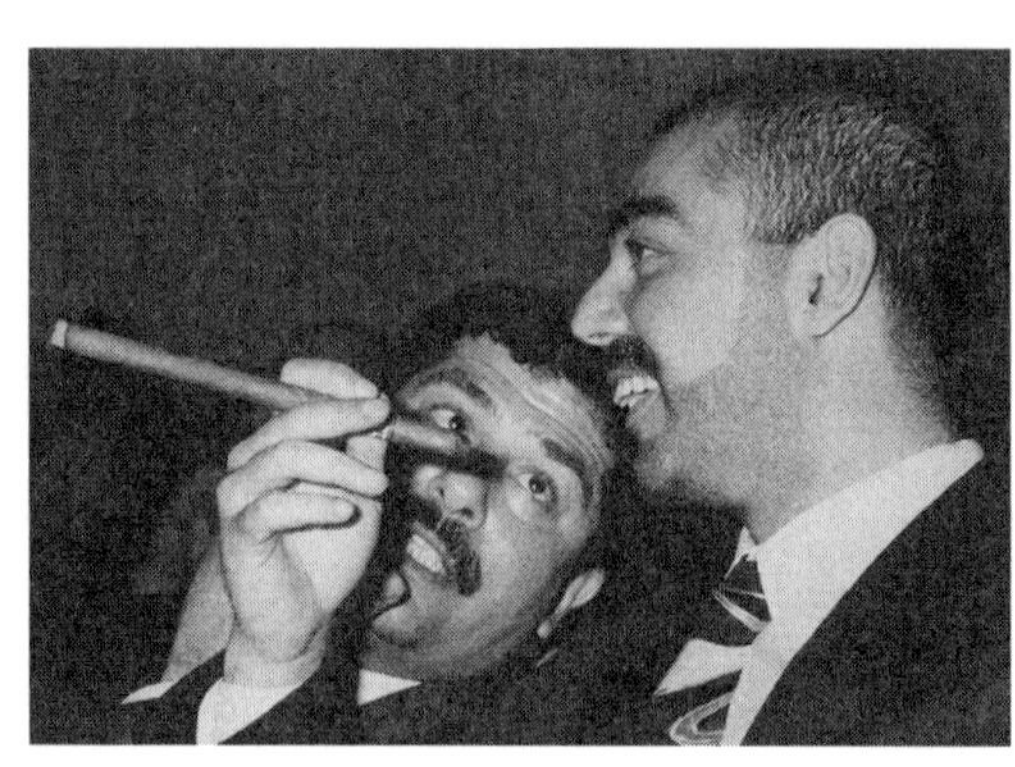

サッダームの不肖の息子たち、ウダイ（右）とクサイ。バグダード、2001年。
© Karim Mohsen/Getty Images

を脱することはむずかしかったし、不正取引と贈収賄は協定の効果を減らすばかりだった。サッダームの長たらしく挑発的なかけひきに業を煮やしたアメリカは、一九九三年四月には、クウェートを訪問したブッシュ前大統領を狙った暗殺未遂事件のあと、イラク軍と彼の治安部隊に何度も空爆をくりかえした。とくに大規模だったのは、一九九八年の一二月には「砂漠のキツネ」作戦であったが、これは武装解除交渉のいく度もの失敗の後に行なわれた。ちょうどこのとき、セックス・スキャンダルで身動きのとれなかったビル・クリントン大統領にとっては、この作戦は国内世論の気をそらす一手でもあった。だがCIAは十分に強力な反サッダーム勢力をイラク国内に構築できず、フセインはしぶとくもクーデターのくわだてや排除の試みから逃れつづけた。彼のいちばんの心配の種は、息子ウダイだった。抑制のきかないウダイは多数のイラク人を殺し、強姦し、侵辱した。一九九六年の一二月、彼はバグダードの目抜きで機関銃で撃たれてかろうじて生きのび、以後は何年も車椅子ですごすこととなった。この試練は、クウェート敗戦以後はじまっていた、父サッダームのイスラムへの回帰を加速させた。「信仰強化キャンペーン」が、一九九三年に発動された。この活動は、スンナ派イスラム教徒[4]を国中に根づかせることを許した――こうして、二〇年後にあのイスラム国を生むことになる厄災の種がまかれたのである。サッダームはこの宗教カードを、西欧に対する戦争を続けるためのこれまでとは違う切り札として使ったのだ。彼はバグダードに、ウンム・アル＝マリク（あらゆる戦いの母）と名づけた巨大モスクを建築したが、そのミナレット［光塔、礼拝を告知するための広報塔］は、一九九〇年にイスラエルに対して使用されたソヴィエト製のスカッド・ミサイルの姿をとっていた。この体制お手盛りの寺院には「血のクルアーン［コーラン］」が展示されていて、それにはフセイン自身の何リットルもの血が混じったインクが使われていた。サッダームは老けこんだが、決してそれを表に出そうとはしなかった。髪を染め、目が悪いのに公衆の面前では眼鏡をかけず、まがった腰を隠すためにカメラの前は歩かなかった。出される食材はすべて、放射線専門の科学者によって注意深くX線をかけられた。数十か所にある豪邸では、彼がいるかいないかにかかわらず、毎日のように三度三度の料理が供された。かれは神秘のオーラをただよわせつづけ、二日を越えて同じ場所にはとどまらないといわれた。それはあたかも、アーリフ大統領の治世にバアス党が非合法化されて追われていた時代のようであった。

スケープゴート

二〇〇一年九月一一日のテロ［アメリカ、ニューヨーク国際貿易センター二棟などへの航空機突入による破壊を主とする対米テロ攻撃］の直後から、サッダームは、ジョージ・W・ブッシュ大統領が宣言するところの「対テロ戦争」の主要標的の一人と目された。国連による新たな査察は、イラク政権によって、二〇〇二年の末に妨害された。それ以後、アメリカは、サッダームに対して、テロリスト組織であるアル＝カイーダとの実際には存在しない紐帯、そしてまったく虚構にすぎない「大量破壊兵器」の脅威を口実に、一九九一年のときのように国際協調による多国籍軍を組織しようとした。実際には、イラクの毒ガスのストックはかぎられて老朽化していて、水爆獲得の軍事計画も、一九八〇年代の初めには、完全に中止されていた。国連でのフランスの拒否権と世界中からの抗議にもかかわらず、「イラクの自由」作戦は、二〇〇三年三月一九日に発動され、それはサッダーム・フセインのトーチカへの爆撃からはじまり、彼は軽傷を負った。アメリカ軍は一週間でらくらくとバクダードに入城した。だが最後の最後まで、イラク大統領は長年にわたって準備されてきた隠れ場所にもぐりこみ、テレビに何度も登場し、壊走しつつある軍勢を集結させようと試みた。四月九日、バグダードのパレスチナ・ホテルに面した彼の立像の一つが象徴的に引き倒されたことは、その体制の瓦解をなによりも示すことになった。その日より、独裁者の姿は、ぱったりと消えた。彼の権威失墜は、その宮殿の誇大妄想的全貌を、全世界のもとにさらすこととなつた。拷問室、死体の山。わけても息子ウダイの度はずれさときたら、ことばにならなかった。その別荘には二〇〇万ドル分の酒、葉巻、そしてヘロインがたくわえられており、ブッシュの娘たちの写真が、ポルノ写真映像の真ん中に貼りつけてあった。二〇〇三年五月一日には、ジョージ・W・ブッシュ大統領はエイブラハム・リンカーン空港にて勝利演説を行なってもよいと考えた［「大規模戦闘終結宣言」］。だがしかし、いまだ地上戦では、占領者のイギリス軍とアメリカ軍は、蜂起した民族主義者とイスラム主義者――二者ははじめて連携した――による待ち伏せ攻撃のために、一日に一〇人あまりもの犠牲を出していた。逃走しながらも、サッダームは、書簡、あるいは録音したメッセージをとおして、聖戦を引きあいに出しながら、支持者をゲリラ戦へとあおりたてていた。

バアス党指導者たちへの追及は、前例のない規模のものとなった。占領軍の兵士たちには、旧体制高官の顔入りのトランプのカードまで配られ、かれらはひとり、またひとりと逮捕されていった！二〇〇三年七月二二日は、サッダームの二人の息子、ウダイとクサイが、北部のモスルで、彼らが立てこもる別荘への強襲による大規模な一斉射撃のなかで殺された。仕上げとして、米軍はアパッチ・ヘリコプター［攻撃ヘリコプター］と対戦車戦闘機のA‐10までもくりだした。サッダームの孫である弱冠一四歳のムスタファも、最期まで闘った。その三週間後、占領軍はケミカル・アリーを捕まえた。しかし、抵抗は悪化するばかりだった。八月の末、駐バグダード国連機関への自爆テロが一七名の命を奪ったが、その機関の長は、セルジオ・ヴィエラ・ディメロであった［一九四八―二〇〇三］。ディメロはブラジル人の著名な国連外交官で、各地域の紛争終結に尽力した。殉職後、国連より人権賞を贈られている」。失脚した暴君の追討には、このあとまだ四か月を要した。ティクリートの近くでその根城を白状したのは、逮捕された警護隊の一人だった。一二月一三日から一四日にかけての夜、アメリカ軍特殊部隊が、アル＝ダウルの農家に大規模襲撃をかけた。そこはサッダームの生地であるアル＝アウジャから数キロメートルのところだった。部隊は庭先で、二・五メートルほどの深さの「鼠穴」をおおっている金属製の揚げ板を発見した。なかには、ぼさぼさ頭で髭もじゃの老人がいて、ただちにこう答えた。「余はサッダーム・フセインである。余はイラク大統領であり、交渉の準備がある」と。一機のヘリコプターがただちに彼をバグダードへ運び、かつてのイラクの支配層のみが収容されている監獄へと送った。アメリカ当局と、バアス党の犯罪を裁くために設置されたイラクの特別法廷による長々とした尋問の後、サッダームの裁判は二〇〇五年一〇月一九日より開始された。彼は深々とした半白のあごひげにおおわれ、顔には皺がよっていたが、すっきりと痩せて意気軒昂に見えた。徹底的に反論し、非難されたすべての犯罪をまるごと否定し、挑発をくりかえした。訴訟手続きの不備と、これをとりまく政治的紛糾とが、イラクを転換させる歴史的チャンスであった裁判を、終わりなき法廷サーカスに変えてしまった。けりをつけようと、ほかの犯罪に関する訴訟は終わらぬまま、二〇〇六年一一月五日、サッダームは一九八〇年代のシーア派に対する弾圧の際に犯した虐殺で、人道に対する犯罪のかどで有罪を宣告された。彼は絞首刑と定められ、二〇〇六年一二月三〇日早朝六時、イラク・アメリカ軍の共同基地、キャンプ・「ジャスティス（正義）」（！）において、執行人らが痛罵を浴びせるなかで死刑は執行された。彼らのひとりが、最後に「地獄へ行け！」と叫んだ。「地獄とはイラクかね？」と答えたサッダームが、末期の祈りを唱えると、足元の板がはずれた［最期の状況については録音もあり、諸説ある］。

〈原注〉

1　これ以前にも、またいくつかの別の伝記が、サッダーム・フセインの生活面を明らかにしていたが、なんといってもこの本が膨大かつ決定的なものであるという評判を第一に勝ちえたのだった。以下の参考文献を参照。

2　シーア派の二大聖地はイラクの首都バグダードの南に位置し、ひとつはカルバラ、もうひとつはナジャフである。後者は、シーア派の十二イマーム派の最高権威者である「大アヤトラ」の根拠地である。同世代随一の聖職者であったムハンマド・バーキル・サドルは、一九五七年、イスラーム・ダアワ党の設立に参加した。この党はイラクにおける反サッダーム運動の主力としてたちまち頭角をあらわし、イランのイスラム革命を支援した。

3　サッダームは自分を紀元六三六年にカディーシャ（現在のイラクの中心部）の戦いでササン朝ペルシア軍を打ち破った第二代カリフのウマルに、そしてバグダードを八世紀の全盛時代のイスラム帝国の首都に定めたその他のアッバース朝のカリフたちになぞらえた。

4　サウジアラビアを支持するワッハーブ派、そして一九三〇年代にエジプトで基盤が置かれた運動とつながるムスリム同胞団が主体だったが、大多数がアフガニスタン帰りであり、初期の征服的イスラムへの回帰を強く求めるジハーディスト［聖戦主義者、イスラム過激派］も混じっていた。

〈参考文献〉

La Chute. Interrogatoires de Saddam Hussein par le FBI, Éditions Inculte, 2010.
Lisa Blaydes, *State of Repression : Iraq Under Saddam Hussein*, Princeton University Press, 2018.
Christian Chesnot et Georges Malbrunot, *Saddam Hussein : Portrait total*, Éditions 1, 2003.
Con Coughlin, *Saddam, The King of Terror*, New York, Ecco, 2002.
Efraim Karsh et Inari Rautsi, *Saddam Hussein : a political biography*, New York, The Free Press, 1991,

rééd. Atlantic Grove, 2007.

David D. Palkki, Mark Stout, Kevin M. Woods (éd.), *The Saddam Tapes : The Inner Workings of a Tyrant's Regime, 1978–2001*, Cambridge University Press, 2011.

Pierre Razoux, *La Guerre Iran–Irak 1980–1988*, Perrin, coll. « Tempus », 2017.

22 アサド
父から子へ

ベルナール・バジョレ

シリアは廃墟と化した。ヨーロッパにとって東洋への扉、東洋にとってヨーロッパへの扉であった古都アレッポは破壊された。現在、内戦は終結しつつあるが、五〇万が命を落とし[1]、人口の三分の一が国外、三分の一が国内で難民となっている。この災禍をひき起こした張本人バッシャール・アル＝アサドは、ためらいもなく自国民に化学兵器を使用し、反政府勢力の支配地域に焼夷弾を投下し、反体制派数万を刑務所に送りこんだ。投獄された者の多くは処刑や拷問によって死亡した。それでもバッシャールは国家指導者の地位にとどまっている。父ハーフィズや、王朝の未来を託された兄バースィルのような国家指導者の器ではなく、緊急事態によって急ごしらえで後継者に仕立てられた男である。この謎を、どう説明すればよいのだろう。

シリア政権の最大のポイントはその宗派的性格にある。実質的な権力はアラウィー派（内戦前の人口の一〇―一二パーセント）によってほぼ独占されてきた。同派の生き残りは、権力の座にとどまれるかどうかにかかっており、必要ならアラウィー派以外の国民を抹殺することもいとわない。アラウィー派が一枚岩となってバシャールを支持したのも、同じ理由からである。そしてシリアの政権が改革を行なえず、権力にひたすらしがみつくのも、そのためなのである。

したがって、シリア独裁の源流をよりよく理解し、ハーフィズ・アル＝アサドが権力の座に登ったメカニズムを明らかにするには、アラウィー派の信仰にまず目を向ける必要があるだろう（シリアのアラウィー派にとっては、宗旨を守ることよりも、共同体として生き残ることが第一であるが）。

徐々に台頭したアラウィー派

アラウィー派の創始者は、ユーフラテス川東岸の部族出身で、八八四年に亡くなったムハンマド・ブン・ヌサイル・アン・ナミーリーである。そのため長くヌサイリー派ともよばれてきた。しかし、一九二〇年代のフランス委任統治下で、預言者ムハンマドの娘婿アリーからとって「アラウィー」[2]を名のるようになった。こうして表面的にはシーア派、ひいてはイスラム教とのつながりが強調されることになった。ブン・ヌサイルはシーア派の一派、十二イマーム派[3]（今日イランで支配的な教派）における第一一代イマーム、ハサン・アスカリーから啓示を得たとされている。ハサン・アスカリーは第一二代で最後のイマーム、ムハンマド・ムンタザルの父にあたる。ムハンマドは五歳で姿を消す（シーア派では「隠れ（ガイバ）」に入っただけで、終末に再臨して世界を救うとされている）。ブン・ヌサイルはマフディー（隠れイマーム）の存在を否定し、みずから第一二代イマームを宣言した。その教義は一〇世紀にアレッポに伝えられ、一一世紀にはシリアにおけるヌサイリー派の創始者とされるタバラニ[4]によって、ラオデキア（ラタキア）に伝えられた。

アラウィー派の信仰は基本的に神秘主義的で、謎に包まれている。はっきりしているのは、ペルシアのゾロアスター教やマニ教からギリシアの新プラトン主義にいたる古代の宗教や哲学、キリスト教、イスラム教（とくにシーア派）が混淆した、極端な習合宗教だということである。教義の中心には、アリー（キリスト教徒にとってのイエスと同様、人でありながら神の本質をもつとされる）、預言者ムハンマド、そしてムハンマドの教友である解放奴隷サルマーン・アル＝ファーリスィーからなる三位一体がある。クルアーンは聖典の一つにすぎず、神のメッセージの隠された意味（腹を意味する語幹*BTN*から来る「バテン」）の習得は口伝を基本とする。このように、アラウィー派では秘匿が美徳とされる。そのため、必要とあればイスラム教徒のようにふるまい、その儀式をまねることもいとわない。

同派の信者にも断食のようなものがあるが、イスラム教徒のラマダンとは異なる。メッカへの巡礼は行なわず、沐浴も行なわない。モスクをもたず、礼拝は個人の家で行なわれる。特定の食物禁忌をもっているが、イスラム教の食事規定とは異なる。飲酒は禁じられないだけでなく、宗教的な意味をもつとされる。アラウィー派は第三代イマーム、フサイン・イブン・アリーの殉教を記念するアシューラーを行なうが、シーア派のようにみずからを鞭打つ儀式は行なわない。またクリスマスやイースターなどのキリスト教の祝日はもちろん、春の到来を祝うゾロアスター教のノウルーズ（イラン暦の元日）も祝う。

アラウィー派は謎めいた宗教であるため、信者が不道徳な行為を行なっているという噂が広まり、それを口実として過去には虐殺の対象となった。現代のサラフィー主義の祖とされるシリアのアフマド・イブン・タイミーヤ（一二六八―一三二八）は、ヌサイリー派（アラウィー派）は「ユダヤ教徒やキリスト教徒より不敬虔」であり、「イスラム法にしたがって戦い懲らしめる」べきであると主張した。シーア派の神学者は、スンニ派の神学者ほど手厳しくはなかったものの、アリーを神格化したことでアラウィー派を異端とみなした。アラウィー派が受けた迫害のなかでも最悪のものは、マムルーク朝時代の一三一七年の迫害（死者およそ二万）と、スルタン・セリム一世がオスマンの版図を拡張した際の一五一六年の迫害（死者一万）だろう。フランス南部のカタリ派や、同系統のボスニアのボゴミル派と同じように、アラウィー派は迫害をのがれるためラタキア南東部のアンサリエ山脈（アラウィー山脈）に立てこもった。こうして孤立したことから、閉鎖的・秘教的となり、結婚は信徒間でのみで行なわれた。二〇世紀の前半まで、彼らが山岳地帯の隠れ家から出てくるのはシリア人、すなわちスンニ派の富裕層に使用人として雇われる場合だけだった。女性は幼いころから家事補助者として一生をすごすか、思春期に両親によってベイルートの娼家に売り飛ばされるかだった。こうした迫害と屈辱の歴史は、アラウィー派の集団的記憶のなかに深くきざみこまれている。

そんな人々がどうして暗闇から白日のもとへ、そして社会の最下層から権力の座へと登っていったのだろうか。

フランスによるシリアとレバノンの委任統治（一九二〇―一九四六）のあいだに、アラウィー派は隷属状態から抜けだしていった。第一次世界大戦後、同派は、自分たちをオスマン帝国のくびきから解放してくれたという理由で、親フランスの態度をとった。一九一九年のアラウィー派のシャイフ〈導師〉、サレ・アル・アリーが反仏反乱を起こしているが、これは例外であり、数十年後のハーフィズ・アル゠アサドのプロパガンダによって誇張されているにすぎない。実際、アラウィー派の大部分は、自分たちが求めていたアラウィー派〈国〉が実現したことから、フランス側に立つことになる。数年後には廃止されるとはいえ、こうした〈国家〉の成立は、シリアを分断統治し、自分たちにとって最重要であったレバノン建国のさまたげにならないようにしたいという、宗主国フランスの思惑に沿ったものだった。この分断を当時のアラウィー派の大半は歓迎したが、ハーフィズ・アル・アサドはこれを「解体」とよんでフランスを決して許さなかった。

フランスがシリアとレバノンで植民地主義的な委任統治を行なったことについては、当時から先見の明がある国内政治家やジャーナリストから批判の声があったとはいえ、フランスがこの地に残したのは負の遺産だけではなかった。国民に義務教育が課されたため、アラウィー派の子どもたちもほかの子どもたちと同様に読み書きを学び、教員や下級官吏・高級官吏を養成する学校に進む者もいた。こうしてバアス党のバックボーンができあがった。委任統治下では、フランスが編成した補助部隊にも、多くのアラウィー教徒が入隊した。スト破りをしたり、スンニ派が主体の反政府デモを鎮圧したり、宗主国のために情報を収集したりした。この時期、アラウィー派はある意味でシリア版の「アルキ」（アルジェリア戦争でフランスに協力して戦ったアルジェリア人兵士）だったのである。

しかしアラウィー派が軍隊にくわわり、のちには「行政機関」にもかかわったのには深い文化的背景があった。シリアは紀元前何千年という昔に通商によって興った国である。封建時代のフランスの価値感とはまったく逆で、長い歴史をもつシリア文明の継承者であるスンニ派（およびキリスト教徒）の中産階級にとっては、商業が高貴な活動であり、軍隊や行政は軽蔑の対象だった。だからスンニ派中産階級は軍隊と行政機関のほとんどをアラウィー派にゆだね、アラウィー派にとってはこれが立身出世の道となったのである。

一九三六年にレオン・ブルム率いる人民戦線内閣がフランス撤退の可能性に言及したとき、キリスト教徒・ドルーズ教徒とならんで最大の懸念を示したのはアラウィー派だった。一九四六年に撤退が実現すると、アラウィー派はスンニ派主体のシリア独立政府に何年にもわたって抵抗しつづけた。しかし水面下では、二つの面から影響力の拡大をもくろんでいた。すなわちアラウィー派の大量入隊によって中枢をにぎっていた軍部、そして長年にわたり築き上げ[5]、一九四七年九月に正式発足したバアス党（アラビア語で「復興」）である。

アラウィー派はほかの少数派コミュニティ、とくにキリスト教徒とともに、バアス党の三つの価値観を当初から支持していた。第一は民族主義であり、汎アラブ主義を掲げたおかげでアラウィー派の少数派としての特殊性をうやむやにすることができた。第二は世俗主義で、アラウィー派に対する異端の疑いを打ち消すことができた。第三は進歩主義で、これは権利の平等と社会進出という、自分たちの願いに合致するものだった。

権力の座へ

エジプトのナーセル（一九五六年六月）、イラクのカーシムとアーリフ（一九五八年七月）が体現するアラブ・ナショナリズムの強力な潮流に後押しされて、[6] バアス党はシリアの社会と政界に浸透していき、ついに一九六三年三月八日のクーデターにより、ダマスカスでほかの民族主義政党や進歩派政党とともに権力を掌握した。イラクのバアス党を政権の座に押し上げたバグダードのクーデターに一か月遅れてのことだった。その後、新大統領アミーン・アル＝ハーフィズ率いるスンニ派のバアス党と、サラーフ・ジャディード率いるアラウィー派のあいだで、水面下の権力闘争が起こった。アラウィー派は、粛清をもくろむアミーン・アル＝ハーフィズの先手をうって、一九六六年二月に権力を掌握し、党・軍・行政機関で大々的な粛清を行なった。こうして旧来の穏健派は一掃された。穏健派の中心で、バアス党の共同設立者だったミシェル・アフラクとサラーフッディーン・アル＝ビータールは亡命を余儀なくされた。[7]

一九六六年のクーデター直後、一九六四年から空軍参謀長をつとめていたハーフィズ・アル＝アサドは、政権の有力者にのし上がったサラーハ・ジャディードによって国防大臣に任命される。ジャディードよりも現実主義者だったハーフィズは、クーデターでは表舞台に出なかったものの、バアス党の秘密軍事警察委員会で影響力を強めていた。秘密軍事警察委員会は一九五九年当時、ハーフィズが駐留先のエジプトで、同じアラウィー派の将校（ジャディードやモハンマド・オムラーンら）[8]やスンニ派将校（ムスタファ・トラスら）と設立した組織である。この委員会のおかげで、アサドは軍隊のかなりの部分を掌握していた。こうなれば、あとは上司ジャディードを追い落とすだけである。その機会は、ヨルダンの「黒い九月」事件の際に訪れた。ヨルダンのフセイン国王が国内のパレスチナ勢力の排除を開始したため、ジャディードはシリア軍指揮下のパレスチナ解放戦線（ＰＬＯ）機甲部隊を

1977年11月当時のハーフィズ・アル＝アサド（1930-2000）。

派遣してパレスチナ勢力の支援にのりだした。ところがアサドが空からの援護をこばんだため、この部隊は撤退せざるをえなくなった。アサドは失脚の危機に瀕したが、先手をうってジャディードとヌルディン・アル・アターシ大統領を逮捕した。ジャディードは収監されたまま二三年後に獄中死した。アターシは二二年間獄中にあったが、病を得て釈放後すぐに死亡した。こうして一九七〇年一一月一三日、ハーフィズ・アル＝アサドはシリアの新しい支配者となった。一九七一年三月、ハーフィズはなんと九九・二パーセントという高得票率で、シリア共和国の大統領に「選出」されたのである。

ハーフィズ・アル＝アサド――ライオンにしてキツネ

ハーフィズ・アル＝アサドは一九三〇年一〇月三〇日、アンサーリーヤ山地にあるカルダーハの村で、アラウィー教徒の貧農の家に生まれた。公式の伝記によれば、「アサド」（「ライオン」）という名は一九二七年、フランスの委任統治に反対する意味をこめて、父親が名づけたという。学業優秀だった若きハーフィズは、学費のかからないホムスの士官学校に入学。その後、ソヴィエト連邦に一一か月間派遣されて、戦闘機パイロットとしてさらなる訓練を積んだ。一九五七年、同じアラウィー教徒ながら自分より裕福な家の出であるアニーサ・マフルーフと結婚した。二人は五人の子どもに恵まれた。一九六〇年生まれの長女ブシュラー、一九六二年生まれのバースィル（一九九四年に死亡）、一九六五年生まれのバッシャール、一九六六年生まれのマジド（二〇〇九年に死亡）、そして一九六七年生まれの末子マーヘルである。軍隊のうしろだてを得て政権についたとはいえ、ハーフィズは純然たる政治家だった。一七歳でバアス党に入党する一方で、一九七〇年一一月の「矯正運動（クーデター）」で政権をとった時点で、彼の経歴には一つの戦勝も記録されていなかった。国防相在任中の一九六七年の「六日間戦争」では、シリア空軍が五四機を失っている。当時の駐ダマスカスのフランス大使は、彼の将来は見こみがないと予言している。周知のとおり、ハーフィズがシリアの頂点にのぼりつめたのは、軍での実績ではなく、陰謀や潜入切り崩し工作によるものだった。

神経症といってもよいほどの猜疑心から、ハーフィズは互いにライヴァル関係にある情報機関をいくつもうけることで影響力を強化した（一九八〇年代には半ダースもの情報機関があった）。監視は社会全体におよび、国民を恐怖におとしいれた。数千人が逮捕され、厳重な監視のもとに置かれ、拷問を受ける者も少なくなかった。二度と家族に会えなくなった者も多かった。一方、一九七三年一〇月の戦争（イスラエルでは「ヨム・キップール戦争」とよばれる）に敗れてからは、ハーフィズは権力を脅かすような強力な軍隊を望まなくなった。その後の数十年間、イスラエルに宥和的態度をとったのはそのためであり、核兵器のかわりに化学兵器によって抑止力を行使するようになった。シリア軍の兵力は訓練も装備も不十分な貧弱なもので、例外は戦争を行なうより政権を守ることに特化した少数のエリート部隊のみである。とくに第四機甲師団と大統領警護隊（共和国防衛隊）はいずれも大統領側近の指揮下に置かれている。

アサド政権はスターリン主義的、あるいは北朝鮮型の独裁政権というより、東洋的な専制政治に近い。声が上がらないなら、国民が何を考えていようとおかまいなし、というスタンスだ。政権は恐怖によって支配する。国民の憎しみをかっても平然とし、その憎しみをなだめようともしない。憎しみは体制の不可欠な一部なのだ。要するに、国民の精神を粘土をこねるように形成しようとするのでなく、じかに意思の表明を禁止してしまうのである。同様に、経済にもイデオロギー的なこだわりはいっさいない。それどころか、スンニ派であろうとキリスト教徒であろうと、権力の安定を脅かさないかぎり、中産階級の繁栄はけっこうなこと、とされる。一方で、体制や大統領にたてついたり、まして転覆を試みたりしようとすれば、徹底的に弾圧された。一九八二年にシリア北部で反乱が起きたときも、アサドは巣穴の外でネズミを待ち伏せる猫のように、最初はこれを放置し、首謀者が姿を現したとたん、残忍なやり方で襲いかかったのだった。それは一九八二年二月のことだった。ムスリム同胞団の拠点があるハマーで、アサドは反乱軍を包囲し、次いで市街を殲滅し、八〇〇〇人（パトリック・シールによる少なめの推定値）から二万以上とされる人々が死亡した。

アサドは暗殺をためらうことなく、暗殺を命じたことを否定しようともしなかった。アサドの息がかかった暗殺がとくに横行したのはレバノンだった。一九七七年三月、レバノンの進歩社会党の創設者であり、ドゥルーズ派の有力者だったカマール・ジュムブラートがシリアの検問所近くで暗殺された。数年後、ハーフィズ・アル＝アサドは敵対的なジュムブラードの息子ワリードをよびだし、父親の例を引いてこうさとした。「ああカマールは、なんてすばらしい男だったことか！」。そして言った。「命を落とす二週間前、彼はそこにいたんだよ、ワリード。わたしの目の前の、きみが座っているその席に！」[9]。ハーフィズ・アル＝アサドが暴君だといっても、生き残った者の復讐をおそれて一族を皆殺しにしたサッダーム・フセインに比べれば、（相対的には）節度があった。アサドは嫌がらせではなく、東洋的な礼節から、犠牲者の未亡人にはかならず哀悼の言葉を伝えている。殺害を指示したといわれる大臣にかんしても、妻にメルセデスをあたえ、息子の学費の面倒を見た。

アサドは内閣をもたなかった。彼はよくこう言っていた。「ブレーンはいらない。情報提供者がいればいい」。アサド体制には政府など必要なかった。首相は通常スンニ派で、飾り物にすぎなかった。ホムス出身のスンニ派で、士官学校でアサドと同級だった国防相ムスタファ・トラスも同様であり、アラウィー派が大勢を占める将軍たちから陰で笑い者にされていた。アラウィー派が大多数とはいえ、例外もあった。キリスト教徒のユーセフ・チャクールは、一九七四年まで軍参謀長をつとめ[10]、その後はスンニ派のヒクマト・アル＝シハービー将軍が引き継いで一九九八年までその地位にあった。しかし、アラウィー派ばかりの体制内で孤立したこれらの従順な人々は、がんじがらめの状態であり、体制になんらの脅威ももたらさない存在だった。外務大臣（一九七〇―一九八四）および副大統領（一九八四―二〇〇〇）をつとめたアブドゥル・ハリム・ハダムや、忠実な部下として外務大臣（一九八四―二〇〇六）や副大統領（二〇〇六―二〇一一）をつとめたファールーク・アッ＝シャルアなども同様で、一定の影響力をもたせてやることで、スンニ派を無視していないというアリバイとして使われたのである。

一九二〇年にシリア議会が発議し、委任統治国フランスに一蹴された「大シリア」構想に、ハーフィズ・アル＝アサドが夢をいだいていたことはまちがいない。ハーフィズは決してその言葉を口にはしなかったけれど、一九七〇年代から一九八〇年代にかけての発言をつなぎあわせると、まさに大シリアの地図が描き出される。「シリアとレバノンは一つの国、一つの人民である」「ヨルダンはシリアを解体するために建国された」「パレスチナとは南シリアのことである」等々。とはいっても夢は夢であり、政治とは別ものである。アサドは現実主義に徹し、ナーセルの例に学んで、どう転ぶかわからない冒険に身を投じることはつつしんだ。とはいえ、レバノン侵攻の裏にこうした野望があったことも確かである。それはおそらく、最初から意図したものではなく、たまたま機会に恵まれたことで徐々に高まっていったものと思われる。

一九七六年六月のある朝、シリア軍がレバノンに侵攻したのは、「左翼」勢力とパレスチナゲリラの脅威にさらされたレバノン戦線（キリスト教徒民兵組織）を支援するためだった。パレスチナ解放機構（PLO）などによってヨルダンは数年前から不安定化しており、レバノンも同様の事態におちいる可能性があった。しかし一九七八年に入ると、エジプトとイスラエルのあいだでかわされたキャンプ・デイヴィッド合意を背景に、シリアは今度はイスラエル寄りのキリスト教徒勢力と対立することになる。このためシリアは、シーア派系の武装集団（当初はアマル、一九八二年以降はヒズボラ）、またドゥルーズ派やスンニ派の集団とも連携するようになった。レバノンに侵攻したシリアが、フランスとアメリカの圧力を受けてこの国から撤退するのは二〇〇五年のことである。

アサドの対イスラエル政策は、表向きは敵対路線だが、元ナチ指導者アロイス・ブルンナーを保護したことからもわかるように[11]、反ユダヤ主義の背景があったことはまちがいない。しかし先述したとおり、こうした敵対姿勢は、とくに一九七三年の十月戦争以後は大幅に影をひそめている。一九七四年にヘンリー・キッシンジャーの仲介工作で二国間合意が成立し、アサドはゴラン高原のクネイトラ市をふくめ、一九六七年以来失っていた領土の半分をとりもどすことができた。軍事的・外交的なバランス・オブ・パワーに敏感で、自国の軍隊が弱体であること、ソ連の影響力が徐々に弱まっていることを意識していたハーフィズは、イスラエルとの戦いよりみずからの政権の生き残りをつねに優先した。シリア国民は圧倒的にパレスチナを支持していたが、ハーフィズはパレスチナの主張に、よくいえば無関心だったから、イスラエルとの対決を回避しても平気だった。こうしてアサド自身が中東の安定要因となったことから、イスラエルの「最善の敵」とよばれることになった。

とはいえ、表向きはアメリカとの協議に応じていたものの、独裁体制を脅かしかねないイスラエルとの和平は決して望んでいなかった。アサドの中東問題に対する政策の特徴は、イラクとの対決姿勢にある。イラクは一九七三年一〇月の第四次中東戦争の停戦をめぐってアサドを非難したが、その背景には根深い戦略上のライヴァル関係があった。隣国同士の両国は、いずれもバアス党の流れをくむ政権であり、地域での覇権を争ってきた。このイラクを囲いこむうえで有益な同盟相手となったのがイランであり、ハーフィズはアラブ圏で最初にイラン共和国を承認した国家元首となった。こうして、王政時代の一九七五年一二月のテヘラン訪問によってはじまったイランとの関係を、継続・強化することに成功したのである。一九八〇年から一九八八年までのイラン・イラク戦争中、シリアはムッラー（シーア派の聖職者）たちの体制をおしみなく支援した。それでも、ハーフィズ・アル＝アサドはイランに依存したりはせず、レバノン問題でも同盟と警戒とのあいだで微妙なバランスをとっていた。つねに複数の選択肢を用意し、たびたび融資に応じてくれたサウジアラビアとのつながりも切らないようにした。サウジとの外交関係は、バッシャール時代の二〇〇五年にラフィーク・ハリーリー（レバノンの元首相。親シリア勢力と対立していた）が暗殺されるまで続いた。

一九七一年一月に権力を掌握すると、ハーフィズはさっそく、軍事面で最大のうしろだてとなるソ連を訪問して不信感の払拭につとめた。しかし「ダマスカスのライオン」とよばれたハーフィズにとっての最優先事項は、アメリカの承認を得ることだった。そして一九七四年六月のリチャード・ニクソン、一九九四年一〇月のビル・クリントン両大統領のシリア訪問によって、それは実現したのだった。歴代の国務長官、とくにヘンリー・キッシンジャーとジェームズ・ベイカーは、ダマスカスで丁重な出迎えを受けた。とくにキッシンジャーは、いわゆる「漸進的政策[12]」の一環として、二八回にわたりシリアを訪問している。

ハーフィズ・アル＝アサドにはフランスへの怨恨があり、フランス側にも一九八一年九月の駐レバノン仏大使ルイ・デラマール暗殺のしこりが消えないなかではあったが、両者は互いに歩みよった。ジスカールデスタン大統領（一九七六年六月）、次いでシラク（一九九八年七月）の招きで、めったに国外に出ないハーフィズがパリを訪問した。ハーフィズの側も一九八四年一一月、ダマスカスにフランソワ・ミッテランを、一九九六年一〇月にジャック・シラクを迎えた。アサドはフランス語を解し、通訳のまちがいを訂正するほどだったが、愛国心から、また回答を準備する時間を稼ぐため、みずからフランス語を使うのは避けていた。

アサドは富や権力の誇示を嫌い、アジアのほかの独裁者や中東のエリートが好むような黄金や宝飾とは無縁の質素な暮らしぶりで、つつましい家庭生活を送っていた。外国の大臣や元首を迎えるのは、近代的なダマスカスの市街を見おろす「禿げ山」に建てられた堂々たる大理石の宮殿だったが、マルキ地区にある自宅を好み、そこで生活し仕事もしていた。黄ばんだ壁紙が一度も貼り替えられることもなかった執務室の唯一の装飾品は一枚の絵であり、一一八七年にティベリアス湖畔のハッティンの戦いで、サラーフッディーン率いるイスラム軍が十字軍に勝利した場面を描いたものだった。

夜型のアサドは午前九時ごろに起床し、一〇時に仕事をはじめ、質素な昼食（乳製品、果物、少量の肉）をとり、そのあとは夜中の二時、三時まで休みなく働きつづけた。そして新聞を何紙か読んだあと、四時ごろに就寝した。執務室をほとんど出ることもなく、届けられる大量の報告書（というのも、アサドは決して会議を開かなかったため）に目をとおし、ときには真夜中に高官、参謀長、情報機関の責任者に電話をかけることも多かった。アサドはラタキアに滞在中のみ、シリア国内の訪問者を受け入れた。きわめて簡素な宮殿だが、息をのむような紺碧の地中海を望むことができる。大臣の訪問は受けず、首相をとおして指示をあたえた。公の場に姿を現わすこともなく、地方を旅することもなかった。要するに、洞窟のなかで糸を紡いでいるクモのような生活だ。

一九八〇年代の絶頂期のハーフィズは、苦行僧のようにきゃしゃで猫背の体に頭部だけが大きく偏平、ややはげ上がって額が広く、山形の眉の下の眼光は鋭く、つき出た鼻、声はわずかにかすれ、その姿はハゲワシを連想させた。白髪交じりの口ひげだけが、わずかに人間味を感じさせる。厳格で冷たいかと思うと、礼儀正しく愛想のよいハーフィズには、外国の賓客を魅了し、虜にする力があり、長時間にわたって議論をかわすことが好きだった。それも、とても長い時間。客の地位と国によって「料金」は異なり、アメリカの国務長官なら九から一〇時間、フランスの外務大臣なら五時間、「たんなる」使節なら二時間半と決まっていた。こうした長時間の話しあいは、訪問者たちに生理学的な問題をひき起こしたが、それは完全に意図的なものだった。トイレ休憩を申し出る客たちは恥ずかしい思いをさせられ、ダマスカスの半神の前では、自分たちは人間にすぎないことを思い知らされる。フランスのローラン・デュマ外相との会見が三、四時間におよんだときなど、尿意と戦う外相がついに降参するにいたるかけひきのようすは見ものだったという。

アサドはマキャヴェリを読んではいなかっただろうが、その教えを学んでいた。つまり完全かつ決定的な敵というものも、味方というものも存在しないということ。したがって味方を助けても、苦境から完全に救い出してはいけない、そして敵とは全力で戦うとしても、完全に倒してはいけないのだ。アサドは基本的に二重人格だった。礼儀正しいけれど冷酷で執念深く、頭脳明晰だけれど自分が広めたプロパガンダに流され、みずからの美化されたイメージにとらわれた。私服警官に自分の名前を連呼させたり、ダマスカスやほかの町に自分の肖像を掲げさせたりした。（北朝鮮製の）銅像が辺鄙な土地にまで建てられ、訪れる人々を仰天させた。そしてユーフラテス川にかかるすべての橋に、自分の名前をつけた。サウジアラビアが「サウード家」のものであるように、ハーフィズ時代のシリアも「アサドのシリア」となった。シリアの主人となったハーフィズは、おそらくアラウィー派の輪廻転生説を信じていたのだろう。自分が不死であると信じていたふしがあった。

しかし、死は彼のことを忘れてはいなかった。長年、海外の外交官や観測筋の予測を裏切ってきた死は、ついに独裁者のもとにやってきた。ハーフィズは二〇〇〇年六月一〇日、心臓発作で死去した。後継者として、ハーフィズは長男のバースィルを考えていた。卓越したスポーツマンで、障害馬術とウィンドサーフィンのチャンピオンでもあったバースィルは、高い評価を得ていた。頭が切れ、繊細で、ユーモアをもちあわせ、政治面では現実的、勤勉とはいわないまでも真面目で、英語よりフランス語がうまく、社交的なところがあって友だちを大切にしたが、自分の立場と運命はたたきこまれていて、親しみやすいところもあったが、ときに気むずかしく冷酷でもあった。中背だががっしりした体格で美男。女性にたいへん人気があったが、そうした女性のなかには玉の輿を狙う計算高い者もいた。誠実で、一族が夢中になる利権などからも一線を画していた「皇太子」だったが、「甘やかされた子ども」の一面もあった。豪華なスポーツカーやリムジンのコレクターであり、父とは違ってぜいたくが嫌いではなく、ヨーロッパの王家の王太子たちの名をもちだして、まるで同類であるかのようにふるまった（実際、欧州王室の王太子の何人かとは知りあいであった）。ところが悲しいかな、一九九四年一月二一日、バースィルはダマスカス空港へ向かう途中、メルセデス600SLEを運転中に死亡。ドイツに向けて飛び立つ直前だった。現地では当然のようにその死をめぐって憶測が流れたが、命を奪った事故の原因ははっきりしていた。バースィルは危険を承知で、高速を出していたのだ。

父親にとっては、個人的にも政治的にも大打撃だった。レバノンのハラーウィー大統領は、哀悼の意を表すためにかけた電話で、ハーフィズがすすり泣くのを耳にしている。

アサド一家。前列に座っているのがハーフィズと妻アニーサ。後列は５人の子ども（長女ブシュラー、三男マジド、長男バースィル、次男バッシャール、四男マーヘル）。
© AFP

バッシャール・アル＝アサド、巡りあわせと必然

一九八〇年代末、仲のよい兄バースィルを訪ねる姿がときおり目撃されていた次男バッシャールは、育ちのよいおとなしい若者で、細身の長身を少々もてあまして、ぎこちないイメージだった。要するに「いい子」だった。政治への関心をたずねられても、興味がないと答えていた。「その方面ならバースィルでしょう」。医学の勉強を終えたばかりで、外国で眼科医になることを希望していた。まずはフランス（フランス語はもっとも得意とする外国語）を考えていたが、父が反対した。フランスにいる亡命シリア人やレバノン人と接触して政治的野心を吹きこまれることが懸念されるうえ、彼らの存在はバッシャールの身の安全にとっても危険となりえたからだろう。そ

こでバッシャールは、インターンとしての研修のため、一九九二年秋にロンドンへ向かった。

当時はだれひとり、バッシャールがシリア・アラブ共和国の大統領になるとは想像していなかっただろう。ところが運命の導く先はそうではなかった。バースィルの死後、若き医師はただちにダマスカスによびもどされ、父親によってホムスの士官学校に送られた。数年後にはシリア・コンピュータ協会の会長となり、シリアへのインターネット導入を指揮した。一九九九年には大佐に昇進。父の要請でベイルート、次いでパリを訪問し、ジャック・シラク大統領と会談してヨーロッパ政界へのデビューを果たした。父ハーフィズが亡くなると、副大統領のアブドゥル＝ハリーム・ハッダームが臨時大統領となった。ハッダームはバッシャールをシリア軍最高司令官に任命した。議会は憲法を改正し、大統領候補の最低年齢を四〇歳から三四歳に引き下げ（バッシャールは一九六五年九月一一日生まれ）、次いで若きバッシャールを候補者として指名した。二〇〇〇年七月、バッシャールは国民投票で勝利して大統領に選出された。もちろん、憲法・議会・当選・国民投票といった言葉は、シリアでは括弧に入れて考えなければならない、すなわち通常とは異なる意味をおびている。

二〇〇〇年代初頭、外国の首脳たちは後継者バッシャールに複雑な印象をいだいた。バースィルより上背はあるが、スポーツマンでもない猫背のバッシャールには、生まれながらのカリスマ性や威厳が欠けていた。斜頭気味で、あごが小さく、瞳は青いが力なく、やや舌足らず。親切でざっくばらんな人柄のようにも見えるが、美辞麗句を弄し、とらえどころがなく、歪んだ性格でもある。身体的特徴や性格も、亡き父や兄との共通点はほぼない。ただし飾り気のなさは父ゆずりで、兄のようにぜいたく好きではない。バッシャールは兄と違って「質素に」育てられ、バースィルがポルシェやロールスを乗りまわしているときも、古いプジョーで我慢していた。

生活習慣や仕事のやり方も、バッシャールは父と異なっている。バッシャールは一家そろって節制した生活を送っているが、ハーフィズには快楽主義の一面があった。先にも述べたように、ハーフィズは夜型だったが、バッシャールは午前中に執務する。朝早く起き、秘密警察や軍司令部からの報告に目をとおす。父親のように執務は一人でとるが、高官たちは皆引退するか遠ざけられているので、彼らに頼ることはできない。参謀長のムハンマド・ダーブル（「アブ・セリム」）、政治・広報の顧問であるブーセナ・シャバーン、国家安全部の責任者でスンニ派のアリ・マムルークらは、バッシャールの命令を実行する執行者にすぎない。バッシャールは一族を登用することが父よりも多く、弟のマーヘルは第四装甲師団長となり、母方の実家マフルーフ家も影響力をもっている。また妻の実家であるアフラス家はスンニ派だが、いまや体制と一蓮托生の関係である。

数年前まで医学の道しか考えていなかった三〇代の男を、政権幹部があっさり受け入れたのも、いまにしてみればむりのないことだった。アラウィー派が権力を維持するには、どんな人物であろうと、指名された後継者を支持するほかはない。アラウィー派内の血で血を洗う権力闘争を回避するためにも、それが最善策なのだ。ましてバッシャールは穏やかな性格で、経験もカリスマ性もなかったから、自分たちが好きなようにあやつれるとの思惑もあった。

これは致命的な過ちだった。地味で内気に見える外見の裏に、ひかえめなはずのバッシャールは意志の強さと頑固さ、そして意外なほどの執念深さを秘めていた。政治に興味がないと公言していたのは、当時はそれが本音だったのかもしれないが、兄弟の争いを避けたいという父の意向をくんでのこめていたはずだ。

とだった。人物としてははるかにまさっていたバースィルに対し、バッシャールは憧れと愛情をいだくと同時に、おそらく劣等感もいだいていただろうから、いずれにせよ権力への下心はいっさい封じこめていたはずだ。

　ところが権力をにぎってから二年足らずのうちに、彼は軍部、党、政権内の古参幹部数十人を解任したのである。こうしてしがらみを断ちきったうえに、イギリス育ちで知的で美しくエレガントな、しかもスンニ派の妻をもつ現代青年のイメージが有利に働いた。若き大統領の船出は順風満帆に見えた。こうして短命に終わる「ダマスカスの春」が訪れた。二〇〇〇年七月から二〇〇一年二月にかけて、バッシャールは六〇〇人の政治囚を解放し、銀行部門を中心に経済の自由化にとりかかった。彼がめざしたのは、スンニ派内を中心として中産階級の台頭をうながすこと、そしてそれによってバアス党の支持基盤を広げることだった。ついに、アラウィー派中心という政権の特質が消えることになるのだろうか。

　決してそうではなかった。バッシャールの当初のヴィジョンが賢明なものでなかったわけではない。だが現実を直視する冷徹さが足りなかった。バッシャールと側近たちは、すぐにそのことを思い知らされる。自由化の風は、一〇年ほど前のアルジェリアがそうであったように、収拾不能の状況へとつながりかねなかった。従来から多数派で、復讐心をいだいていたスンニ派を過度に優遇すれば、政権に離反しかねないという兆候が現れたのだ。そこでバッシャールはそれまでの方針を転換し、先走って行動を起こした知識人数十人の逮捕を命じた。

　外交面でも、開放政策は失敗だった。先に述べたように、ジャック・シラクはハーフィズに頼まれて（シラクはハーフィズの葬儀に参列した唯一の西側首脳）、バッシャールの外国デビューを助けた経緯があったにもかかわらず、やがて両国の緊張は高まった。原因はレバノン問題だった。バッシャールはレバノン憲法に反して、気脈を通じるエミール・ラフードの大統領任期の延長を画策したのである。アメリカとの関係も悪化した。アメリカは、イラクのスンニ派反乱をシリアが支援していると疑っていた（この疑惑はあたっていた）[13]。米仏両政府は二〇〇四年九月、レバノンからのすべての外国勢力（つまりシリア）の撤退を求める決議一五五九の採決を国連安全保障理事会に求めた。二〇〇五年二月一四日、ラフィーク・ハリーリーが暗殺されてレバノン国内でも全世界でも非難がまきおこると、決議はようやく履行された。殺害方法や、八月にハリーリーに脅しをかけていたこと（「おまえの背中でレバノンを粉砕してやる」）から、バッシャールを首謀者とみなさざるをえなかった。この事件で、ハリーリーと親しかったシラクとバッシャールの決裂は決定的になった。

ニコラ・サルコジは前任者の逆をいく行動をとることが多く、シリアにかんしてもバッシャールを三回にわたってパリに招いたが、痛いしっぺい返しを受けることになった。二〇一二年三月、ダマスカスのデモが鎮圧されて、フランス大使館の閉鎖を余儀なくされたのである。フランソワ・オランド大統領は、対話再開に心を惹かれることもなかった。「アサドが問題の元凶であり、彼ぬきで解決するしかない」とオランドは述べている。フランスを政治交渉の場から締め出すような前任者たちのシリア政策に批判的だったエマニュエル・マクロンは、（非常に慎重に）対話の糸口を探ったにもかかわらず、バッシャールに拒否されて、ほぼふりだしに戻ることになった。

二〇一一年三月にシリアで起きた反乱の背景にあったのは、チュニジアのベン・アリ政権やエジプトのムバラク政権を崩壊させた「アラブの春」だった。シリアでもほかの地域と同じく、生活の困窮と自由への渇望が民衆の不満の原因になっていたが、それ以上に多数派であるスンニ派の怨恨が根底にあった。ヨルダン国境に近いダルアーで起きた初期の反乱において、バッシャールは早くも情け容赦ない弾圧を行なった。対話も宥和も試みなかった。側近からの助言もあって、少しでも妥協すれば弱腰とみられると考えたのだろう。そんなことになれば、スンニ派が多数を占める民衆は津波のようにアラウィー派へと襲いかかり、彼らを山岳地帯へと追いやるだろう。父ハーフィズが一九八二年、西部の町ハマーの包囲戦でとった殲滅行動こそが、進むべき道なのだ。

しかし、世界は変わっていた。一九八二年当時は、大量虐殺があっても秘密がもれることはほとんどなかった。第一報は比較的かぎられた人々のあいだに、徐々に広がっていったにすぎない。しかし三〇年後のいま、「沈黙の掟」など存在しない。暴力的な弾圧の情報がほんのわずかでも流れれば、ソーシャルネットワークによって世界中に反響をまきおこし、NGOをとおしてさらに広く喧伝される。たとえば二〇一五年一月には、「シーザー」という偽名でシリア憲兵隊の元鑑識写真係が、拷問で死亡した囚人の写真五万点を公開した。なかには正式に身元確認された事例もあった。こうしてシリアが政治犯を餓死・病死・拷問などにより、組織的に殺害していることが明らかになった。これは人道に対する罪とみなされかねない。身元が判明した囚人のうち二人は父親と息子で、フランス国籍をもっていたため、フランス当局は二〇一八年一一月、総合情報局長アリ・マムルークをふくむ三人に逮捕状を出した。

二〇一三年八月二一日、シリア政府軍はダマスカスの南郊から東郊に広がる歴史的地域、グータを空爆した。サリンガスを搭載した爆弾が使われ、大部分が一般市民からなる数千人が被害を受けた。ロシアの主導で、国連安全保障理事会がただちに化学兵器の使用を禁ずる決議を採択したにもかかわらず、シリアは禁止対象にふくまれていない塩素や、廃棄されずに残っていたサリンを使って空爆を継続した。二〇一七年四月初め、イドリブ近郊カーン・シェイクンへの空爆をきっかけに、米英仏は協調して空爆にふみきった[14]。

軍事力による治安維持と並行して、バッシャールはこの危機に対処するため、破廉恥ではあるが効果的な政治的両面作戦をとった。つまり一方では初期に抗議デモを主導していた若者たち、すなわち欧米的価値観をもち、教育程度も高く、インターネットを使いこなす人々を弾圧した。シリアの秘密警察ムハバラートは、ロシアやイランから提供された電子監視技術をつかい、暴動が起こるとすぐにこれらの若者を特定し、組織的に追跡・逮捕・殺害していった。こうしてシリアは将来有望な、しかし体制にとっては脅威となる、高学歴の都市部青年の一部を失うことになった。就任した当初は近代的な青年大統領とみなされていた男は、国民のなかでもっとも先進的な人々を排除した大統領にもなったのである。

両面作戦のもう一方では、二〇一一年三月、ついで六月に、服役中のイスラム過激派数百人を釈放した。これがアルカイダ、のちには「イスラム国」といったテロ集団を形成することになる。この措置は反政府勢力を分断することだけが目的ではなかった。反政府派の過激化をうながして評判を落とさせると同時に、欧米におけるイスラム過激派の脅威を高めることも目的だった。そうなれば欧米はシリア政府との紛争よりも、テロとの戦いに注力することになるはずだ。ロシアとイランはこの戦略を最大限に利用してきた。宗教的・イデオロギー的にもっとも穏健だが、体制にとってはもっとも危険な武装勢力を「テロリスト」に仕立てあげ、集中的に攻撃してきたのである。

シリア政権や、これを支えるイランやロシアのもくろみは功を奏し、アメリカ主導の欧米連合はしだいにシリア反体制派への支持を手控えるようになり、多くの集団が危険な「赤」と判定されるようになった（反政府集団はそれぞれ、支援してもよい「緑」、支援を禁じる「赤」、要観察の「黄」に分類された）。ただし中東の一部の国は、こうした分類にはとらわれず、一部で「黄」もしくは「赤」の組織にまで支援を行なった。ドナルド・トランプ大統領が、シリア国内のアメリカの敵はテロ集団のみであると述べたのに対し、同盟国であるフランスのエマニュエル・マクロン大統領はこれに同調しつつ、巧みに矛先をすり替えた。「シリアにはわれわれの敵がいる。それはイスラム国だ。（略）シリア国民には敵がいる。その名はバッシャール・アル＝アサドだ」。めぐりめぐって、二〇一二年にほぼ敗者だったものが勝者となり、つまはじきにされていたものが鍵をにぎることになったのである。

反乱の初期からイランはアサド政権を支持し、まずレバノンの過激派組織ヒズボラを投入した。ヒズボラは当初あまり積極的でなかったが、すぐにためらいをかなぐりすてた。数千人の戦闘員をシリアに送りこみ、そのうち数百人が戦闘で死亡した。ヒズボラは二〇一三年五月のアル・クサイルの戦いで反政府勢力と戦った[15]。イラン自身も、シリア軍のほか、イラクや遠くアフガニスタンから集めてきたシーア派民兵を支援するために「軍事顧問」を派遣しただけでなく、最終的にはシリア領内にイスラム革命防衛隊をはじめとする数千人を配備した。その中核となるコッズ部隊は、カシム・スレイマニ将軍が指揮した。

イランのシリアへの関与は、宗教的な配慮にもとづくものではない。国教となっているシーア派の十二イマーム派は、アラウィー派を異端として忌み嫌っている。むしろこれは、地政学的配慮にもとづくものであり、イランが地域内での影響力を高めること、そして自国と地中海とのあいだをイラク、シリア、レバノン内の友好勢力によって固めることをめざしたものだった。シリア国民はバッシャールをイランの手下とみなしている。政権中枢の内部ですら、こうした傾向を心配する声があったが、そうした人々は排除され、バッシャールはイランとの（不平等な）同盟を優先した。

ロシアは内戦に二つの面で介入した。第一は外交面で、二〇一三年八月下旬にバラク・オバマ大統領がシリア侵攻を回避したのを好機として、バッシャール政権と近づいた。第二は軍事面で、二年後の二〇一五年九月、イランの支援を受けたシリア政府軍が反体制派に追いつめられた際、傭兵部隊をふくむ大量のロシア軍部隊を戦闘に投入した。ウラジーミル・プーチン大統領にとっては欧米のリビア介入への報復であると同時に、地中海沿岸での足がかりを確保する意味があった。二〇一六年三月、クレムリンのあるじは任務が「おおむね達成された」と述べたが、ロシア軍はシリアのラタキア南東にあるフメイミム空軍基地をはじめ、各地で駐留を続けた。

イランとロシアは「テロとの戦い」を標榜していたが、実際にはイランはテロとの戦いにいっさいかかわっていなかったし、ロシアはアルカイダやイスラム国に対しては、事後的にわずかに行動しただけである。シリア北部や北東部におけるアルカイダとイスラム国に対する勝利は、ほぼ全面的に欧米連合とクルド人をはじめとする同盟勢力が、「シリア民主軍」の名のもとに勝ちとったものだ。テヘランとモスクワの目的はなによりもアサド政権を守り、それによって自分たちの戦略的利益を守ることだった。こうして両国の支援のもと、反体制勢力のおもな拠点は次々と陥落した。二〇一六年三月にパルミラ、一二月にはアレッポ、二〇一七年五月にはホムス、二〇一八年五月にはグータ、七月にはダルアーが陥落した。

一方で、トルコはクルディスタン労働党（ＰＫＫ）を前身とするクルド民主統一党（ＰＹＤ）の影響力が強まるのをおそれ、その台頭を阻止しようと二〇一七年二月、シリア北部のアル＝バーブを占領した。二〇一八年一二月には、それまでクルド勢力がロシアの支援を受けて支配していたシリア北西端の飛び領地アフリーンを占領。この飛び地をとおして、二個所のＰＹＤ支配地域がつながることを阻止するのが目的だった。じつはこの間に、トルコとロシアは互いに接近しつつあった。トルコは力関係の逆転を認識しつつあったし、またロシアは自分たちが追求する目的にトルコの協力を得るためなら、クルド人勢力を見放すことも仕方がないと考えてのことだった。

一方、イスラエルはアサド体制の維持をのぞんでいた（テルアヴィヴで耳にした意見は、「アサドはとんでもないやつだが、スンニ派がシリアの実権を握るよりはまし」というものだった[16]）。ただし、越えてはならぬ一線は引かねばならない。すなわち、シリア経由でヒズボラに武器を送らせるのは、とんでもないというわけである。イスラエルは二〇一三年一月以降、このことをシリアに思い出させるために複数の攻撃を行なった。

二〇一八年八月、バッシャールは「勝利は近い」と宣言できるまでになった。それにしても、それはどんな勝利なのだろうか。いずれにせよ彼自身の勝利ではなく、彼がみずからとみずからの国の命

バッシャール・アル＝アサド、2018年。
© Handout/Sana/AFP

運を託すことになった、ロシアとイランの勝利だった。それは死と荒廃をともなう勝利だった。民間人に対する残虐行為の責任は、政権とテロリスト集団だけでなく、ロシアとイランにもある。ウラジーミル・プーチンの首相就任とともに、一九九九年から二〇〇〇年にかけてチェチェン共和国の首都グロズヌイが攻撃された。プーチンにも、ハーフィズによるハマー攻撃と同じ過去があった。一般人も住む反乱軍の拠点に対して、彼はためらうことなく空爆を命じたのである。

一九八〇年代末には、教育もありひかえめで、やや左寄りだった若きバッシャール・アル＝アサドが、どうしてこのような人物になってしまったのか。就任後の何か月かは意欲的だった現代的な大統領が、どうしてみずからの国民を虐殺することになってしまったのか。

そうするしかなかったのだ。狼と声をあわせて吠える（多数意見に従う）ほかはなかった。さもなければ狼に食われてしまうのだから。バッシャールをとりまく集団にとっては生き残りがかかっていた。軍にしても、一族にしても、秘密警察にしても、彼が少しでも弱さを見せるなら、ただちに葬りさる覚悟だった。だから就任から数か月間のオープンな姿勢は、長つづきしなかったのである。しかし、ハーフィズ・アル＝アサドの後継者には、もっと別の事情があったのかもしれない。これほどの流血を前にして平静でいられるのは、どうしてなのだろう。他者の思いに対して病的なまでに不感症なのだろうか。なにかとめだつ長男の陰で、心やさしい医師という役まわりを長きにわたって押しつけられてきた次男の復讐なのだろうか。それとも子ども時代の残虐性の名残りなのだろうか。

父ハーフィズや兄バースィルと一線を画す、バッシャールのもう一つの特徴は、隠しごとや嘘が多いことである。ハーフィズにもいろいろと秘密があったが、嘘はつかなかった。嘘をつくのは弱い者がすることと思っていたのだ。強引で手強い交渉者ではあったが、いったん約束したことは、決して反故にしたりしなかった。バッシャールの場合は異なり、歴代のフランス大統領四人が信頼を裏切られる経験をさせられている。

バッシャールは国内を移動することはほとんどないが、父親より人前に姿を現わすことが多く、とくに奪還した都市ではそうだった。父親よりも演出をこらすことが多い。換言すると、登場のしかたが異なっている。たとえば愛車を運転する姿など、現代風と挑発的態度が入り混じった姿を見せるのだ。大統領就任当時は、父や兄バースィルのように全国に自分の肖像写真を飾るのは気が進まないと口にしていた。しかし内戦が起こると、どうしても指導者の肖像をあちこちに掲げざるをえなくなった。

現在のバッシャールは、大統領就任当時と比べ、一族のなかでも孤立している。姉ブシュラーは夫アースィフ・シャウカト[17]の暗殺後、二〇一二年に五人の子どもをつれてアラブ首長国連邦の首都ドバイに移住したが、暗殺の陰にバッシャールがいると疑っていたようだ。ブシュラーの移住の数か月後、母親のアニサー（二〇一六年死去）も娘のもとに移った。独裁者の妻アスマーは二〇一八年八月に乳がんであることを公表したが、心のうちは明らかでない。夫を支持するメールが、きわめてタイミングよくメディアにリークされるものの、本人の意思によるものかどうかは疑問の余地がある。

兄バースィルが生きていたら、弟と異なる行動をとって、弟がもたらしたような祖国の破滅を回避できただろうか。むろん、このような問いに答えるのは困難であり、あやういことでもある。強気で権威主義的な性格のバースィルも、反政府運動の初期には同じように断固たる態度を示しただろう。しかし一方で父親と同じように、イランやロシアに強く依存する状態にこの国を追いこむことは避けようとしただろう。親しみをいだいていたフランスをはじめ、欧米諸国とのつながりを断ちきるようなことも、おそらく避けようとしただろう。決して人道的な理由からではなく、ひたすら上記のような理由からではあるが、自国民に対して化学兵器を使用することはためらっていただろう。しかしこの点にかんしては、だれも断言はできない。

シリアの今後のゆくすえは、どうなっていくのだろうか。アラウィー派の権力掌握は、イランの政権交代や、プーチン後のロシアがこの地域への関心を失う場合を除き、数十年にわたり保証されたかに見えるが、そうした仮定もあくまで可能性にすぎない。なにしろ古代の軍人奴隷マムルークが建てた王朝は、三世紀にわたって（一二五〇年から一五一七年まで）オリエントの大部分を支配したのだ。バッシャール個人についても、その運命は予測不能である。子どもの一人（子どもは三人おり、うちハーフィズが二〇〇一年生まれ）が跡を継ぐことになるのだろうか。ただし後見人をもって任じるロシア（シリアの陸軍と情報機関に人脈を築いている）、あるいは可能性は低いがイランが、別の後継者を用意しているとしたら話は違ってくる。[18] バッシャールが政権の座を降りても、体制は生き残るだろうし、バッシャールが権力の座にとどまればシリアの国際社会への復帰や、戦後復興への障害となる。民主的な国々は独裁者や独裁国家とつきあうすべを心得ているし、これまでもさんざんつきあってきたものの、戦争犯罪人とつきあうことはむずかしい。ましてそれが、人道に対する罪であればなおさらだ。民主国家では休みなく流される情報やSNS、そしてNGOの監視などのおかげで社会の透明性が高まっており、政府が裁量をきかせる余地は少ない。とはいえ、二〇一八年にサウジアラビア人ジャーナリストのカショギ氏が暗殺されても、アメリカがサウジとの関係維持を優先した事例が示すように、レアルポリティーク（現実政治）は今後も続いていくだろう。

内政レベルでは、ロシアやイランの支援を受けてシリア全土における支配権をとりもどしたあかつきには、バッシャールはさらなる反乱の試みを起こさせないよう、さらに過酷な弾圧をはじめるだろう。また難民の帰還についても、ごく一部の人々にしか認めないだろうし、認めたとしても帰還者は投獄されるだろう。難民の流出の規模はまだきちんと算定されていないが、人口構成のバランスはくずれ、アラウィー派に有利な状況となった。

イランとロシアも、シリア内戦をめぐっては結束していたものの、戦火がやめば関係は長つづきしないだろう。互いに根強い不信感があり、利害もくいちがい、描いている未来図も異なる国だから、対立の火種はつきない。バッシャールはこうした状況を利用して、みずからの生き残る道を模索しているのかもしれない。

〈原注〉

1 推定被害者数は出典により三五万―五七万の幅がある。

2 ムハンマドの女婿アリーの子孫を自任するモロッコの王朝名とは異なるので注意。

3 一二人のイマームを認めているため十二イマーム派とよばれる。一二人はアリーと、マフディーをふくむ彼の後継者からなる。

4 スルール・イブン・アル＝カシム・アル＝タバラニ（一〇三四年または一〇三五年没）。スンニ派の神学者アブ・アル＝カシム・スライマン・アル＝タバラニ（九七〇年没）とは別人。

5 ミシェル・アフラク（正教徒）とサラーフッディーン・アル＝ビータール（スンニ派）は一九三〇年代初頭、フランスでアラブ民族主義を掲げるアラブ学生連合を設立。さらに一九三九年、ダマスカスでザキー・アル＝アルスーズィー（アラウィー派）とともに「アラブ復興運動」を創設した。

6 一九五八年七月一四日、いずれも将軍のアブドッサラーム・アーリフ（親ナーセルのバアス主義者）とアブドルカリーム・カーシム（民族主義者）がバグダードの君主制を打倒した。イラク国王ファイサル二世と一族の大半、そして首相のヌーリー・アッ＝サイードも虐殺された。一九六三年二月には、アーリフがカーシムを排除した。

7 一九八〇年七月二一日、ビータールはシリア政府の指令でパリで殺害された。

8 オムラーン将軍は一九六六年のクーデターで解任され、一九七二年にレバノンで暗殺された。

9 著者による聞きとり。

10 ユーセフ・チャクールはのちにパリ駐在シリア大使（一九七八年―一九八六年）、ついで外務副大臣をつとめた。元駐仏シリア大使で、現在はユネスコ代表のラミア・チャクールの父。

11　アロイス・ブルンナーはユダヤ人絶滅計画における重要人物で、フランスのドランシー通過収容所の責任者などをつとめた。一九五四年にダマスカスに亡命。二〇〇一年、同地で死亡。

12　「シャトル外交」ともいう。一九七三年一〇月のヨム・キップール戦争のあと、ヘンリー・キッシンジャーはエジプトとイスラエル、およびイスラエルとシリアのあいだで停戦交渉を行なった。それ以外にも、包括的解決はむずかしいと判断して、イスラエルとアラブ諸国間の紛争の漸進的解決に取り組んだ。

13　当時のフランスの駐イラク大使であった著者は、反論の余地がない証拠をにぎっている。

14　イスラム国（ＩＳＩＳ）もまた神経ガスを、とくに非ジハード派の反体制勢力に使用した。

15　レバノン国境近くにある。この戦闘では自由シリア軍と、この町を奪回したシリア政府軍・ヒズボラとが衝突した。

16　著者が聞きとりした証言。

17　国防副大臣だったアースィフ・シャウカトは二〇一二年七月一八日、国防相をふくむ政権幹部二名とともに、自爆攻撃によって死亡した。反体制勢力の二つの組織が犯行声明を出した。しかし一部の観測筋によると、一九九九年に義理の弟であるマーヘルがシャウカトに至近距離から発砲した事件や、二〇一二年にシャウカトがバッシャールにとって面倒な存在となったことを指摘する向きもある。

18　プーチン大統領は、バッシャール個人よりイラン指導部に目が向いているようだ。

〈参考文献〉

Lucien Bitterlin, *Hafez el-Assad, le parcours d'un combattant*, Éditions du Jaguar, 1986.

Pierre Guingamp, *Hafez el-Assad et le parti Baath en Syrie*, L'Harmattan, 1996.

Henry Kissinger, *Years of Upheaval*, Londres, Weidenfeld & Nicolson, 1982.（ヘンリー・キッシンジャー『キッシンジャー激動の時代（2）――火を噴く中東』、桃井真監修、読売新聞・調査研究本部訳、一九八二年、小学館）

Régis Le Sommier, *Assad*, La Martinière, 2018.

Daniel Pipes, « La Conquête du pouvoir en Syrie », *Middle Eastern Studies*, 1989.

Jean Marie Quéménér, *Bachar al-Assad en lettres de sang*, Plon, 2017.

Charles Saint-Prot, *Les Mystères syriens*, Albin Michel, 1984.

Patrick Seale, *Asad of Syria, the Struggle for the Middle East*, University of California Press, 1988.（パトリック・シール『アサド――中東の謀略戦』、佐藤紀久夫訳、一九九三年、時事通信社）

年表と解説

ジェレミー・アンドレ

一七九二年八月――一九七四年七月…恐怖政治。権力の座にあったジャコバン派、とくにマクシミリアン・ド・ロベスピエール（一七五八―一七九四）が理論化、実践していた「革命の敵に対する凄惨な弾圧」をさす。軍事独裁の危険にたえず警鐘を鳴らしていたロベスピエールであったが、政敵から独裁志向があると糾弾された。ロベスピエールは自分個人に権力が集中する体制を築かなかったものの、レーニンにはじまりポル・ポトにいたるまでの数多くの「赤い」独裁者の手本となる。恐怖政治のあいだ、二―三万人が銃殺され、一万七〇〇〇人がギロチンにかけられた。恐怖政治は、革命歴Ⅳ（四）年テルミドール九日（一七九四年七月二七日）にクーデターが起こり、「清廉の氏」の異名をとっていたロベスピエール自身が国民公会の命令で逮捕され、ギロチンにかけられるまで続いた。

一八九五年…「群集心理」の出版。人類学者でもあった著者ギュスターヴ・ル・ボン(一八四一―一九三一)はこの本のなかで、大衆に影響力をおよぼし、あやつることができる指導者の特質として、プレスティージュ[名声、威厳と訳されることが多いフランス語]のコンセプトを提唱している。ヒトラーなどが、ギュスターヴ・ル・ボンの著作を大いに参考にすることになる。

一九〇二年二月…レーニンことウラジーミル・イリイチ・ウリヤノフ(一八七〇―一九二四)が「なにをなすべきか?」を発表する。レーニンはこのなかで、経済闘争から社会主義思想が自然発生的に形づくられることを否定し、労働者階級に革命思想を外部から注入することに専念する前衛を政党の形で結成すべきた、と主張している。この政治闘争マニフェストは結果的に、ロシア社会民主労働党のメンシェヴィキ(少数派)とボリシェヴィキ(多数派)への分裂(一九〇三)をもたらす。レーニンがボリシェヴィキの指導者となる。

一九〇五年一月九日…一九〇五年のロシア第一次革命が勃発。労働者の評議会であるソヴィエトが各地に生まれ、一〇か月後にはリベラルな憲法の発布が約束される(一〇月マニフェスト)が、これは幻想にすぎなかった。

一九〇八年七月二四日…オスマン帝国で「青年トルコ人」革命が起こった結果、アブデュルハミト二世(在位一八七六―一九〇九)がついに専制政治を断念する。

一九一五年四月二四日…イスタンブールのアルメニア人知識人一斉検挙を皮切りに、青年トルコ時代のトルコでアルメニア人ジェノサイドがはじまる。一九二三年までに一二〇万人のアルメニア人が殺される。ただし、殲滅(せんめつ)政策の対象はアルメニア人にとどまらず、アッシリア人(メソポタミア北部のキリスト教徒、死者五〇万―七五万人)、アナトリアのヤズィーディー教徒(一帯がイスラム化する以前の宗教を信仰する人々、死者はおそらく五〇万人ほど)、ポントスのギリシア人(アナトリア北部のキリスト教徒、犠牲者三五万―五〇万人)にもおよんだ。

一九一七年二月二三日―三月三日…ロシアで二月革命が起き、ニコライ二世(一八六八―一九一八)は退位に追いこまれる。

一九一七年一〇月二五日…ロシアで一〇月革命が起き、アレクサンドル・ケレンスキー(一八八一―一九七〇)が首相をつとめる臨時政府をボリシェヴィキが倒す。レフ・トロツキー(一八七九―一九四〇)が先導した蜂起により、レーニンがロシアの国家指導者となる。ソ連のプロパガンダはこれを「ロシア国民が立ち上がっての革命」と位置づけていたが、実際はごく少人数による権力奪取であった。とはいえ、ボリシェヴィキは数多くの労働者や農民による騒乱をバックとして行動に出たので、たんなるクーデターではなかった。一一月になると、各地のソヴィエト、人民委員会議、ボリシェヴィキが成立させた政府が、一連の法令を発布して統治をはじめた。地主へ補償なしで土地所有を禁止する「土地に関する布告」、第一次世界大戦からロシアを離脱させるための「和平に関する布告」、報道の自由を厳しく制限する布告など。

一九一七年一二月八日…シドニオ・パイス(一八七二―一九一八)がポルトガルでクーデターを起こし、権威主義的な政治体制を敷く。だがパイスは一九一八年一二月一四日に暗殺される。

一九一七年一二月二〇日…ボリシェヴィキが、反革命を取り締まるための警察組織チェーカーを創設。フェリックス・ジェルジンスキー(一八七七―一九二六)を初代トップにすえたこの組織は一九二二年にGPU(国家政治保安部)、一九三四年にNKVD(内務人民委員部)と改名され、内務省への統合などをへて、最終的に一九五四年にKGB(ソ連国家保安委員会)の名称でおちつき、一九九一年まで存続する。

一九一八年六月…ボリシェヴィキが結成した赤軍と、皇帝支持派と共和主義者からなる白軍が対峙するロシア内戦への、協商国(英仏日米など)の干渉がはじまる。五年後、ソヴィエトの完勝によって内戦は終結する。

一九一八年七月一〇日…プロレタリア独裁——カール・マルクス(一八一八—一八八三)の理論によると、これは共産主義革命の過渡的段階である——の適用をめざす第一次ソ連憲法の発布。これにより、市場経済の終焉と階級の消滅が可能となるはずであった。

一九一八年七月一七日…レーニンの指令により、エカテリンブルクでロシア皇帝一家が殺される。

一九一八年一一月九日…ヴィルヘルム二世(一八五九—一九四一、一八八八年よりドイツ皇帝であった)の退位。一一月九日は、二〇世紀のドイツを語るうえでカギとなる日付である。一九二三年のミュンヘン一揆も、一九三八年の「水晶の夜」も、一九八九年のベルリンの壁崩壊も一一月九日に起こっている。

一九一八年一一月一一日…ドイツと協商国のあいだで休戦協定が結ばれ、第一次世界大戦が終結。

一九一八年一一月一二日…ウィーンでオーストリア革命が起き、ハプスブルク家による支配が終わる。

一九一九年一月一五日…ドイツの社会主義革命組織、スパルタクス団を創設したローザ・ルクセンブルク（一八七一―一九一九）が殺される。スパルタクス団が一月に革命を起こそうとしてベルリンで蜂起したところ、極右将校を中心として元兵士が集まった準軍事組織フライコーア（ドイツ義勇軍）がこれを制圧しようとして激しい衝突が起き、そのさなかにルクセンブルクは殺された。

一九一九年三月一九―二三日…ベニート・ムッソリーニ（一八八三―一九四三）がミラノで政党「イタリア戦闘者ファッシ（ＦＩＣ）」を結成。神秘化された革命思想と反共産主義がないまぜとなったイデオロギーを掲げ、行動隊（スクワードレ・ダッツィオーネ）を組織して、労働組合や左派革命組織を攻撃する。

一九一九年三月二一日…ハンガリーの共産主義者、クン・ベーラ（一八八六―一九三八）が、ボリシェヴィキを手本として、ハンガリー・ソヴィエト共和国の成立を宣言。

一九一九年六月二八日…ヴェルサイユ条約調印。天文学的な額の賠償金支払いと、領土の一五パーセントを手放すことをドイツに強制したこの条約は、汎ゲルマン主義のナショナリストたちから「ディクタート（強制条約）」であるとして糾弾され、根深い復讐心を植えつけた。一九一五年に協商国側につき、戦勝国となったイタリアにおいても、アドリア海沿岸に領土を獲得できるとの期待を裏切った同条約は屈辱的だと受けとめられる。

一九一九年八月六日…フランス軍とルーマニア軍がブダペストを制圧、ハンガリー・ソヴィエト共和国が崩壊する。ハンガリー国民軍を率いる海軍中将のホルティ・ミクローシュ（一八六八―一九五七）が、しだいに実権を掌握するようになる。

一九一九年九月一二日…イタリアの詩人、ガブリエーレ・ダヌンツィオ（一八六三―一九三八）が、元兵士らとともにフィウーメ（現在はクロアチアのリエカ）を占拠する［フィウーメにはイタリア人が多く住んでおり、第一次世界大戦の戦勝国としてイタリアはフィウーメ一帯のアドリア海沿岸地方を領土として割譲してもらえるものと考えていたが、期待が裏切られた。世論は激高し、とくに戦場で苦労した元兵士たちは憤懣やるかたなかった］。イタリアのファシズムはこの実力行使に着想を得て、黒シャツをユニフォームとして示威行動を展開することになる。

ミュンヘンでは、オーストリア出身で画業を志したが挫折し、第一次世界大戦後も軍に残って伍長の地位にあったアドルフ・ヒトラー（一八八九—一九四五）が、ドイツ労働者党（ＤＡＰ）に入党する。ヒトラーは上官の指示により、過激な民族主義を標榜する弱小党であったＤＡＰを監視していたが、ＤＡＰの主張に共鳴し、軍を去って政治の道に足をふみいれる。

一九二〇年二月…ヒトラーはＤＡＰをＮＳＤＡＰ（国家社会主義ドイツ労働者党、いわゆるナチ党）に改名する。

一九二〇年三月一日…ハンガリー国民議会がホルティを「王国摂政」に選び、国王不在のまま王制を復活させる。

一九二〇年三月一三—一七日…ベルリンで、「カップ一揆」が起こる。民族主義の政治家、ヴォルフガング・カップ（一八五八—一九二二）を国家指導者にすることを目的に、ベルリン地区司令官ヴァルター・フォン・リュトヴィッツ（一八五九—一九四二）が中心となって起こしたクーデター未遂事件である。カップはまずはスウェーデンに逃亡したが、やがてドイツに戻ったところを逮捕され、裁判を待っているあいだに死亡する。

一九二〇年四月二三日…アンカラで、トルコ大国民会議の開催。議長に選出されたムスタファ・ケマル将軍（一八八一—一九三八）は以降、死ぬまでトルコの権力者でありつづける。

一九二〇年六月四日…オーストリア＝ハンガリー帝国時代にハンガリーが支配していた領土を分断するトリアノン条約の締結。全人口の三分の一にあたる三〇〇万のハンガリー人が、チェコスロヴァキアなどの外国の支配下に入ることになった。これは、ハンガリーにとって決して忘れることができないトラウマとなる。

一九二〇年八月一〇日…オスマン帝国解体を強制するセーヴル条約の締結。この条約は一度も批准されることなく、三年後にローザンヌ条約に置き換えられる。

一九二一年二月一八日—三月一七日…バルト海に面した軍港クロンシュタットの水兵たち（彼らは一九〇五年に帝室に対して叛乱を起こしており、ボリシェヴィキ革命のシンボルであった）が独裁化するボリシェヴィキに反旗をひるがえして反乱を起こす。赤軍とチェーカー（秘密警察）によって容赦なく制圧される。

一九二一年三月二一日…レーニンがロシアでＮＥＰ（新経済政策）を打ち出し、「戦時共産主義」に終止符を打ち、市場経済の要素（私有財産、余剰農産物の売買など）を復活させることになる。

一九二一年八月八日…ヒトラー、ナチ党の準軍師組織ＳＡ（突撃隊）を創設。ＳＡは短期間のうちに「褐色シャツ隊」とよばれるようになる。制服（ドイツ植民地帝国軍の古い備蓄品であった）が褐色であったのが理由だが、イタリアのファシストが着用する「黒シャツ」と対比する意味もあった。

一九二一年一一月一二日…イタリアで国家ファシスト党が結成される。

一九二二年四月三日…第一一回ロシア共産党大会でヨシフ・スターリン（一八七八―一九五三）が書記長に選ばれる。長い期間、これがスターリンにとって唯一の公的肩書となる。

一九二二年五月二六日…レーニン、脳内出血を起こす。これ以降、死にいたるまで、レーニンの政治権力を行使する能力は低下の一途をたどる。

一九二二年九月一一日…希土戦争でトルコに敗れたギリシアにおいて、ニコラオス・プラスティラス将軍がクーデターを起こし、国王コンスタンティノス一世（一八六八―一九二三、一九一三年より在位）を退位に追いこむ。

一九二二年一〇月二八日…ローマ進軍。何万人もの「黒シャツ」がイタリア各地で戦略的に重要な拠点をおさえたのち、首都ローマに集結、政権を渡すよう要求するデモを行なう。ムッソリーニ自身は、ローマ進軍が失敗した場合に逃亡できるようにミラノに残っていた。

一九二二年一〇月三〇日…イタリア国王ヴィットーリオ＝エマヌエーレ三世（一八六九―一九四七）が、ムッソリーニに組閣を命じる。

一九二二年一二月三〇日…ボリシェヴィキのロシアと、東欧やカフカスや中央アジアの姉妹共和国を統合したソヴィエト社会主義共和国連邦（ＵＲＳＳ、ソ連）が誕生。

一九二三年六月九日…民族主義者のアレクサンダル・ツァンコフ（一八七九―一九五九）を首謀者とするクーデターがブルガリアで起きる。これ以降、ツァンコフは一九三四年までブルガリアの権力者でありつづける。

一九二三年七月二四日…近代トルコの国境を定めるローザンヌ条約の締結。セーヴル条約がクルディスタンとアルメニアの独立を定めていたのに対して、この条約はアナトリア全土をトルコ領として認めた。

一九二三年九月一三日…スペインのバルセロナでプリモ・デ・リベラ将軍（一八七〇―一九三〇）がクーデターを起こす。アルフォンソ一三世（一八八六―一九四一）は王位にとどまるが、政治権力は失った。

一九二三年一〇月二九日…ケマルは、オスマンのスルタン制を廃止してトルコ共和国成立を宣言し、大統領に就任する。

一九二三年一一月九日…ミュンヘン一揆。これは、ローマ進軍を模倣しようと考えたアドルフ・ヒトラーとエーリヒ・ルーデンドルフ将軍が起こしたクーデター未遂事件である。一一月一一日に逮捕されたヒトラーは禁固五年の判決を受けたが、実際に服役したのは一三か月のみで、そのうちの九か月は、貴族の四人専用であるはずのランツベルク・アム・レヒ城塞ですごした。ヒトラーはこの禁錮生活を活用して、『わが闘争』を執筆した。

一九二四年一月二一日…レーニン死去。

一九二四年四月…イタリアで総選挙。大規模な不正が行なわれ、ＰＮＦ〔国家ファシスト党〕が過半数を制する。

一九二四年五月…ナチ党、総選挙で三二議席（総議席数の六・六パーセント）を獲得。

一九二四年六月一〇日…イタリアの社会党議員、ジャコモ・マッテオッティ（一八八五年生まれ）が暗殺される。反ムッソリーニ勢力のリーダー的存在であったマッテオッティを殺したのはファシストだと推定され、世論が激高した。野党議員たちは、古代ローマの平民が貴族に反発してローマのアヴェンティーノの丘に立てこもった、という故事にならい、議会から一斉に引き上げる「アヴェンティーノ連合」活動を展開して政権を追いこもうと試みた。

一九二四年九月一一日…チリでクーデターが起き、軍事政権が誕生。

一九二四年一二月二三日…ユーゴスラヴィアの支援を受けたアフメト・ゾグ将軍（一八九五―一九六一）がアルバニアで政権を奪取。ゾグ将軍による独裁は一九三七年まで続く。

一九二五年四月…ヒトラーを警護する親衛隊SSの創設。このSSはやがて、ハインリヒ・ヒムラー（一九〇〇―一九四五）の指揮下で治安維持や反体制派摘発、ユダヤ人狩りを実行し、おそれられることになる。

一九二五年六月二四日…テオドロス・パンガロス（一八七八―一九五二）がギリシアで政権をくつがえし、独裁を宣言する。一九二五年一〇月、パンガロスはブルガリア国境の町、ペトリチを占拠する（ペトリチ事変）が、国際連盟の圧力を受けて撤退する。不人気であったパンガロスは、一九二六年八月二四日にゲオルギオス・コンディリス将軍（一九七八―一九三六）によって権力の座から追いやられる。

一九二五年七月一八日…『わが闘争』の第一巻が出版される（第二巻は一二月に出版）。

一九二五―一九二六年…レッジ・ファシスティッシメ［ファシスト体制を確立するために制定された諸法律］により、ムッソリーニはドゥーチェ（統帥）の肩書をあたえられ、PNF以外の政党は禁止され（PNFが唯一の政党となる）、ファシスト系労働組合のみが存在を許され、秘密の検閲体制が敷かれ、秘密警察OVRA（反ファシズム警戒・取り締まり組織）と国家治安特別法廷が創設され、地方レベルの民主主義に幕が引かれ、自治体の長は王令が指名する長官に置き換えられた。

一九二六年五月一二—一四日…ワルシャワの「五月革命」。このクーデターを主導して成功させたユゼフ・ピウスツキ将軍（一八六七—一九三五）は、国防相や首相の肩書で満足したものの、死ぬまでポーランドの最高権力をにぎりつづけた。

一九二六年五月二八日…ポルトガルでクーデターが起き、第一共和政が終わる。

一九二六年一二月一七日…リトアニアで民族主義者、アンターナス・スメトナ（一九七四—一九四四）がクーデターを起こす。スメトナは一九四〇年、ソ連がリトアニアに侵略すると政権の座を追われる。

一九二七年四月一二日…上海クーデター。国民党が、それまで同盟を組んでいた共産党を弾圧する。その後、蔣介石（一八八七—一九七五）は南京に中華民国政府を置き、儒教の影響とややファシスト的な傾向が入り交じった政権運営を行なう。

一九二八年…アメリカの広報活動専門家でジークムント・フロイトの甥であるエドワード・バーネイズ（一八九一—一九九五）が著わした『プロパガンダ』の出版。この本のなかでバーネイズは、みずからが実践している広報活動と組織的政治プロパガンダを理論づけた。彼は、ヒトラーの国民啓蒙・宣伝大臣をつとめるヨーゼフ・ゲッベルス（一八九七—一九四五）に大きな影響をあたえることになる。

一九二八年四月…一九二六年にポルトガルで成立した政治体制が、「ディタドゥーラ・ナシオナル［国民独裁］」と名づけられる。経済学教授であったアントニオ・デ・オリヴェイラ・サラザール（一八八九―一九七〇）が財務大臣に就任。

一九二八年一一月一三日…トロツキーが共産党から追放され、スターリンがソ連の絶対的権力者となる。

一九二九年二月一一日…ムッソリーニと教皇庁のあいだでラテラノ条約が調印され、教皇はヴァチカン市国の君主であり、カトリック信仰はイタリアの国教である、と認定された。

一九二九年四月…集産主義によって産業振興を強引におしすすめることを狙った、ソ連の第一次五年計画が始動する。

一九二九年一〇月二四―二九日…ウォール街の株大暴落がすさまじい不況の引き金を引き、世界中の経済と社会に大打撃をもたらし、一九三〇年代を「大恐慌」におとしいれる。こうした社会の混乱が結果的に、ヒトラーや数多くの権威主義的政治体制の温床となる。

一九三〇年一月二八日…スペインでプリモ・デ・リベラが首相のポストを辞任。その後の一年間、強権的な独裁から立憲君主政治に戻そうとした後任のダマソ・ベレンゲル（一八七三―一九五三）の政治体制はディクタブランダ（ソフトな独裁）とあだ名される。

一九三〇年四月七日…ＧＰＵ（国家政治保安部）のなかに、強制労働収容所・矯正収容所の管理部「グラグ」が創設される。帝政時代の流刑地の伝統を受け継ぐソ連の矯正労働収容所は、一九二〇年代初頭にはすでに八四もあった。グラグはこうした収容所の数を増やし、収容システムを合理化し、一九三〇年代には何百万人もの人間を収容できるようした。
一九三〇年五月一六日…ラファエル・トルヒーヨ将軍（一八九一—一九六一）がドミニカ共和国大統領に選ばれる。一九三七年に二万—三万五〇〇〇人のハイチ人移民を虐殺するトルヒーヨは、暗殺されるまで実権をにぎりつづける。
一九三〇年九月一四日…ナチ党は国会で一〇七の議席（一八・三パーセント）を獲得し、ドイツ第二の政党となる。
一九三〇年一〇月三—二四日…ブラジルでは、大統領選挙で不正が行なわれたことが問題視され、この選挙で敗退したジェトゥリオ・ドルネレス・ヴァルガス（一八八二—一九五四）が軍事クーデターを起こし、一八八九年にはじまった旧共和制を終わらせる。
一九三一—一九三三年…ソ連で農業の集団化を原因とする大飢饉が起き、六〇〇—八〇〇万人が死亡する。いちばん多くの被害者が出たのは、農民の反乱に対する報復としてあえて飢えるがままに放置されたウクライナであった。
一九三一年…イタリアのジャーナリスト、クルツィオ・マラパルテ（一八九八—一九七五）が書いた「クーデターの技術」がパリで出版される。第一次世界大戦での従軍経験があり、初期のファシスト運動にかかわっていたマラパルテは、一九二〇年代に急増したクーデターや権威主義的体制もふくめ、ナポレオンからレーニン、ムッソリーニ、ヒトラーにいたるまでのさまざまな権力奪取の手法を分析した。ムッソリーニを批判したこの本はイタリアでは発禁となり、著者であるマラパルテは逮捕、収監され、ついで自宅軟禁処分を受けた。

一九三一年二月一八日…スペインで第二次共和政が成立。

一九三二年四月一二日…ヒトラーはドイツ大統領選挙で決戦投票まで残るが、現職のパウル・フォン・ヒンデンブルク元帥（一八四七—一九三四）が決戦を制し（得票率五三パーセント）、ヒトラーをしりぞける。

一九三二年五月一五日…一九三七年五月一日までに神という概念そのものをなくすことをめざす、ソ連の反宗教五カ年計画。

一九三二年六月二五日…サラザール、ポルトガル首相に就任。サラザールは一九六八年まで首相の座にとどまる。

一九三二年七月三一日…ナチ党、国会に二三〇人の議員を送りこみ（三七・四パーセント）、ドイツ第一党となる。ヒトラーの右腕であるヘルマン・ゲーリング（一八九三—一九四六）が国会議長に就任する。

一九三二年一一月…新たな国会解散をへて、ＮＳＤＡＰ（ナチ党）は一九六議席（三三・一パーセント）を獲得。議席は減らしたが、第一党のままであった。

一九三三年一月三〇日…ヒトラー、首相に就任。

一九三三年二月二七日…国会議事堂が炎上。ナチは共産党が放火したのだと糾弾し、この事件を口実として国家防衛緊急令と反逆防止緊急令を発布して言論の自由や所有権を制限した。

一九三三年三月四日…ウルトラナショナリストであったオーストリア首相、エンゲルベルト・ドルフース（一八九二—一九三四）は、隣国ドイツの影響を受けて国内でもナチズムが台頭していることに危機感をいだき、権威主義的政権運営によってこれを抑えこむため、議会を無期限休会とする。

一九三三年三月五日…ナチ党が、得票率四三・九パーセント（議席数は二八八）でドイツ国会議員選挙に勝利。

一九三三年三月一九日…ポルトガル、ファシズムから着想を得たエスタード・ノーヴォ（新国家）体制をうち立てるための新憲法を採択。

一九三三年三月二〇日…ドイツで、ダッハウ強制収容所がオープン。

一九三三年三月二三日…ドイツ国会、ヒトラーに四年間の全権をゆだねる。

一九三三年四月七日…ドイツで、ユダヤ人公務員を排斥する法律。

一九三三年四月二六日…SS（親衛隊）が指揮するゲシュタポ（国家秘密警察）が創設される。

一九三三年五月一〇日…宣伝大臣のヨーゼフ・ゲッベルスがベルリンで、ユダヤ人が書いた書物などを広場で焼きはらう集会を主催（焚書）。

一九三三年七月一四日…ナチ党、ドイツで唯一の政党となる［一党支配］。

一九三三年八月三〇日―九月三日…ニュルンベルクで前代未聞の規模のナチ党党大会（「勝利の大会」とよばれた）が開催され、さまざまなナチ組織による行進が行なわれた。党大会は一九三八年まで毎年行なわれるが、一九三四年の大会はレニ・リーフェンシュタール（一九〇二―二〇〇三）が監督したドキュメンタリー映画によってことに有名となる。この映画「意志の勝利」は全体主義プロパガンダの古典である。

一九三三年九月四日…キューバで、三〇歳そこそこの軍曹であったフルヘンシオ・バティスタ（一九

○一―一九七三）を首謀者とする「軍曹の反乱」が起こる。

一九三三年一〇月一四日…ヒトラー、国際連盟からドイツを脱退させる。

一九三四年二月六日…パリで、元兵士とナショナリスト運動組織が反議会のデモを行なうが、これがコンコルド広場で暴動に変わる。デモ参加者たちが国民議会を襲撃しようと勢いづいていたので、治安部隊が発砲した。すくなくともデモ参加者一四名が死亡、六五〇名以上が負傷した。この重大事件が、エドゥアール・ダラディエ（一八八四―一九七〇）を首相とする内閣の崩壊をまねく。

一九三四年五月一九日…ブルガリアでクーデターが起きる。政治運動グループ「ズヴェノー（鎖の輪）」が、キモン・ゲオルギエフ（一八八二―一九六九）を首相とする政権をうちたてるが、一九三五年一月に国王ボリス三世のクーデターによって失脚する。

一九三四年六月二九日…夕方に、「長いナイフの夜」がはじまる。ヒトラーの命令により、SS（親衛隊）がSA（突撃隊）の幹部を粛清した。いちばんの標的となったのは、エルンスト・レーム（一八八七―一九三四）で、七月二日に処刑される（表向きの理由は同性愛）。SAの存在と、その革命志向の要求は、自分の政権を固めようとしていたヒトラーにとって邪魔なものとなっていた。粛清は保守主義者にもおよび、これによってヒトラーは軍も服従させるにいたり、翌年、ヴァイマル共和国軍（Reichswehr）はドイツ国防軍（Wehrmacht）に再編された。

一九三四年七月二日…ヒンデンブルク大統領死去。国会はヒトラーを「総統および首相」に任命。

一九三四年七月二五日…オーストリア首相のドルフース、首相官邸に乱入したナチ党員たちによって暗殺される。

一九三四年八月一九日…国民投票が行なわれ、ヒトラーは絶対的な権限をあたえられる（投票結果の集計には大規模な不正がくわえられ、「賛成」八九・九三パーセントということにされた）。
一九三五年三月一六日…ヒトラー、兵役をふたたび義務化し、ドイツ軍（国防軍）の兵員数を一〇万から五〇万に増やす（これは、公然たるヴェルサイユ条約違反であった）。
一九三五年九月一五日…ナチ体制の反ユダヤ主義を象徴するニュルンベルク人種法（「帝国市民法」と「ドイツ人の血と名誉を守るための法律」）が可決される。これによってユダヤ人は市民権を奪われ、「ドイツ人の血」が流れる者との結婚や性的関係が禁じられた。
一九三五年一〇月三日―一九三六年五月九日…イタリアがエチオピア侵略。これを批判して制裁をくわえた国際連盟から、イタリアは離脱する。
一九三五年一〇月一〇日…ギリシアでゲオルギオス・コンディリス将軍（一八七八―一九三六）がクーデターを起こし、王政復古を宣言し、共和派を弾圧する。
一九三六年二月六―一六日…ナチ・ドイツで「ガルミッシュ＝パルテンキルヒェン」冬季オリンピックが開催され、プロパガンダに利用される。
一九三六年三月七日…ヒトラー、ヴェルサイユ条約で非武装地帯と決められていたラインラントに陸軍を進駐させる。
一九三六年七月一七―一八日…スペイン政府の社会主義的施策に反発して軍が反乱を起こすと、フランシスコ・フランコ将軍（一八九二―一九七五）が駆けつけて指導者となる。スペイン内戦のはじまり。

一九三六年八月…一九三八年三月まで続くモスクワ裁判のはじまり。スターリンによるボリシェヴィキ古参幹部の大量粛清を正当化するため、公開裁判とされた。三〇年代の大粛清（大テロル）では、七〇万人が処刑され、強制収容所の囚人の数は一二〇万人から一九〇万人へと増えた。

一九三六年八月一―一六日…ナチ・ドイツで「ベルリン」夏季オリンピック開催。

一九三六年八月四日…ギリシアで、イオアニス・メタクサス将軍（一八七一―一九四一）がクーデターを起こし、独裁（八月四日体制）をはじめる。メタクサスは死去するまで、この八月四日体制のトップにとどまる。

一九三六年一〇月一〇日…フランコ将軍、自陣営によって総司令官兼元首に選出される。

一九三六年一一月一日…ミラノでムッソリーニがローマ＝ベルリン枢軸成立を宣言。

一九三六年一一月二五日…ドイツと日本が、日独防共協定を締結。

一九三七年一月一日…アナスタシオ・ソモサ・ガルシア（一八九六―一九五六）がニカラグアの独裁者となる（彼は暗殺されるまで独裁者の地位を保つことになる）。アメリカ大統領フランクリン・デラノ・ローズヴェルト（一八八二―一九四五）がソモサについて「ソモサはろくでもない男かもしれないが、それでもわれわれの側のろくでなしだ」と評した、とよくいわれるが、根拠が疑わしく、伝説にすぎない。ニカラグアの「ソモサ王朝」は、一九七九年まで存続する。

一九三七年四月二六日…スペイン中部のゲルニカが、フランコを支援するドイツの遠征軍、コンドル軍団によって爆撃される。民間人が一二六―三〇〇名殺されたこの攻撃は、パリ万博にパブロ・ピカソ（一八八一―一九七三）が出展した有名な絵によって語り継がれることになる。

一九三七年一一月六日…イタリアも防共協定にくわわる（日独伊防共協定）。

一九三七年一一月一〇日…ブラジルのジェトゥリオ・ドルネレス・ヴァルガスが、ポルトガルのサラザールを手本にした独裁をはじめる。エスタード・ノーヴォ（新国家）とよばれるこの体制は一九四五年まで続く。

一九三八年三月一三日…アンシュルス。オーストリアがナチ・ドイツに併合される。

一九三八年九月―一一月…外国籍ユダヤ人を差別する人種法がイタリアで成立。

一九三八年九月二九―三〇日…ヒトラー、ムッソリーニ、フランス首相エドゥアール・ダラディエ、イギリス首相ネヴィル・チェンバレン（一八六九―一九四〇）がミュンヘン協定を結ぶ。これにより、ズデーテンを筆頭に、チェコスロヴァキアのドイツ人が多く住む地方のドイツへの併合が承認された。

一九三八年一一月九日…水晶の夜。ポーランド系の若いユダヤ人、ヘルシェル・グリュンシュパン（一九二一―一九四五）がパリのドイツ大使館書記官を銃殺したことをきっかけに、ドイツ全土で起きた大規模な反ユダヤ主義暴動。二〇〇〇人以上のユダヤ人が殺された。ユダヤ人は被害者であるのに、三万人が逮捕されて収容所送りとなったほか、一〇億マルクの罰金支払いがユダヤ人団体に命じられた。

一九三九年二月二五日…ハンガリーが防共協定にくわわる。

一九三九年三月一五日…ドイツが、チェコスロヴァキアのチェコ側に相当するボヘミアとモラヴィアを占領する。スロヴァキア共和国が独立を宣言する。カトリック司祭のヨゼフ・ティソ（一八八七

―一九四七）が首相となり、一党支配の親独体制を敷いた（ナチ・ドイツの傀儡政権）。

一九三九年三月二七日…スペインも防共協定にくわわる。

一九三九年四月一日…フランコ軍がバルセロナを制圧、スペイン内戦が終結。内戦による死者の数はすくなくとも四〇万人。

一九三九年四月七日…ムッソリーニ政権下のイタリアがアルバニアを侵略。

一九三九年五月二二日…ベルリンで、ドイツとイタリアが「鋼鉄協約」に調印。軍事面での積極的な相互支援を約束する協定であり、二国の力の結集が狙いである。

一九三九年八月二三日…ドイツの外務大臣、ヨアヒム・フォン・リッベントロップ（一八九三―一九四六）と、ソ連の外務大臣、ヴャチェスラフ・モロトフ（一八九〇―一九八六）がモスクワで、いわゆるモロトフ＝リッベントロップ協定に調印する。公表された条文は、両国の不可侵と中立の義務を定めていた。これだけでも世界は十分すぎるくらいに驚愕したが、じつは秘密議定書もかわされていて、こちらはフィンランド、ポーランド、バルト三国、ベッサラビア（ルーマニアの一部）の侵略と領土分割についてのとりきめであった。

一九三九年九月一日…ナチ・ドイツによるポーランド侵略。第二次世界大戦のはじまり。

一九四〇年四月―五月…カティンの森の虐殺。ソ連が、捕虜にしたポーランド人将校二万二〇〇〇人以上を処刑した。

一九四〇年四月二七日…アウシュヴィッツ（現在はポーランド）に強制収容所がオープン。やがて、同様の施設が周辺に建設される、そのうちには大量殺害のための施設（ガス室）もふくまれる。一九四五年までに、一一〇万人がアウシュヴィッツで命を落とす。そのうちの九〇パーセントはユダヤ人であり、九〇万人がガス室で殺された。

一九四〇年五月一〇日…フランスにおける戦闘のはじまり。

一九四〇年六月一〇日…イタリア、フランスとイギリスに宣戦布告。

一九四〇年六月一四日…ドイツ軍、パリを占領。

一九四〇年六月一六日…フランスでは、ヴェルダンの戦いの勝者、フィリップ・ペタン元帥（一八五六―一九五一）が首相に任命される。

一九四〇年六月二二日…フランスとドイツが休戦協定に調印。

一九四〇年七月一〇日…ヴィシーに移されたフランス国民議会がペタン元帥に全権を委任する法案を可決し、第三共和政の幕を引く。同法案が強調している「国民革命の必要性」は、ヴィシー政権が統治する「フランス国」の公的イデオロギーとなる。

一九四〇年七月二二日…国籍剥奪にかんする法律の採択。これによりヴィシー政権は、一九二七年以降にフランスに帰化した外国人からフランス国籍を剥奪することができるようになる。一万五〇〇〇人以上のフランス人が国籍を失う。そのうち六〇〇〇人がユダヤ人。

一九四〇年八月二〇日…スターリンが送りこんだ刺客、ラモン・メルカデル（一九一三―一九七八）によってトロツキーがメキシコシティーで殺される。

一九四〇年九月五日…ファシズムを手本とする準軍事組織、鉄衛団の圧力をバックとして、イオン・アントネスク将軍（一八八二―一九四六）がルーマニアの国家指導者（総統）に就任。アントネスクは「国民軍団国家」を成立させ、「ルーマニアのペタン」とよばれた。

一九四〇年九月一五日…フランスでは、共和政の標語「自由、平等、友愛」が「労働、家族、祖国」に置き換えられる。

一九四〇年一〇月三―四日…ヴィシー体制下のユダヤ人の身分にかんする法律が制定される。これにより、ユダヤ人を公職から追放し、外国籍ユダヤ人を収監することが可能となった。

一九四〇年一〇月一五日…チャーリー・チャップリンの映画「独裁者」が世界初公開される。主人公のモデルはアドルフ・ヒトラーであり、チャップリンの意図は、ナチ・ドイツをやぶるために第二次世界大戦にアメリカも参戦するよう世論を説得することであった。

一九四〇年一〇月二三日…フランスとスペインの国境の町、アンダイエでヒトラーとフランコが会談。ヒトラーはスペインも第二次世界大戦に参戦するよう、説得に努めたが、フランコは応じなかった。

一九四〇年一〇月二四日…ヒトラーとペタンがモントワール（ロワール＝エ＝シェール県）で会談。フランスは対独協力を約束する。

一九四一年四月六日…枢軸国がユーゴスラヴィアを侵略。

一九四一年四月一〇日…独立国家クロアチアの成立が宣言される。クロアチアの分離独立を唱える反ユダヤ主義のファシスト集団、ウスタシャの創立者であるアンテ・パヴェリッチ（一八八九―一九五九）がポグラヴニク（国家指導者）として、一九四五年五月八日まで権力をにぎる。

一九四一年六月二二日…ナチ・ドイツによるソ連侵攻、「バルバロッサ」作戦の開始。ドイツ軍に同行したアインザッツグルッペン（特任行動部隊）は、東部前線で総計一四〇万人のユダヤ人を処刑した。

一九四一年九月…イギリスとソ連がイランに侵攻し、ナチ・ドイツ寄りだと断じられたレザー・シャー・パフラヴィー（一八七八―一九四四、一九二五年よりイラン皇帝）は退位させられる。連合国側はかわりに、息子のモハンマド・レザー・シャー（一九一九―一九八〇）を位につける。

一九四一年一二月七日…東條英機（一八八四―一九四八）を首相とする日本政府の決定により、真珠湾（ハワイ）に停泊していたアメリカ艦隊を日本軍が攻撃する。これにより、アメリカの参戦が決まる。

一九四二年一月二〇日…ナチ高官一五人を集めてのヴァンゼー会議の開催。「ユダヤ人問題の最終的解決」について話しあい、一九四一年夏からすでに実施されていたユダヤ人根絶政策を正式に了承する。

一九四二年四月一八日…ピエール・ラヴァル（一八八三―一九四五）がヴィシー政権の首相に就任。ラヴァルは、対独協力政策を強化する。

一九四二年七月一六―一七日…ヴェル・ディヴ大量検挙事件。この二日で、パリ地方で一万三〇〇〇人のユダヤ人がフランスの警察官・憲兵によって逮捕され、ヴェル・ディヴ［パリにあった冬期自転車競技場］に集められた。のちに全員が東欧各地の収容所に送られる。戦後まで生き残るのは約一〇〇人のみ。

一九四二年七月一七日―一九四三年二月二日…ヴォルガ沿いの重要拠点であるスターリングラードの

戦い。この戦いは、ヒトラーとスターリンの対決の象徴となる。この戦いにおけるドイツの敗退が、第二次世界大戦の転換点となる。

一九四二年一一月八日…連合国、北アフリカに上陸。

一九四三年六月四日…アルゼンチンで「一九四三年革命」。この軍事クーデターで成立する独裁体制は、ファン・ペロン（一八九五—一九七四）が大統領に選ばれる一九四六年まで続く。

一九四三年七月九日—八月一七日…連合国、シチリアに上陸。

一九四三年七月二五日…イタリア国王、ヴィットーリオ＝エマヌエーレ三世がムッソリーニの逮捕を命じ、ファシズムの崩壊をひき起こす。

一九四三年九月一二日…ドイツの空挺部隊がムッソリーニを解放する。ムッソリーニはイタリア北部のサロ（ロンバルディア）にファシスト共和国を建国する。

一九四四年六月六日…連合国、ノルマンディに上陸。

一九四四年七月二〇日…クーデターを計画していたクラウス・フォン・シュタウフェンベルク伯爵（一九〇七年生まれ）によるヒトラー暗殺未遂事件。伯爵は、クーデター計画に荷担していた複数の将校とともに、その日の夜に処刑される。

一九四四年八月一日—一〇月二日…ポーランドのレジスタンスによるワルシャワ蜂起。赤軍がワルシャワのすぐ近くまで進駐していたにもかかわらず、スターリンはドイツ国防軍が蜂起を制圧するのをあえて静観した。

一九四四年八月二〇日…ペタンはドイツの要請を断わることができず、政府の機能をベルフォールに移す。次いで九月八日にはドイツのジクマリンゲンに移す。

一九四四年一〇月一六日…ソ連に休戦を申し入れていたことが発覚したハンガリーのホルティ・ミクローシュは、ドイツの圧力を受けて摂政を辞任する。サーラシ・フェレンツ（一八九七―一九四六）を指導者とする矢十字党が、「国民統一政府」を樹立する。親ドイツのこのファシスト政府は、四〇万人のユダヤ系ハンガリー人の収容所送りと殺害に協力する。

一九四四年一一月二八日…共産主義者のエンヴェル・ホッジャ（一九〇八―一九八五）が政権を樹立、首相に就任。その後、死去するまでアルバニア人民共和国の最高権力者の地位にとどまる。

一九四五年一月二七日…赤軍によるアウシュヴィッツ強制収容所の解放。

一九四五年二月四―一一日…イギリス首相のウィンストン・チャーチル（一八七四―一九六五）、ローズヴェルト、スターリンによるヤルタ会談。和平と占領地域にかんする計画を決定する。ここで決まった占領地域の割りふりがそのまま、冷戦時代の西側と東側の線引きとなる。赤軍によって解放され、スターリンの息がかかった者たちが大多数を占める臨時政府がすでに樹立されていたポーランドの現状も是認された。

一九四五年四月二八日…ムッソリーニ、イタリアのパルチザンによって銃殺処刑される。

一九四五年四月三〇日…ヒトラー、ベルリンの地下壕で自殺。

一九四五年七月二三日―八月一五日…ペタン裁判。国家反逆罪のかどで死刑判決がくだる。ただし、ペタンの高齢を理由に処刑は実施されなかった。

一九四五年九月二日…ベトミン（ベトナム独立同盟会）の主席であるホー・チ・ミン（一八九〇―一

九六九）がベトナム独立を宣言、一党支配の体制を敷く。

一九四五年一一月二〇日―一九四六年一〇月一日…ナチ・ドイツの主要な指導者二四名を裁くニュルンベルク裁判。一二名に死刑判決が下る。「人道に対する罪」の概念を認めたこの裁判は、二〇世紀末に行なわれる、独裁者たちを裁く国際法廷の手本となる。

一九四五年一一月二九日…ユーゴスラヴィアにおいてナチ・ドイツに抵抗する革命パルチザンを指揮していたヨシップ・ブロズ・ティトー（一八九二―一九八〇）は、外国に亡命していたペータル二世（一九二三―一九七〇、一九三四年に即位）が抗議したにもかかわらず王制を廃止し、ユーゴスラヴィアに共産主義独裁体制を敷く。

一九四六年五月三日…戦争犯罪人と指定された日本人を裁く東京裁判（極東国際軍事裁判）がはじまる。

一九四六年九月一五日…ブルガリア人民共和国成立宣言。この新体制は、やがて東側に次々と生まれる、ソ連に従属する「人民民主主義」国家のモデルとなる。

一九四六年一二月一二日…国連総会が、スペインのフランコ政権非難決議を採択。スペインをあらゆる国際機関から排除することが決定される。

一九四七年二月五日…大々的に不正が行なわれた総選挙で共産主義左派が勝利した結果、ポーランド人民共和国のはじめての憲法が採択される。

一九四七年四月…ダマスカスで汎アラブ主義のバアス党が結成される。

一九四七年一二月三〇日…ルーマニア人民共和国成立宣言。

一九四八年一月―五月…ティトーとスターリンの協調関係が決裂する。

一九四八年二月一七―二五日…プラハ事件（チェコスロヴァキア政変）。非共産党もくわわっていた政府を共産党が転覆させた。五月九日に「人民共和国」成立が宣言される。

一九四八年九月九日…共産主義者の金日成（一九一二―一九九四）が、朝鮮半島北部を支配する朝鮮民主主義人民共和国の成立を宣言。金日成は死ぬまで最高権力者の地位にとどまる。

一九四九年八月二〇日…ハンガリー人民共和国成立宣言。

一九四九年一〇月一日…毛沢東（一八九三―一九七六）、北京で中華人民共和国成立を宣言。蒋介石は台湾にのがれ、一九七五年に死去するまで台湾に「君臨」する。

一九四九年一〇月七日…ドイツ民主共和国（DDR、東ドイツ）の成立が宣言される。

一九五〇年六月二五日―一九五三年七月二七日…朝鮮戦争。

一九五一年…哲学者ハンナ・アーレント（一九〇六―一九七五）が著わした「全体主義の起源」が出版される。

一九五二年三月一〇日…CIAの支援を受け、キューバのフルヘンシオ・バティスタが二回目のクーデターを起こす。

一九五二年七月二三日…エジプトで、自由将校団が国王ファールーク一世（一九二〇―一九六五、一九三六年に即位）を追放する。これを機に台頭しはじめるガマール・アブドゥル＝ナーセル（一九一八―一九七〇）は、一九五四年に首相に就任する。

一九五二年一一月二〇日―一二月三日…チェコスロヴァキア共産党の古参幹部――とくにユダヤ人

――を排除するために、スターリンの大粛清をモデルとして「プラハ裁判」が行なわれる。

一九五三年一月一三日…ソ連における医師団陰謀事件。高名なユダヤ人医師複数名が、患者であった政府要人の暗殺をたくらんだ廉(かど)で逮捕された。プラハ裁判と同様に、根底にあったのは反ユダヤ主義である。この事件は、スターリン時代末期のパラノイアを反映している。

一九五三年三月五日…スターリン死去。

一九五三年一一月二〇日―一九五四年五月七日…ディエンビエンフーの戦い。ベトミン［ベトナム独立同盟会］の戦隊が、フランスの遠征隊に勝利した。

一九五四年五月四日…パラグアイで、アルフレド・ストロエスネル将軍（一九一二―二〇〇六）がクーデターを起こし、一九八九年まで大統領の座にとどまる。

一九五四年六月一八日…グアテマラで、カルロス・カスティージョ・アルマス中佐（一九一四―一九五七）が主導し、ＣＩＡが推進する軍事クーデターが起こる。アルマスは暗殺されるまで大統領をつとめる。

一九五四年七月二〇日…ジュネーヴ協定の調印。インドシナ戦争に終止符が打たれ、ベトナムは共産主義の北部と親米の南部に分断される。

一九五五年五月一四日…東欧諸国とソ連の軍事同盟を制定するワルシャワ条約。

一九五五年一〇月二六日…ゴ・ディン・ジエム（一九〇一―一九六三）がベトナム共和国成立を宣言する。ジエムは暗殺されるまで強権的に南ベトナムを統治する。一方、北ベトナムを支配するのはあいかわらずベトミンであった。

一九五六年二月一四―二五日…ソ連共産党第二〇回大会。ニキータ・フルシチョフ（一八九四―一九七一）がスターリン時代の犯罪を告発する。

一九五六年一〇月二三日―一一月一〇日…ハンガリー動乱。ソ連の意のままであった政権が国民の反発をかい、新たな政権が成立し、自由な選挙とワルシャワ条約機構からの脱退が約束された。しかし侵攻したソ連軍が、二五〇〇人以上の死者を出して首都ブダペストを制圧する。

一九五七年七月二五日…チュニジア独立の父、ハビーブ・ブルギーバ（一九〇三―二〇〇〇）がチュニジア共和国成立を宣言し、立憲議会によって大統領に任命される。ブルギーバは、新憲政党（のちに社会主義憲政党と改名）の一党支配による体制を敷く。

一九五七年九月二二日…フランソワ・デュヴァリエ（一九〇七―一九七一）がハイチの大統領に選出される。アメリカの支援をバックに、デュヴァリエは一九六四年六月に終身大統領を名のり、そのとおりに死ぬまで大統領の地位にとどまる。

一九五八―一九六二年…毛沢東、「大躍進」政策を施行。強制的な農業の集団化、工業製品のむりな増産、大規模土木工事によって、すさまじい飢餓が発生し、三〇〇〇―五五〇〇万人が死んだ。

一九五八年七月一四日…イラクで、マルキシズムに親近感をいだくアブドルカリーム・カーシム将軍（一九一四―一九六三）がクーデターを起こし、国王ファイサル二世（一九三五年生まれ）とその家族全員が殺される。

一九五八年一〇月二日…アフメド・セク・トゥーレ（一九二二―一九八四）がギニア共和国（ギニア＝コナクリ）の大統領に就任。トゥーレは死ぬまで大統領の地位にとどまる。

一九五八年一一月一七日…スーダンでイブラヒム・アブード大将（一九〇〇―一九八三）がクーデターを起こす。アブードは大統領を名のり、民衆の反発で辞任を余儀なくされる一九六四年一一月までスーダンを統治する。

一九五九年一月一日…キューバで、フィデル・カストロ（一九二六―二〇一六）が指揮するマルキスト・ゲリラがハバナを制圧する。バティスタは国外に逃亡する。

一九六〇年五月二七日…トルコで軍事クーデターが起き、政権運営に権威主義的な逸脱がめだつようになったアドナン・メンデレス（一八九九―一九六一）首相が逮捕される。

一九六〇年九月一四日…コンゴ共和国（旧ベルギー領コンゴ）で、参謀総長のモブツ・セセ・セコ（一九三〇―一九九七）がクーデターを起こす。パトリス・ルムンバ首相（一九二五―一九六一）は首都レオポルドヴィル（現キンシャサ）を脱出するが、逮捕されて一九六一年一月一七日に処刑される。

一九六一年二月…アンゴラ独立戦争がはじまる。この戦争は宗主国ポルトガルを疲弊させ、サラザールが敷いたエスタード・ノーヴォ（新国家）体制の崩壊（一九七四）につながる。

一九六二年三月一八日…アルジェリア独立を承認するエビアン協定。宗主国フランスに対して戦っていたアルジェリア民族解放戦線が翌年、一党支配体制を敷く。

一九六三年一月…一九六〇年から一九九三年までコートジヴォワールの大統領をつとめるフェリックス・ウフェ＝ボワニ（一九〇五―一九九三）の政権が、権威主義的となる転換点を迎える。

一九六三年二月八日…軍事クーデターによってイラクのカーシム首相が失墜し（翌日に処刑される）、

アラブ民族主義のバアス党とともにこのクーデターを仕かけたアブドッサラーム・アーリフ（一九二一―一九六六）が大統領に就任する。アーリフとバアス党との同盟関係は短期間で終わって決裂する。アーリフは三年後にヘリコプター事故で死ぬまで大統領の座にとどまる。

一九六三年三月八日…シリアでクーデターが起き、バアス党が政権につく。

一九六四年三月三一日…ブラジルで、陸軍参謀総長ウンベルト・デ・アレンカール・カステロ・ブランコ（一九〇〇―一九六七）がクーデターを起こす。軍事独裁は一九八五年まで続く。反共弾圧ですくなくとも四〇〇人が死んだ。

一九六四年一〇月一四日…レオニード・ブレジネフ（一九〇六―一九八二）がフルシチョフを辞任に追いこみ、彼に替わって自身がソ連共産党第一書記となる。

一九六五年九月三〇日…インドネシアで左派系軍人がクーデター未遂事件を起こす。この事件の収拾を命じられたスハルト陸軍少将（一九二一―二〇〇八）は、共産主義者であると疑われる五〇万―一〇〇万のインドネシア人の殺害を命じ、インドネシア共産党を解体する。これを機に影響力を強めたスハルトは、一九六六年三月に大統領に就任する。

一九六五年一一月一九日…フェルディナンド・マルコス（一九一七―一九八九）、フィリピン大統領に選ばれる。一九七二年にマルコスは戒厳令を布告し、一九八一年まで解除しない。

一九六五年一一月二四日…コンゴ民主主義共和国（旧ベルギーコンゴ）でふたたびクーデターが起き、モブツ・セセ・セコ（一九三〇―一九九七）はジョゼフ・カサ゠ヴブ大統領を解任し、みずから大統領となる。一九七一年、モブツ・セセ・セコは国名をザイールに変える。

一九六五年一二月三一日…「聖シルウェストルのクーデター［一二月三一日は聖シルウェストルの日なので、聖シルウェストルは大晦日をさす］」。首謀者のジャン・ベデル・ボカサ（一九二一―一九九六）は中央アフリカ共和国の大統領となる。

一九六六年六月二八日…アルゼンチンで軍事クーデターが起き、誕生した軍事政権はこれを「アルゼンチン革命」とよんだ。

一九六六年八月八日…中国で「文化大革命」がはじまる。毛沢東は狂信的な紅衛兵の若者たちを使ってみずからの権力を強める。犠牲者は四〇万―三〇〇〇万人であり、その多くは強制労働収容所において死んだとみられる。

一九六七年一月一三日…トーゴで、ニャシンベ・エヤデマ陸軍中佐（一九三五―二〇〇五）がクーデターを起こす。エヤデマは四月に大統領に就任、死ぬまでその座にとどまる。

一九六七年四月二一日…ギリシアで、ゲオルギオス・パパドプロス大佐（一九一九―一九九九）が中心となり、ＣＩＡが裏で糸を引く軍事クーデターが起きる。

一九六七年一二月二日…オマール・ボンゴ（一九三五―二〇〇九）がガボン共和国の大統領となる。ボンゴは死ぬまでこの地位を手放さない。

一九六八年一月五日―八月二〇日…プラハの春。チェコスロヴァキアが共産主義体制の自由化を試みるが、ソ連ブロックの軍隊の侵攻によって「春」は終わる。

一九六八年七月一七日…イラクでクーデターが起き、バアス党が権力を奪還する。アフマド・ハサン・アル＝バクル（一九一四―一九八二）が大統領に、ナンバーツーのサッダーム・フセインが副大統領に就任する。

一九六八年一一月一九日…マリで、ムーサ・トラオレ（一九三六年生まれ）がクーデターを起こす。トラオレは一九九一年に逮捕されるまで大統領の座にとどまる。

一九六九年九月一日…リビアでムアンマル・アル＝カダフィ（一九四二―二〇一一）がクーデターを起こし、王制を廃止して、国名をリビア・アラブ共和国にあらためる。

一九七〇年一一月一三日…シリアでハーフィズ・アル＝アサド（一九三〇―二〇〇〇）がクーデターを起こす。アサドは死ぬまで大統領の地位にとどまる。

一九七一年一月二五日…ウガンダでアミン・ダダ（一九二三ごろ―二〇〇三）がクーデターを起こす。大統領となったアミン・ダダは一九七八年に隣国タンザニアに侵攻するが、押し返されたのみならず、タンザニア軍に首都まで攻め入れられ、一九七九年に国外亡命する。彼の独裁政権下では大量虐殺（八万―五〇万人の犠牲者）が起きたことから、血まみれ、狂気、誇大妄想のアフリカの暴君というイメージが定着している。

一九七一年三月一二日…トルコで軍事クーデターが発生。軍政は一年後に民政移管。

一九七一年四月二一日…「パパ・ドク」とあだ名されたフランソワ・デュヴァリエ死去。「ベビー・ドク」とよばれる息子のジャン＝クロード（一九五一―二〇一四）が跡を継ぎ、一九八六年に失墜するまで大統領の座にとどまる。

一九七三年三月…アルゼンチンで選挙が行なわれ、独裁が終わる。

一九七三年六月二七日…ウルグアイでクーデターが起こり、フアン・マリア・ボルダベリ大統領（一九二八―二〇一一、一九七二年に大統領就任）は軍事政権の監視下に置かれる。軍事政権は一九七六年、大統領を執政評議会議長のアルベルト・デミチェリ・リサソ（一八九六―一九八〇）に交替させる。この軍事政権は新体制を「国家再建プロセス」とよんだ。

一九七三年九月一一日…チリで、軍事クーデターが起きる。一九七〇年に大統領に選ばれた社会主義者サルバドール・アジェンデ（一九〇八―一九七三）は自殺する。翌年、陸軍大将アウグスト・ピノチェト（一九一五―二〇〇六）が大統領に就任。クーデター後の弾圧で、すくなくとも三二〇〇人が死亡もしくは行方不明となる。

一九七三年一二月二八日…ソ連の反体制派作家アレクサンドル・ソルジェニーツィン（一九一八―二〇〇八）の「収容所群島」がパリで出版される。

一九七四年…ギリシアで、軍事政権に幕を引くメタポリテフシ（体制変革）。

一九七四年二月―九月…エチオピア革命。メンギスツ・ハイレ・マリアム（一九三七年生まれ）が権力を掌握、一九七七年から一九九一年まで大統領をつとめる。マリアムの「赤い恐怖政治」は五〇万人の犠牲者を出す。

一九七四年四月二五日…カーネーション革命。ポルトガルで軍事クーデターが起き、サラザールの後継者であるマルセロ・カエターノ（一九一八―一九八〇）を倒す。アンゴラでの植民地戦争に反発する将校たちが結成したＭＦＡ（国軍運動）による無血クーデターであった。リスボンの花市場を中心として、革命の成功を喜ぶ市民と兵士たちが交歓したことから、カーネーションがシンボルとなった。

一九七五年四月一七日…クメール・ルージュがカンボジアの首都プノンペンを制圧する。リーダーのサロト・サル（一九二五―一九九八）は、地下活動時代から使っていた名前、ポル・ポトを名のる。彼がうちたてた「民主カンプチア」体制は、一九七九年一月にカンボジアに侵攻したベトナム軍によって追われるまで、一七〇万人のカンボジア国民（全人口の約二〇パーセント）を殺す。

一九七五年四月三〇日…サイゴンが共産主義勢力によって制圧される。その後の何十年か、アメリカを支持した人々に対する弾圧をのがれて二〇〇万人のベトナム人が国外に脱出した。主として海路で脱出したので、「ボートピープル」とよばれた。

一九七五年一一月二〇日…フランコ死去。二日後、ファン・カルロス（一九三八年生まれ）のスペイン国王即位が宣言される。

一九七六年三月二四日…アルゼンチンで新たなクーデター発生。首謀者である陸軍総司令官のホルヘ・ラファエル・ビデラ（一九二五―二〇一三）は、イサベル・ペロン大統領（一九三一年生まれ、一九七四年に大統領就任）を失脚させる。「国家再編プロセス」と名づけられた独裁がはじまり、一九八三年まで続く。この間、反対派一万五〇〇〇人が銃殺され、約三万人が行方不明となった。

一九七六年九月九日…毛沢東死去。

一九七七年三月二日…カダフィ、リビアを共和国からジャマーヒリーヤ（大衆によって支配される国）に変え、汎アラブ主義、社会主義、イスラム神秘主義をミックスした個人独裁体制を確立する。

一九七七年一二月四日…ボカサ、戴冠式を挙行して中央アフリカ「皇帝」となる。ナポレオンの戴冠式をまねた、絢爛豪華で滑稽な式典が行なわれた。

一九七八年九月八日…イランの「黒い金曜日」。シャーの軍隊によるテヘランの大規模デモ弾圧で、多くの血が流れる。

一九七九年一月一六日…シャーがイランから亡命。

一九七九年二月八日…ドニ・サスヌゲソ大佐（一九四三年生まれ）がコンゴ共和国（旧フランス領コンゴ）の大統領に就任。

一九七九年二月一一日…アーヤトッラー・ホメイニー（一九〇〇―一九八九）、イラン・イスラム共和国の成立を宣言する。

一九七九年七月一六日…サッダーム・フセイン、「健康上の理由」でアフマド・ハサン・アル＝バクル大統領を辞任させ、みずからが大統領となる。サッダーム・フセインによる権力掌握にともない、バアス党内部で粛清が行なわれ（その様子は撮影された）、対象者は処刑された。

一九七九年七月一七日…一年におよぶ内戦をへて、ニカラグアのアナスタシオ・ソモサ（一九二〇―一九八〇）が大統領を辞任、マイアミに亡命する。

一九七九年八月三日…テオドロ・オビアン・ンゲマ（一九四二年生まれ）、クーデターにより赤道ギニア共和国の国家元首に就任。

一九八〇年四月一八日…マルキシストのロバート・ムガベ（一九二四―二〇一九）がジンバブエ首相に就任。その後、三七年にわたって君臨する（一九八七年からは大統領として）。

一九八〇年五月四日…ティトー死去。

一九八〇年八月三一日…ポーランドで、レフ・ヴァウェンサ（一九四三年生まれ）［日本ではヴァウェンサではなくワレサとよばれることが多い］を委員長とする自主管理労働組合「連帯」が結成される。連帯は、ポーランド人民共和国における反体制運動のなかで重要な役割を果たすことになる。

一九八〇年九月一二日…トルコで軍事クーデターが起こる。軍政は三年続く。

一九八〇年九月二二日…一九八八年まで続くイラン・イラク戦争のはじまり。一九八三年より、イラクは化学兵器を使用し、一万人以上の犠牲者を出す。この戦争は総計で五〇万―一二〇万人の死者を出し、国境線の変更もないまま終結した。

一九八〇年九月三〇日…ウルグアイの独裁政権が、軍政を合法化するために国民投票を行なったところ反対票が賛成票を上まわり、民主制への移行期がはじまる。

一九八一年一〇月六日…エジプトのアンワル・アッ＝サーダート大統領（一九一八―一九八一）が、イスラム同胞団の影響下にあるイスラム主義組織に属する軍人たちによって暗殺される。ホスニ・ムバラク（一九二八年生まれ）が後継者となり、二〇一一年まで大統領の座にとどまる。

一九八二年二月二―一五日…ハマー虐殺。ハマーにおけるイスラム同胞団の蜂起をシリア軍が強硬な手段で鎮圧、一万―二万人が殺された。

一九八二年一一月六日…ポール・ビヤ（一九三三年生まれ）がカメルーンの大統領に就任。

一九八三年八月一二日…マヌエル・ノリエガ将軍（一九三四―二〇一七）、パナマ軍最高司令官となる。ノリエガは事実上、パナマを一九九〇年まで支配する。

一九八三年八月二一日…フィリピン大統領のフェルディナンド・マルコスの政敵であったベニグノ・アキノ・ジュニア（一九三二―一九八三）が、マニラ空港に降り立ったところで暗殺される。反マルコス陣営が団結する。

一九八五年三月一一日…ミハイル・セルゲーエヴィチ・ゴルバチョフ（一九三一年生まれ）がソ連共産党書記長に就任する。ゴルバチョフは、ソ連の政治経済の自由化に取り組むが、疲弊した経済の立て直しに失敗したことで、一九九一年のソ連崩壊をまねく。

一九八五年四月二二日―一二月九日…アルゼンチン軍政の責任者を裁く裁判が行なわれ、ホルヘ・ラファエル・ビデラは人道に対する罪で終身刑、その他の要人も重い刑を言い渡される。大多数の受刑者は一九八九―一九九〇年に恩赦を受けるが、二〇〇〇年代にあらためて起訴される。

一九八六年二月七日…ハイチでは、アメリカに見放されたジャン＝クロード・デュヴァリエが大統領を辞任し、アメリカの軍用機でフランスに向かう。

フィリピンでは、殺されたベニグノ・アキノの妻、コラソン・アキノ（一九三三―二〇〇九）が大統領に選ばれる。

一九八七年一〇月一五日…ブルキナファソで、空挺部隊の若い将校、ブレーズ・コンパオレ（一九五一年生まれ）がクーデターを起こし、反帝国主義の革命路線をおしすすめていたトマ・サンカラ大統領（一九四九―一九八七）は殺される。

一九八七年一一月七日…チュニジアで、首相のザイン・アル＝アービディーン・ベン・アリー（一九三六―二〇一九）がクーデターを起こし、高齢による統治不能を理由に、一九五七年より大統領の座にあったハビーブ・ブルギーバ（一九〇三―二〇〇〇）を失脚させる。

一九八八年二月―九月…イラクのクルド人虐殺を目的として、サッダーム・フセインが「アンファル」作戦を実施する（アンファルは、コーランの一つの章のタイトルで、「戦利品」を意味する）。五万―一八万のクルド民間人が殺される。

一九八八年三月一六―一九日…サッダーム・フセイン、イラク国内のクルディスタン地域の町、ハラブジャを爆撃させる。化学兵器（タブン、サリン、ＶＸ）が使われ、五〇〇〇人が殺され、一万人が負傷した。史上もっとも重大な、化学兵器による民間人攻撃である。この攻撃を指令したアリー・ハサン・アル・マジード陸軍中将（異名は「ケミカル・アリー」）は二〇一〇年、クルド人ジェノサイドの罪で死刑判決を言い渡される。

一九八八年三月一二日―九月二一日…ミャンマー（ビルマ）で大規模なデモが起こり、一九六二年よりこの国に君臨していたネ・ウィン将軍（一九一一―二〇〇二）が辞任に追いこまれる。しかしながら、軍部があらたにクーデターを起こして政権を掌握し、民主化を求める運動を弾圧、流血の事態をまねく。

一九八八年一〇月五日…ピノチェトの任期を一九九七年まで延長することの可否を問う国民投票がチリで行なわれる。反対票が多かったため、ピノチェトは漸進的（ぜんしんてき）に権力を手放さざるをえなくなる。

一九八八年一二月二一日…パンナム一〇三便（ロンドン―ニューヨーク）が、爆弾テロによってロッカビー（スコットランド）上空で爆発、約二五〇名が死亡。リビアのムアンマル・カダフィが仕組んだテロであるとされる。

一九八九年二月…ハンガリーが複数政党制を導入する。これが体制の自由化と、一九五六年のハンガリー動乱関係者の名誉回復につながる。

一九八九年二月三日…パラグアイで、ストロエスネル大統領が、腹心のアンドレス・ロドリゲス・ペドッティ将軍（一九二三—一九九七）が起こしたクーデターで失脚し、代わってロドリゲスが一九九三年まで大統領となる。

一九八九年二月六日—四月四日…ポーランドで円卓会議が開催される。共産党［統一労働者党］政府と反体制勢力の話しあいの結果、この年の終わりに実質的にポーランド人民共和国が終焉を迎える。

一九八九年五月八日…スロボダン・ミロシェヴィッチ（一九四一—二〇〇六）がセルビア大統領に選ばれる。

一九八九年六月三日…ホメイニー死去。アリー・ハーメネイー（一九三九年生まれ）が後継者としてイラン・イスラム共和国の第二代最高指導者となる。

一九八九年六月四日…天安門事件。武力による鎮圧によって「北京の春」が終わる。

一九八九年六月三〇日…スーダンで、オマル・アル＝バシール大佐（一九四四年生まれ）がクーデターを起こす。

一九八九年九月一九日…UTA航空七七二便（ブラザヴィル—パリ）が爆弾テロにより、ニジェール上空で爆発し、一七一名が死亡。このテロも、リビアのムアンマル・カダフィが仕かけたものとされる。

一九八九年一〇月二三日…ハンガリー人民共和国の終焉。

一九八九年一一月九日…ベルリンの壁崩壊。

一九八九年一一月一六日—一二月二九日…チェコスロヴァキアの「ビロード革命」。チェエコスロヴァキア社会主義共和国が流血の事態にいたることなく終焉を迎え、数年後にはチェコとスロヴァキアへと分離する［ビロード離婚］。

一九八九年一二月二〇日…実質的にパナマを牛耳っていたマヌエル・ノリエガ排除のため、アメリカが軍事介入（パナマ侵攻）。

一九八九年一二月二二—二五日…ルーマニア革命。ルーマニア共産党書記長のニコラエ・チャウシェスク（一九一八—一九八九）と妻のエレナが処刑される。

一九九〇—一九九一年…アフリカのフランス語圏の国々で、農民、公務員、教会、軍、政府関係者などさまざまな国民階層が集まって国の政治問題を議論しよう、という「国民会議」運動が起こる。ベナンとマリを除いた国では、この運動は独裁体制を自由化することに失敗する。

一九九〇年七月二八日…アルベルト・フジモリ（一九三八年生まれ）、ペルー共和国大統領に選ばれる。フジモリ大統領は、ラディカルな手段を用いてマオイスト系テロ組織センデロ・ルミノソを追いつめる戦いを展開する一方で、インディオが多く住む極貧地区の住民を対象に強制的な避妊政策を推進した。

一九九〇年八月二—四日…サッダーム・フセインがクウェートを侵略する。第一次湾岸戦争のはじまり。

一九九〇年八月六日…クウェート侵攻を受けて、国連安全保障理事会がイラクに制裁を科すことを決める。

一九九〇年一一月二日…チャドでイドリス・デビ（一九五二年生まれ）がクーデターを起こす。

一九九一年一月一七日―二月二八日…アメリカが中心となった多国籍軍がイラクに侵攻する。作戦の名前は「砂漠の嵐」。

一九九一年三月…クウェートで敗北を喫したサッダーム・フセインが弱体化したと考えた北部のクルド人と南部のシーア派が反乱を起こす。しかし、フセインはこれを武力制圧し、アメリカは動こうとしなかった。

一九九一年六月三〇日…一九四八年から南アフリカで施行されていた人種隔離政策、アパルトヘイトが廃止される。

一九九一年八月一九日…ゴルバチョフが進める改革に反対するソ連支配層の保守派が、権力を奪おうとしてクーデター未遂事件を起こす。クーデター阻止の先頭に立ったボリス・エリツィン（一九三一―二〇〇七）が新たなヒーローとなり、改革派のリーダーとしてだれもが認める存在となる。

一九九一年一二月二六日…ソ連の解体。それまでの二年間に、連邦を構成していた国々が次々と独立を宣言し、ソヴィエト体制を放棄した結果であった。

一九九二年一月一一日…アルジェリア軍の将軍たちによるクーデター。一八二五年一二月一四日に皇帝に対して反乱を起こしたロシアの貴族たちがデカブリスト（ロシア語で一二月はデカーブリだから）とよばれるように、これらの将軍はフランス語でジャンヴィエリスト（フランス語で一月はジヤンヴィエ）とよばれる。このころ、アルジェリアでは選挙の最中であり、一回目の投票でイスラム主義政党のイスラム救国戦線（ＦＩＳ）が圧倒的な強さを見せ、二回目の投票（一月一六日）でも過半数を制する、と予測されていた。ジャンヴィエリストのクーデターで選挙は中止された。その後、ＦＩＳが弾圧されたことから、アルジェリアは一〇年にわたる内戦に突入し、すくなくとも六万人の死者を出す。

一九九三年四月二七日…エリトリア、独立を宣言する。以降、イサイアス・アフェウェルキ（一九四六年生まれ）が大統領として君臨する。

一九九四年四月七日―七月一七日…ルワンダでツチ族が大量虐殺される（ジェノサイド）。死者はすくなくとも八〇万人。このジェノサイドを起こした政府は、ポール・カガメ（一九五七年生まれ）を司令官とするルワンダ愛国戦線によって倒される。カガメは二〇〇〇年にルワンダ大統領となる。

一九九四年七月一〇日…アレクサンドル・ルカシェンコ（一九五四年生まれ）がベラルーシの大統領に選ばれる。「ヨーロッパ最後の独裁者」としばしばよばれるルカシェンコは、二〇〇一年、二〇〇六年、二〇一〇年、二〇一五年と、連続して再選されている。

一九九五年七月一三―一七日…スレブレニツァ（ボスニア）の虐殺。ベオグラード（セルビア共和国政府）から支援を受けたスルプスカ共和国（ボスニア・ヘルツェゴヴィナのセルビア人を主体とする共和国）の軍が、八〇〇〇人以上のボシュニャク人（ムスリム）を虐殺した。旧ユーゴスラヴィア社会主義連邦共和国を引き裂いた内戦（一九九一―二〇〇一）の、もっとも悲惨なエピソードである。

一九九七年五月一七日…ゲリラのリーダーであったローラン＝デジレ・カビラ（一九三九―二〇〇一）がザイール（その後にコンゴ民主共和国と改名）の首都キンシャサを制圧し、モブツの失墜を決定づける。

一九九七年六月―一〇月…コンゴ共和国（旧フランス領コンゴ）の内戦。これに勝ったドニ・サスヌゲソが権力者の地位にとどまる。

一九九七年七月一九日…リベリアでチャールズ・テーラー（一九四八年生まれ）が大統領に選ばれる。二〇〇三年まで大統領をつとめたテーラーは、無慈悲なゲリラの指揮官であったころと同じ手法で国を治め、シエラレオネ内戦にも関与する。

一九九八年五月二一日…一九九七年のアジア通貨危機に起因する暴動がジャカルタで発生、スハルト大統領が辞任する。

一九九八年六月一五日―七月一七日…ローマで国際連合全権外交使節会議（ローマ会議）が開催され、国際刑事裁判所（オランダのハーグ）を設立することを定める「ローマ規定」が調印される。

一九九九年四月二七日…アブデルアズィーズ・ブーテフリカ（一九三七年生まれ）がアルジェリア共和国大統領に選出される。

二〇〇〇年六月一〇日…ハーフィズ・アル＝アサド死去。次男のバッシャールが跡を継いでシリア大統領に就任。

二〇〇〇年一〇月五日…セルビア（ユーゴスラヴィア連邦共和国）で「ブルドーザー」革命が起こ

り、ミロシェヴィッチが退陣に追いこまれる。この革命の名称は、権力の象徴であるラジオ・テレビ放送局を攻撃したデモ隊がブルドーザーを使ったことにちなむ。

二〇〇〇年一一月一七日…開票操作に不正があると指摘された選挙で再選を果たしたフジモリ大統領がペルーから脱出し、議会によって罷免される。

二〇〇一年一月一六日…キンシャサでローラン＝デジレ・カビラが暗殺される。息子のジョゼフ・カビラ（一九七一年生まれ）が父の跡を継ぐ。

二〇〇一年四月一日…セルビアでミロシェヴィッチが逮捕される。

二〇〇三年二月二六日…スーダン西部のダルフールで紛争がはじまる。この紛争で民間人が三〇万人以上犠牲となる。

二〇〇三年三月一五日…中央アフリカ共和国でフランソワ・ボジゼ（一九四六年生まれ）がクーデターを起こす。ボジゼはその後一〇年にわたってこの国を統治する。

二〇〇三年三月二〇日―四月九日…アメリカが中心となった多国籍軍がイラクに侵攻する［空襲は一九日から］。この「イラクの自由」作戦の目的は、サッダーム・フセイン政権の打倒であった。

二〇〇三年一二月一三日…サッダーム・フセインが、バグダードの北、ダウル村で逮捕される。

二〇〇四年一一月二一日―一二月二六日…ウクライナの「オレンジ革命」。モスクワ寄りの姿勢が問題視されるヴィクトル・ヤヌコーヴィチ（一九五〇年生まれ）が大統領に当選したが、選挙に不正があったとする抗議運動が広がる。再選挙を実施した結果、今度はヴィクトル・ユシチェンコが選ばれる。

二〇〇五年一〇月一九日—二〇〇六年一一月五日…イラク特別法廷でサッダーム・フセインを裁く裁判が開かれ、人道に対する罪で死刑判決が出る。

二〇〇六年一二月三〇日…バグダードでサッダーム・フセインの絞首刑が執行される。

二〇〇七年二月一五日…ラムザン・カディロフがウラジーミル・プーチンによって、チェチェン共和国の大統領に任命される。チェチェンは、ロシア軍侵攻（一九九九—二〇〇〇）の結果、ふたたびロシアの属国となっていた。

二〇〇八年七月一四日…国際刑事裁判所は、ダルフール紛争におけるジェノサイドと人道に対する罪および戦争犯罪の容疑でオマル・アル＝バシールの逮捕状を発行する。

二〇〇九年一月二六日…国際刑事裁判所で、コンゴ解放愛国軍の元最高司令官トマ・ルバンガ被告（一九六〇年生まれ）に対する初公判がはじまる。ルバンガは二〇一二年三月一四日に戦争犯罪で有罪と認定される。ルバンガは、国際刑事裁判所から有罪判決を言い渡されたはじめての犯罪人である。

二〇〇九年四月七日…リマで、アルベルト・フジモリ元大統領に、人道に対する罪で禁固二五年の判決が下る。

二〇一〇年一二月一七日…チュニジアの露天商、モハメド・ブアジジ（一九八四—二〇一一）の焼身自殺。彼の死に端を発した暴動が「アラブの春」のはじまりを告げる。

二〇一一年一月一四日…チュニジア大統領のベン・アリーは家族とともに国外脱出をはかり、大統領専用機でフランスに向かったが着陸を拒絶され、サウジアラビアに亡命する。二月になると「アラブの春」の波はエジプト、ヨルダン、イエメン、リビア、バーレーン、シリアに広がる。

二〇一一年二月一一日…大規模なデモが起き、ホスニ・ムバラクは辞任に追いこまれ、政権を軍に託す。

二〇一一年三月一七日…国連安全保障理事会決議一九七三が採択され、リビアへの軍事介入の道がひらかれる。これがカダフィの失墜につながる。

二〇一一年四月一九日…フィデル・カストロ、キューバ共産党第一書記のポストを弟のラウル・カストロ（一九三一年生まれ）にゆずる。

二〇一一年八月二〇―二八日…リビアの反体制派がトリポリを制圧。

二〇一一年一〇月二〇日…スルトで反カダフィ派部隊に拘束されたカダフィの死。

二〇一一年一二月一七日…父親の金日成が一九九四年に亡くなって以来、北朝鮮に君臨していた金正日（一九四一―二〇一一）が死去する。後継者は金正恩（一九八四年生まれ）。

二〇一二年五月三〇日…リベリアの元大統領チャールズ・テーラーが、シエラレオネ特別法廷により、人道に対する罪で五〇年の刑を言い渡される。

二〇一三年三月二四日…イスラム色が濃い反政府組織の連合隊、セレカ（サンゴ語で「同盟」を意味する）が中央アフリカ共和国大統領府を制圧して、フランソワ・ボジゼ大統領は国外に脱出する。その後、キリスト教徒とムスリムとのあいだの紛争で虐殺が起き、これを止めるため、二〇一三年末にフランスがアフリカ連合とともに軍事介入する。

二〇一三年七月三日…政権への不満をつのらす民衆によるデモの広がりを背景に、エジプト軍がクーデターを起こし、ムスリム同胞団に支持されていたムハンマド・ムルシー大統領（一九五一年生まれ、二〇一二年に大統領になったばかりであった）が失脚する。二〇一四年、しめつけの厳しい大統領選挙の結果、アブドルファッターフ・アッ＝シーシー陸軍元帥（一九五四年生まれ）が得票率九六・一パーセントで当選する。

二〇一三年八月二一日…バッシャール・アル＝アサド（一九六五年生まれ）の政府軍が、反政府勢力支配下にあったダマスカス郊外を化学兵器（サリン）で攻撃。死者は五〇〇―二〇〇〇人。

二〇一四年一〇月二八―三一日…ブルキナファソで革命が起き、ブレーズ・コンパオレが辞任に追いこまれる。

二〇一六年七月一五―一六日…トルコで、レジェップ・タイイップ・エルドアン大統領（一九五四年生まれ）に対するクーデターが起こるが失敗に終わる。これに対する報復として、エルドアンは一五万人の公務員を降格させ、五万五〇〇〇人を収監する。

二〇一六年一一月二五日…フィデル・カストロ死去。

二〇一七年一一月一四―二一日…ジンバブエでクーデターが起き、ロバート・ムガベが辞任に追いこまれる。

二〇一七年一二月四日…イエメンで、一九七八年より大統領の座にあったが、二〇一一年に起きたデモによって弱体化して二〇一二年に退陣したが隠然たる力を保っていたアリー・アブドッラー・サーレハ（一九四七―二〇一七）が暗殺される。

執筆者一覧

オリヴィエ・ゲズ（編者、まえがき）

歴史研究者、著述家、ジャーナリスト。最新作の『ヨーゼフ・メンゲレの失踪』（グラセ社、二〇一七）はルノドー賞を獲得した。

ステファン・クルトワ（1章）

歴史研究者。ＣＮＲＳ（フランス国立科学研究センター）の名誉研究部長、雑誌「共産主義」のほか、出版社複数（スイユ、ル・ロシェ、セール、ヴェンデミエール）の叢書の監修者。フランス内外の共産主義、全体主義現象をテーマとする著作が三〇冊ほどある。世界的なベストセラーとなった『共産主義黒書』（二六か国語に翻訳され、売上げ総数一〇〇万部以上）の編者である。二〇一七年にペラン社から出版した『レーニン――全体主義の発明者』は、二〇一八年に政治家伝記大賞と、歴史本大賞（歴史専門チャンネル「イストワール」／フィガロ・イストワール）を受賞。

フレデリック・ル・モアル（2章）

歴史で博士号を取得（パリ第四大学ソルボンヌ）、サン＝シール陸軍幼年学校およびアルベール＝ル＝グラン学院で教鞭をとっている。イタリア、ファシズム、教皇庁にかんする数多くの著作があり、ペラン社からは『ヴィットーリオ＝エマヌエーレ三世――ムッソリーニと対峙した国王』（二〇一四）、『教皇分裂　ヴァチカン対独裁者たち』（二〇一六）、倫理・政治学アカデミーのエルネスト・ルモノン賞に輝いた『ファシズムの歴史』（二〇一八）を出版している。

ニコラ・ヴェルト（3章）

現代史学院（フランス国立科学研究センター）の研究部長。『共産主義黒書』執筆に参加したことで知名度を上げた。ソ連の歴史の大スペシャリストであり、その著作『人食族の島』（ペラン社、二〇〇八）は大評判となった。ペラン社からは、二〇一九年にも『希望の墓』を出版している。

エリック・ブランカ（4章）

歴史研究者、ジャーナリスト。ド・ゴール主義と情報機関に詳しく、これらをテーマとする著作で評価されている。ペラン社からは、『アメリカの友人、ワシントン対ド・ゴール』（二〇一七）、『ヒトラーへのメディア取材記録――インタビュー1923-1940』（二〇一九。松永りえ訳、原書房、二〇二〇）を出版している。

エリック・ルセル（5章）

著述家およびジャーナリスト。近現代のキーパソンを論じたその著作は高く評価されている。著書に、『シャルル・ド・ゴール』（ガリマール社、二〇〇二。テンプス叢書、ペラン社、二〇〇七）。『ジャン・モネ』（ファイヤール社、一九九六）、『ジョルジュ・ポンピドゥー』（ペラン社テンプス叢書、二〇〇四）、『ピエール・マンデス・フランス』（ガリマール社、二〇〇七）、『私人および政治家としてのフランソワ・ミッテラン』（ロベール・ラフォン、二〇一六）、『ヴァレリー・ジスカール・デスタン』（エディシオン・ド・ロプセルヴァトワール、二〇一八）がある。フランス学士院の会員（倫理・政治学アカデミー）。

ベネディクト・ヴェルジェ＝シェニョン（6章）

歴史で博士号を取得し、パリ政治学院で講師をつとめた。フランスにおける第二次世界大戦史の専門家の一人。『メネトレル博士』（ペラン社、二〇〇二）、『ヴィシー政権支持者にしてレジスタンス活動家』（ペラン社、二〇〇八）、『ヴィシーの秘密』（ペラン社、二〇一五）、伝記『ペタン』（ペラン社、二〇一四）など、一二冊の著作がある。

ピエール・フランソワ・スイリ（7章）

名誉教授としてジュネーヴ大学で日本史を教えている。過去にはパリのフランス国立東洋言語文化学院で教鞭をとり、東京の日仏会館の館長をつとめた経験もある。『新日本史』（ペラン社、二〇一〇)、『カミカゼ』(コンスタンス・セレニとの共著、フラマリオン社、二〇一五)、『西洋ではないが近代国家――今日の日本の起源』(ガリマール社、二〇一六)をはじめとする、多くの著作がある。

ジャン=クリストフ・ビュイッソン(8章)

ル・フィガロ・マガジンの副編集長。歴史専門チャンネル「イストワール」の「イストリックモン・ショー」で司会をつとめている。バルカンとスラヴ世界の専門家。著書に、『ベオグラードの歴史』、『一九一七年――世界を変えた年』、『暗殺が変えた世界史』(神田順子ほか訳、原書房)がある。

パスカル・ダイエズ=ビュルジョン(9章)

エコール・ノルマル・シュペリウール卒で、歴史の高等教育教授資格取得。専門である韓国と北朝鮮を主題とする多くの論考と四冊の本を執筆。著書に、『朝鮮の人々』(タランディエ社、二〇一一)、『朝鮮の歴史 起源から今日まで』(タランディエ社、二〇一三)、北朝鮮の独裁にかんするエッセー『赤い王朝』(ペラン社刊、二〇一五)がある。なお、『赤い王朝』は韓国でも出版された。ほか、ベルギーにかんするエッセー『ベルギーの秘密』(ペラン社、二〇一五)、およびビザンティウムにかんするエッセー『秘密のビザンティウム』(ペラン社、二〇一七)がある。

レミ・コフェール(10章)

ジャーナリスト、著述家。ヴァンデ・カトリック学院で教鞭をとるかたわら、ル・フィガロ・マガジンやル・ポワン誌に寄稿している。ペラン社からは、『四人の皇帝の世紀――孫文、蒋介石、毛沢東、鄧小平』と、伝記『康生――毛沢東のスパイ頭』(共著)を出している。

フランソワ＝ギヨーム・ロラン(11章)

エコール・ノルマル・シュペリウール卒で高等教育文学教授資格を取得。ル・ポワン誌「歴史」欄の特別寄稿者である。『リヨンの男』(リーヴル・ド・ポッシュ)や『フランスを形づくった場所』(ファイヤール社)など、約一〇冊の著作がある。最新作『あなたはご家族ですか?(ジャン・コピトヴィッチを探して)』は二〇一九年二月にフラマリオン社から出版された。

エマニュエル・エシュト(12章)

レクスプレス誌の元編集長。現在は、フィガロ・マガジンとリールに寄稿。ペラン社の叢書の編者としても活躍しており、複数の専門家を執筆者として起用した『独裁者たちの最期の日々』(二〇一〇。清水珠代訳、原書房、二〇一七)の共同編者をつとめた。最新作は、ジャン＝クリストフ・ビュイッソンとの共同編集による『敗者が変えた世界史』(二〇一八。神田順子ほか訳、原書房、二〇一九)。

カトリーヌ・エーヴ・ルペール(13章)

『ハイチ問題――危機的状況の国』(タランディエ社、一九八八)および『ハイチの歴史――新世界初の黒人共和国』(ペラン社、二〇一一)の著者で、『戦争と人道』(国防省、一九九八)と『人類博物館の知られざる宝』(シェルシュ＝ミディ社、一九九九)の編者。

エリザベト・ブルゴス(14章)

歴史研究者、人類学者。メゾン・ド・ラメリク・ラティーヌ館長、セビリャのフランス学院院長、マドリードのフランス大使館文化参事官をつとめた。ベネズエラの週刊誌セータの論説員である。著書に、『わたしはリゴベルタ・メンチュ——一つの人生と一つの声、グアテマラ革命』(ガリマール社、一九八三。フォリオ叢書、一九九九)がある。長期間キューバで暮らした経験がある。

ローランス・ドゥブレ(14章)

歴史研究者かつジャーナリスト。著書に、『スペイン国王フアン・カルロス』(ペラン社、二〇一九)、および、二〇一八年の政治著作賞をはじめとする複数の賞を獲得した『革命家の娘』(ストック社、二〇一八)がある。

ジャン＝ピエール・ランジェリエ(15章)

数多くの著作をもつジャーナリスト。代表作は、『西暦一〇〇〇年のヒーローたち』(スイユ社、二〇〇〇)、『ヴィクトル・ユーゴー辞典』(ペラン社、二〇一四)、『モブツ』(ペラン社、二〇一七)。

ヴァンサン・ユジュー（16章）

一九九〇年よりレクスプレス誌国際部の特別寄稿者。二〇〇五年にはバイユー戦争特派員賞を受賞。政治学院ジャーナリズム課程とリール・ジャーナリズム高等学校で教鞭をとっている。何冊ものエッセーの著者でもあり、代表作は『白い魔法使い――アフリカのいつわりの友であるフランス人たちについての調査』（ファイヤール社、二〇〇七）、『正面からアフリカに向きあう――紋切り型の一〇のイメージを検証する』（アルマン・コラン社、二〇一〇）、『アフリカの王妃たち――ファーストレディーたちの真実』（ペラン社、二〇一四年。再版は「テンプス」叢書、二〇一七）、『カダフィ』（ペラン社、二〇一七）である。

パトリック・モロー（17章）

歴史博士号と政治学国家博士号を取得している（フランス国立科学研究センター、DYNAM研究所、ストラスブール大学）。一九九四年から一九九八年まで、ドイツ連邦議会の調査委員会「ドイツ社会主義統一党の独裁の克服」のメンバー。ドイツにおける共産主義とポスト共産主義時代にかんして、数多くの著作と記事を執筆。

ミシェル・フォール（18章）

ジャーナリスト。一九八九年から二〇〇五年にかけてレクスプレス誌の特派員をつとめ、長年にわたって南米の動静を取材。数多くの著作があるが、ペラン社からは『ファン・カルロスのスペイン』

（二〇〇八）と『ブラジル物語』（二〇一六）を出版しており、二〇二〇年初めにピノチェト伝もペランから出版される予定である。

ジャン＝ルイ・マルゴラン（19章）

エコール・ノルマル・シュペリウール卒の高等教育教授資格取得者。東アジアの近現代史の研究者。イギリスによる支配が終わってからのシンガポールの研究が出発点。東アジアにおける大規模な暴力の歴史を扱った多くの著作と記事を執筆。最新作は、クロード・マルコヴィッツとの共著による『インドとヨーロッパ——結合された歴史、一五世紀から二〇世紀まで』（ガリマール社、フォリオ歴史叢書、二〇一五）。

クリスティアン・デストゥルモ（20章）

第二次世界大戦を専門とする歴史研究者。イギリス文化に詳しく、大作『アラビアのロレンス』（ペラン社、二〇一四）の著者として知られる。同じくペラン社から出版した『連合国が知っていたこと』（二〇〇七）、『第二次世界大戦中の中東』（二〇一一）、『チャーチルとフランス』（二〇一七）も大きな注目を集めた。

ジェレミー・アンドレ（21章）

歴史の高等教育教授資格を取得。二〇一六年から二〇一八年にかけて、ラ・クロワ紙の特派員としてシリアとイラクに、ル・ポワン誌、ル・フィガロ・マガジン誌、ラ・ヴィ誌、マリアンヌ誌の特派員としてコンゴで取材。

ベルナール・バジョレ（22章）

パリ政治学院とフランス国立行政学院で学んだ後に外交官の道を選び、アルジェ、ローマ、ダマスカスで勤務。一九九四年以降は、フランス大使としてアンマン、サラエボ、バグダード、アルジェ、カブールに赴任。ニコラ・サルコジ大統領時代、国家情報会議のコーディネーター（二〇〇八―二〇一一）。二〇一三年に対外治安総局の長官に任命され、二〇一七年五月まで同ポスト。著書に、『東に、太陽はもう昇らない』（プロン社、二〇一八）がある。

◆編者略歴◆

オリヴィエ・ゲズ（Olivier Guez）
歴史研究者、著述家、ジャーナリスト。最新作の『ヨーゼフ・メンゲレの失踪』（グラセ社、2017年）はルノドー賞を獲得した。

◆訳者略歴◆

神田順子（かんだ・じゅんこ）…13-16、18章、「年表と解説」担当
フランス語通訳・翻訳家。上智大学外国語学部フランス語学科卒業。訳書に、ピエール・ラズロ『塩の博物誌』（東京書籍）、クロディーヌ・ペルニエ＝パリエス『ダライラマ 真実の肖像』（二玄社）、ベルナール・ヴァンサン『ルイ16世』、ソフィー・ドゥデ『チャーチル』（以上、祥伝社）、共訳書に、ディアンヌ・デュクレ『女と独裁者――愛欲と権力の世界史』（柏書房）、ジャン＝クリストフ・ビュイッソンほか『王妃たちの最期の日々』、セルジュ・ラフィ『カストロ』、パトリス・ゲニフェイほか『王たちの最期の日々』、アレクシス・ブレゼほか『世界史を作ったライバルたち』、ジャン＝クリストフ・ビュイッソンほか『敗者が変えた世界史』（以上、原書房）などがある。

田辺希久子（たなべ・きくこ）…17、22章担当
青山学院大学大学院国際政治経済研究科修了。翻訳家。最近の訳書に、グッドマン『真のダイバーシティをめざして』（上智大学出版）、ブレゼほか『世界史を作ったライバルたち』、ビュイッソンほか『敗者が変えた世界史』、ビュイッソン『暗殺が変えた世界史』（以上共訳、原書房）などがある。

村上尚子（むらかみ・なおこ）…19章担当
フランス語翻訳家、司書。東京大学教養学部教養学科フランス分科卒。訳書に、『望遠郷9 ローマ』（同朋舎出版）、オーグ『セザンヌ』、ボナフー『レンブラント』（以上、創元社、知の再発見双書）、ブレゼほか『世界史を作ったライバルたち』、ビュイッソンほか『敗者が変えた世界史』、ビュイッソン『暗殺が変えた世界史』（以上共訳、原書房）などがある。

松尾真奈美（まつお・まなみ）…20章担当
大阪大学文学部文学科仏文学専攻卒業。神戸女学院大学大学院文学研究科英文学専攻（通訳翻訳コース）修了。翻訳家。

濱田英作（はまだ・えいさく）…21章担当
国士舘大学21世紀アジア学部教授。早稲田大学大学院文学研究科東洋史専攻博士課程単位取得。著書に、『中国漢代人物伝』（成文堂）、訳書に、甘粛人民出版社編『シルクロードの伝説――説話で辿る二千年の旅』（サイマル出版会）、C・チャンバース『シク教』、A・ガネリー『ヒンズー教』（以上、岩崎書店）、共訳書に、ディアンヌ・デュクレ『女と独裁者――愛欲と権力の世界史』（柏書房）、ジャン＝クリストフ・ビュイッソンほか『敗者が変えた世界史』、ジャン＝クリストフ・ビュイッソン『暗殺が変えた世界史』（原書房）などがある。

独裁者が変えた世界史

下

●

2020年4月10日　第1刷

編者………オリヴィエ・ゲズ
訳者………神田順子
田辺希久子
村上尚子
松尾真奈美
濱田英作

装幀………川島進デザイン室
本文組版・印刷………株式会社ディグ
カバー印刷………株式会社明光社
製本………小泉製本株式会社
発行者………成瀬雅人

発行所………株式会社原書房
〒160-0022　東京都新宿区新宿1-25-13
電話・代表　03(3354)0685
http://www.harashobo.co.jp
振替・00150-6-151594
ISBN978-4-562-05750-4

北朝鮮
三人の金
URSS[2]
スターリン
中国
毛沢東
ユーゴスラヴィア[3]
ティトー
カンボジア
ポル・ポト
イラン
ホメイニー
イラク
サッダーム・フセイン
リビア
カダフィ
シリア
アサド(父子)
コンゴ
モブツ
地図製作：EdiCarto
この間に独裁体制を一度以上経験した国
おもな独裁体制：
共産主義
イスラム主義
その他
この間、きわめて不安定な情勢にさらされてきた国。
複雑な体制、クーデター、戦争、内戦などの連続。
国際社会から認知されていない国
主要な地政学的大転換が起きた地域
旧URSS[2]
旧ユーゴスラヴィア[3]
再統一ドイツ[1]